Ja! genau!

Deutsch als Fremdsprache

Kurs- und Übungsbuch

Claudia Böschel
Dagmar Giersberg
Sara Hägi

A1
Band 2

Cornelsen

Ja genau! A1/2

Deutsch als Fremdsprache

Im Auftrag des Verlages erarbeitet von:
Claudia Böschel, Dagmar Giersberg und Sara Hägi

In Zusammenarbeit mit der Redaktion: Andrea Finster

Redaktionelle Mitarbeit: Kerstin Reisz
Bildredaktion: Nicola Späth
Projektleitung: Gunther Weimann

Beratende Mitwirkung: Eva Enzelberger, Bernhard Falch, Christina Lang, Barbara Laue, Ester Leibnitz, Lidia Wanat

Illustrationen: Joachim Gottwald
Layoutkonzept und technische Umsetzung: sign, Berlin
Umschlaggestaltung: Rosendahl Grafikdesign

Weitere Kursmaterialien:
Audio-CD für den Kursraum ISBN 978-3-06-024167-5
Sprachtraining A1 DaZ (ISBN 978-3-06-024163-7) und DaF (ISBN 978-3-06-024162-5)
Handreichungen für den Unterricht ISBN 978-3-06-024172-9

www.cornelsen.de

1. Auflage, 4. Druck 2015

Alle Drucke dieser Auflage sind inhaltlich unverändert und können im Unterricht nebeneinander verwendet werden.

Druck: Firmengruppe APPL, aprinta Druck, Wemding

ISBN 978-3-06-024158-3

Die Autorinnen im Gespräch
Anstelle eines Vorworts

Ein neues Lehrwerk?

Ja genau! Es ist unsere Antwort auf die aktuellen Anforderungen an den DaF- oder DaZ-Unterricht, wie zum Beispiel ...

Oh ja, ich kenne sowohl die Praxis als auch die Curricula und weiß, wo es immer hakt. Die **heterogene Lernerschaft** und die zum Teil sehr schwierigen Rahmenbedingungen sind eine echte Herausforderung.

Ja genau. Auch wir kennen die Praxis mit all ihren Schwierigkeiten, aber auch Erfolgversprechendes. Und dazu gehören unserer Meinung nach **ganzheitliche Ansätze**, der **Fokus auf die Stärken der Lernenden**, also **ressourcenorientiertes Arbeiten** – und natürlich **Humor**. Und wir schätzen effektive **Automatisierungsübungen** und ...

Ich habe ja schon einiges beim ersten Durchsehen entdeckt: Manchmal muss man **vor- oder zurückblättern**, sodass bereits Behandeltes unter einem anderen Aspekt wieder aufgegriffen wird, Stichwort **Lernschleifen.** Es gibt viele Angebote zur Binnendifferenzierung, wie zum Beispiel den Übungstyp **Schon fertig?** und mit **Musik**, **Bewegung** und **Visualisierungen** werden alle Lerntypen angesprochen.

45

Schon fertig?

Ja, ganz genau. Wichtig war uns außerdem, dem Lernenden Raum zu lassen, um **zu verweilen** und **sich einzubringen**. Wir wollen **neugierig machen** und **Interessen wecken** und vor allem ist uns wichtig ...

Und wie geht es weiter?

In der Stadt

Meinen Sie den Dosenöffner?

Ach, Sie kennen den?

Ja, den habe ich in der HRU (Anmerkung der Redaktion: **H**and**r**eichung für den **U**nterricht) gefunden: Er weist auf ein Grundprinzip hin. Die Idee ist natürlich nicht neu, den Lernenden das Werkzeug an die Hand zu geben, damit sie **selbstständig im deutschsprachigen Raum zurechtkommen.** Aber der Öffner veranschaulicht das ganz nett.

Genial, dass Sie die HRU gelesen haben. Aber was wir eben sagen wollten: Vor allem ist uns wichtig, dass die Lernenden **genauer hinschauen** bzw. **hinhören** und dadurch immer wieder **Aha-Erlebnisse** haben.

Klar, deswegen ja auch der Titel. Mir ist übrigens dadurch erst bewusst geworden, wie oft ich eigentlich „Ja genau!" sage ...

Und wir erst! Jedenfalls hoffen wir auf viele Erkenntnisse – beim Deutschlernen und Deutschlehren. Wir freuen uns sehr auf den **Dialog** mit Lehrenden und Lernenden und wünschen viel Spaß und Erfolg mit *Ja genau!*

Ja genau!

- ein Lehrwerk für Erwachsene ohne Vorkenntnisse
- in sechs Bänden:
  Band 1 und 2 führen zur Niveaustufe A1, Band 3 und 4 zu A2,
  Band 5 und 6 zu B1 des Gemeinsamen europäischen Referenzrahmens
- Das Lehrwerk bereitet auf folgende Prüfungen vor:
  Goethe-Zertifikat A1: Start Deutsch 1; telc Deutsch A1; ÖSD A1
  Goethe-Zertifikat A2: Start Deutsch 2; telc Deutsch A2; ÖSD A2
  Goethe-Zertifikat B1: Zertifikat Deutsch; telc Deutsch B1; Deutsch-Test für Zuwanderer; Österreichisches Sprachdiplom Deutsch B1
- Jeder Band hat sieben Einheiten.
- Jede Einheit besteht aus zehn Seiten:
  zwei Einstiegsseiten, vier Präsentationsseiten, eine Projektseite, eine Extra-Seite mit fakultativem Zusatzmaterial, eine „Ich kann ...“-Seite als Zusammenfassung der Lerninhalte und eine Übergangsseite „Und wie geht es weiter?“, die auf das kommende Thema einstimmt.
- Der Übungsteil ist ins Kursbuch integriert. Zu jeder Einheit gibt es fünf Seiten mit Übungen sowie eine Seite, die den Lernwortschatz präsentiert.
- In das Kurs- und Übungsbuch eingelegt ist eine Audio-CD für Lernende (mit allen Hörtexten des Übungsteils sowie dem Dialogtraining aus den Einheiten).
- Neben dem Kurs- und Übungsbuch gibt es noch: ein Trainingsheft, eine Audio-CD für Lehrende (Kursraum-CD) und die Handreichung für den Unterricht.

Legende

Die Symbole und ihre Bedeutung

Hier gibt es etwas zu hören.
5 Wo? Zahl = Tracknummer der Kursraum-CD für Lehrende.
Nur die Tracknummern im Übungsbuchteil beziehen sich auf die im Buch eingelegte CD.

Hier arbeiten Sie zu zweit.

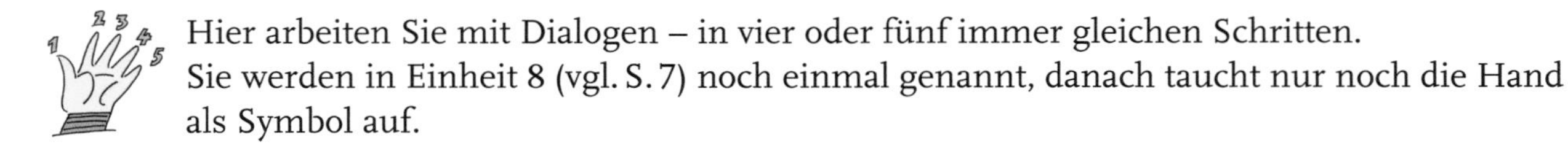

Hier arbeiten Sie mit Dialogen – in vier oder fünf immer gleichen Schritten.
Sie werden in Einheit 8 (vgl. S. 7) noch einmal genannt, danach taucht nur noch die Hand als Symbol auf.

15 Hier müssen Sie vor- oder zurückblättern. Wohin? Die Seitenzahl ist angegeben.

Was!? Schon fertig? Hier finden Sie weitere Aufgaben.

Hier werden Sie aufgefordert, das Erlernte in der Welt draußen auszuprobieren. Wenn Sie nicht in D A CH lernen, nutzen Sie das Internet oder probieren Sie die Aufgabe im Kursraum aus.

Hier finden Sie zusätzliche Übungen, wenn Sie etwas vertiefen wollen.

Inhalt

Wohnen und leben

Wohnungssuche

1 **So kann man wohnen. Welches Foto passt zu welcher Anzeige?**

2-Zi.-Whg., 50 m², 7. OG, Balk., Einbauküche, Miete 520 € + NK

1.

Einfamilienhaus mit Garten u. Terrasse, 5 Zi., EBK, 2 Bäder, Gäste-WC, ruhig, 1200 € + NK, 3 MM KT

2.

1-Zi.-Apart., 35 m², möbl. (mit Waschmaschine), ZH, 350 € + 100 € NK

3.

4 ZKB, 120 m², Altbau, EG, 750 € + NK

4.

2 **Ganz kurz. Ergänzen Sie die Abkürzungen.**

das Zimmer	________	der Quadratmeter	________
Zimmer, Küche, Bad	________	der Balkon	________
die Wohnung	________	die Nebenkosten	________
das Apartment	________	die Kaution	________
das Erdgeschoss	________	die Zentralheizung	________
das Obergeschoss	________	die Einbauküche	________
die Monatsmiete	________	möbliert	________

3 **Anzeigen lesen.**

2

a) Welche Anzeige fehlt im Dialog? Hören Sie.

b) Was passt? Hören Sie noch einmal und ordnen Sie die Anzeigen zu.

a) Das klingt gut. ☐ b) Das ist zu klein. ☐ c) Das ist zu teuer. ☐

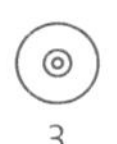
3

4 Wie viele Personen sprechen? Hören Sie.

3
4

5 Arbeiten Sie mit dem Dialog.

- Mein Name ist Stefan Berger. Ich habe Ihre Anzeige in der Zeitung gelesen. Ist die Wohnung noch frei?
- Ja.
- Ich habe ein paar Fragen. Hier steht, die Wohnung hat vier Zimmer. Wie groß sind die Zimmer?
- Es gibt ein Wohnzimmer – das hat 25 m². Die drei Schlafzimmer sind circa 15 m² groß.
- Ist die Wohnung hell?
- Ja. Vor allem das Wohnzimmer und die Küche.
- Wie hoch sind denn die Nebenkosten?
- 110 Euro.
- Das ist nicht viel. Und wo liegt die Wohnung?
- Sebastianstraße 40. Wissen Sie, wo das ist?
- Nein, aber ich suche das gleich auf dem Stadtplan. Können wir die Wohnung sehen?
- Ja, gern. Heute um 15 Uhr?
- Ja, das ist gut. Dann bis später.
- Ja, bis später. Ach, eine Sache noch: Die Autobahn ist ganz nah …

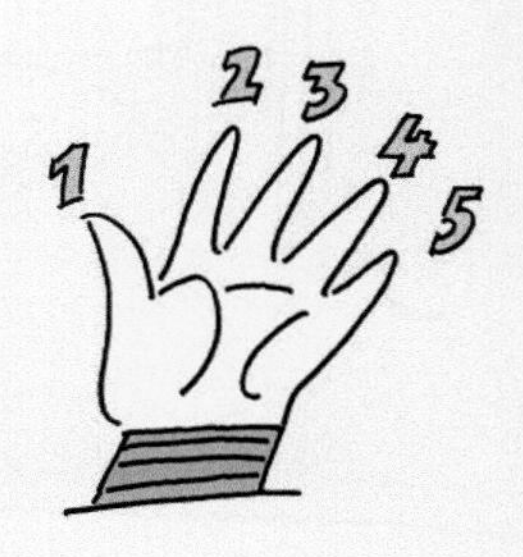

1. *Hören und leise mitlesen*
2. *Hören und nachsprechen (hier: Track 4)*
3. *Hören und laut mitlesen*
4. *Zu zweit lesen*
5. *Alle Wörter in Rot variieren*

6 Notieren Sie Fragen zu den Wohnungen oder dem Haus aus Aufgabe 1. Der Dialog aus Aufgabe 5 hilft.

Wie hoch ist die Miete insgesamt?
Hat die Wohnung …?

Was sind Nebenkosten?
Nebenkosten (D, CH)[1]:
Geld für Wasser, Reinigung etc.

1 Betriebskosten (A)

Schon fertig?
1. **Schreiben Sie eine Anzeige für Ihre Traumwohnung.**
2. **Schreiben Sie einen Dialog wie in Aufgabe 5 für Ihre Wohnung.**

Kalt oder warm?
Kaltmiete (D):
Miete ohne Heizungskosten
Warmmiete (D)[2]:
Miete mit Heizungskosten

2 Inklusivmiete (A)

Raus mit der Sprache. Suchen Sie eine Anzeige in der Zeitung oder im Internet. Rufen Sie an oder mailen Sie. Sammeln Sie Informationen und erzählen Sie im Kurs.

So wohne ich

7 Lesen Sie den Text. Ordnen Sie die Zimmer zu.

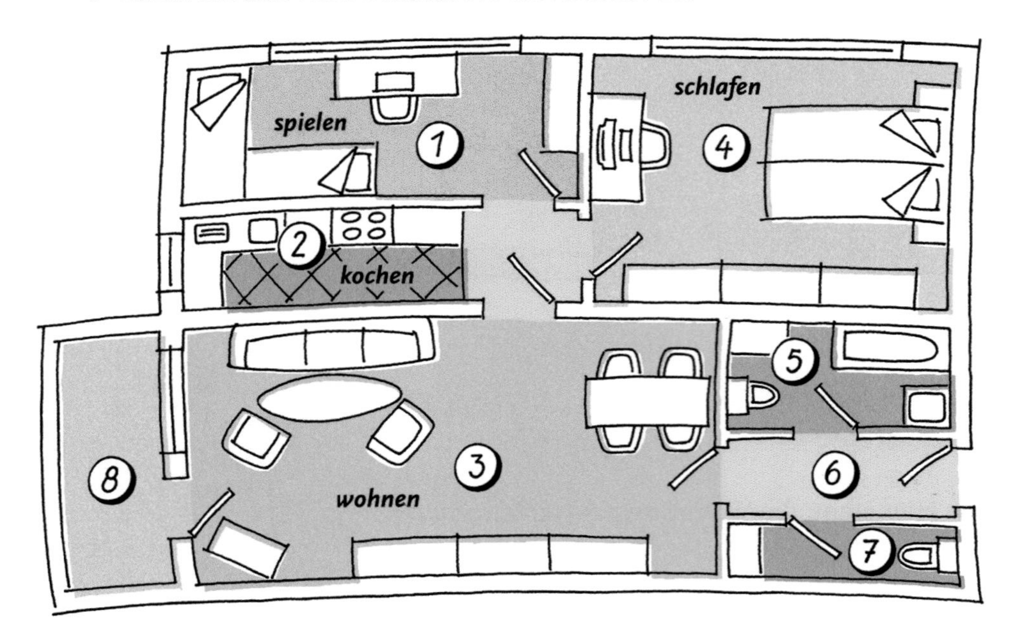

- [ ] *die Küche*
- [ ] *das Wohnzimmer*
- [ ] *das Schlafzimmer*
- [ ] *das Kinderzimmer*
- [ ] *das Bad*
- [ ] *das Gäste-WC*
- *6* *der Flur (D)*[1]
- [ ] *der Balkon*

1 der Gang (A, CH), das Vorzimmer (A)

- Wir haben eine Wohnung gefunden!
- Super. Erzähl! Wo liegt sie?
- Sie liegt in der Goethestraße. Also sehr zentral.
- Und wie sieht sie aus?
- Sie hat drei Zimmer, eine Küche, ein Bad und einen Flur. Die Wohnung ist 90 m² groß und sehr hell. Aber die Küche ist klein. Wir essen also im Wohnzimmer. Das Kinderzimmer ist groß. Da schlafen die Kinder und da können sie auch spielen. Im Schlafzimmer steht auch noch ein Schreibtisch. Dort lerne ich.
- Habt Ihr auch einen Balkon?
- Ja.
- Sehr schön. Und hat das Bad eine Dusche oder eine Badewanne?
- Beides! Und es gibt noch eine Gäste-Toilette.
- Das klingt super. Herzlichen Glückwunsch!

8 Und Ihre Wohnung? Fragen und antworten Sie im Kurs.

Wie viele Zimmer hat Ihre Wohnung?	Eins./Zwei./Drei./....
Wie groß ist Ihre Wohnung?	Sie hat 70 Quadratmeter.
Und wie ist das Bad / die Küche ... ?	Das Bad ist klein, aber hell.
Hat Ihre Wohnung einen Balkon / eine Gäste-Toilette / eine Zentralheizung ...?	Ja. / Nein, sie hat keine/n ...
Ist sie ruhig/laut/billig/teuer/hell/ dunkel ...?	Sie ist sehr schön.

laut

ruhig

hell

dunkel

9 Die Wohnung einrichten. Spielen Sie Dialoge im Kurs.

das Sofa

- Wir brauchen einen Teppich.
- Welche Farbe?
- Ich weiß nicht. Vielleicht Grün?
- Hmm, ich finde Blau besser.
- Und jetzt?

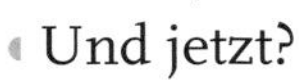

die Lampe

der Teppich

das Handtuch

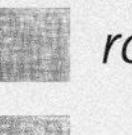 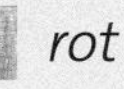	rot	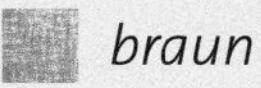	braun
	grün	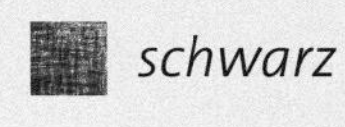	schwarz
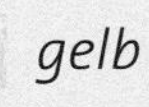	gelb		weiß
 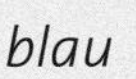	blau		grau

10 Welche Farbe hat ...? Fragen und antworten Sie im Kurs.

Welche Farbe hat die Vase?

Die Vase ist blau – hellblau.

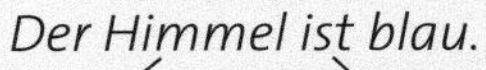
Der Himmel ist blau.

hellblau

dunkelblau

11 „Ich sehe was, was du nicht siehst ...“. Fragen Sie nach Dingen im Kursraum.

Ich sehe was, was du nicht siehst. Und das ist blau.

Das Heft?

Nein.

Der Stift?

Ja.

12 Lesen Sie und ergänzen Sie den Dialog in Ihrem Heft.

- Schau mal, gefällt dir das Sofa?
- **Das Sofa**? Nein, **das** gefällt mir nicht. **Es** ist zu klein.
- Aha. Gefällt dir ...

der Teppich – der – er – teuer •
die Vase – die – sie – blau •
die Lampe – die – sie – groß •
das Handtuch – das – es – klein

eine Sache:	*gefällt*
viele Sachen:	*gefallen*

Gefällt dir der Stuhl?
Gefallen dir die Stühle?

13 Sprechen Sie mit Ihrem Partner / Ihrer Partnerin über die Dinge von Aufgabe 9 und 10.

- Wie gefällt dir ... ?
- Geht so.
- Und wie gefällt dir...?

Wie gefällt dir/Ihnen ...?

☺☺	*Sehr gut*
☺	*Gut.*
😐	*Geht so.*
☹	*Nicht so gut.*
☹☹	*Gar nicht.*

Wo ist was?

14 **Das große Chaos.**

5

a) Mama, wo ist …? Hören Sie den Dialog und vergleichen Sie die Zeichnung.

b) Ich weiß es! Ergänzen Sie.

1. Der Ball ist unter dem ______________.
2. Das Handy ist neben der ______________.
3. Die Tasche ist auf dem ______________.
4. Das Heft ist im ______________.
5. Die Pflanze ist vor dem ______________.
6. Die Lampe ist hinter dem ______________.

c) Bildbeschreibung. Fragen und antworten Sie im Kurs.

das Regal • die Vase • die Schuhe • die Lampe • das Deutschbuch • die Kette • der Drucker • der Bleistift • der Schlüssel • die Uhr

Wo ist das Regal?

Das Regal ist neben dem Schreibtisch.

15 **Ihr Stift ist weg! Wo haben Sie schon gesucht? Wiederholen und ergänzen Sie.**

Ich habe schon auf dem Wohnzimmertisch gesucht.

Ich habe schon auf dem Wohnzimmertisch und in der Uhr gesucht.

Wo? + Dativ

Die Maus ist …

auf dem … — (der) (das)

unter dem … — (der) (das)

hinter der … — (die)

neben den … — (Pl. die)

in + dem → im

Nomen im Dativ Plural

haben immer ein **-n** *am Ende.*

die Lampen → vor den Lampen

die Stühle → zwischen den Stühlen

16 Hast du das Telefon nicht gehört? Schreiben Sie die passenden Antworten.

1. *1. Nein, ich war unter der Dusche.*

2.

3.

4.

5.

17 In der Küche. Hören Sie und beantworten Sie die Fragen.

6

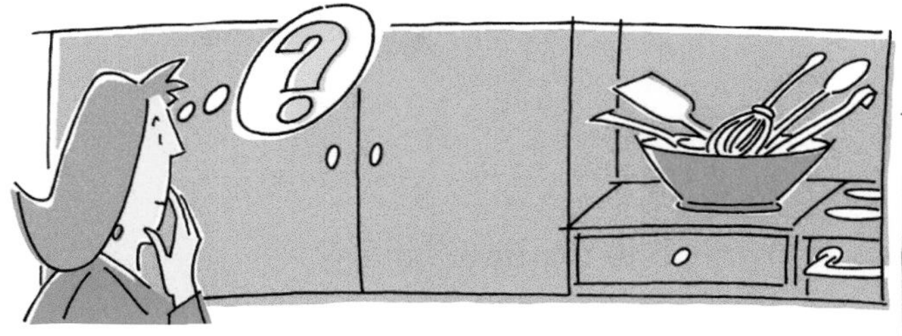

die Schublade

Wo sind die Teller ①?

Die Teller sind im Schrank oben rechts.

Wo sind die Gläser ②?

1. ______

Wo sind die Messer ③?

2. ______

Wo sind die Gabeln ④?

3. ______

Und wo sind die Löffel ⑤?

4. ______

Schon fertig?

1. Wo stehen bei Ihnen zu Hause die Teller und die Gläser?
2. Wo ist was? Beschreiben Sie Ihr Lieblingszimmer.

Zusammengesetzte Wörter
Das letzte Wort bestimmt:
a) den Artikel
die Küche – der Tisch:
der Küchentisch

b) die Bedeutung
der Kaffeefilter
der Filterkaffee

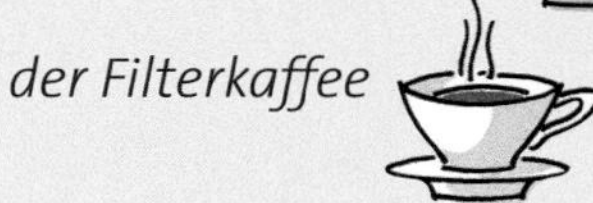

18 Hören Sie die Wörter. Markieren Sie die betonte Silbe.

7

Tische: der Schreibtisch, der Wohnzimmertisch und der Küchentisch
in der Küche: ein Küchentisch mit einer Küchentischschublade
der Salat, der Salatkopf, das Salatrezept, die Salatparty und
die Salatpartygäste

Die Betonung ist auf dem ersten Wort: Salatparty.

Alle zusammen

19 **Das Lied vom Suchen.**

8

a) Hören Sie das Lied und summen Sie leise mit.

Ich finde meinen Stift nicht mehr.	*Zeile 1*
Kannst du mir bitte helfen?	*Zeile 2*
Such im Schlafzimmer!	*Zeile 3*
Ja, und wo denn da?	*Zeile 4*
Auf dem Schrank.	*Zeile 5*
Oh, wunderbar!	*Zeile 6*

b) Hören Sie noch einmal und singen Sie mit.

c) Schreiben Sie eine neue Strophe.

Zeile 1

Ich finde	meinen Stift meinen Pass meine Uhr meinen Ball	nicht mehr.

Zeile 2
Kannst du mir bitte helfen? /
Wo kann ich denn noch suchen?

Zeile 3
Such im Schlafzimmer/Wohnzimmer. /
Such doch mal im Bad/Flur.

Zeile 4
Ja, und wo denn da? / Ja, und wo genau? /
Aber wo denn nur? / Bitte, sag doch wo?

Zeile 5
Auf dem Schrank. / Auf dem Stuhl. /
Auf dem Tisch. / Auf dem Bett.

Zeile 6
Oh, wunderbar! / Ja, alles klar. /
Da bin ich froh. / Ja, ganz genau!

d) Singen Sie alle zusammen – aber jede/r singt seine/ihre eigene Strophe.

20 **Raumdiktat.**

a) Wo ist was im Zimmer? Eine/r diktiert, die anderen zeichnen.

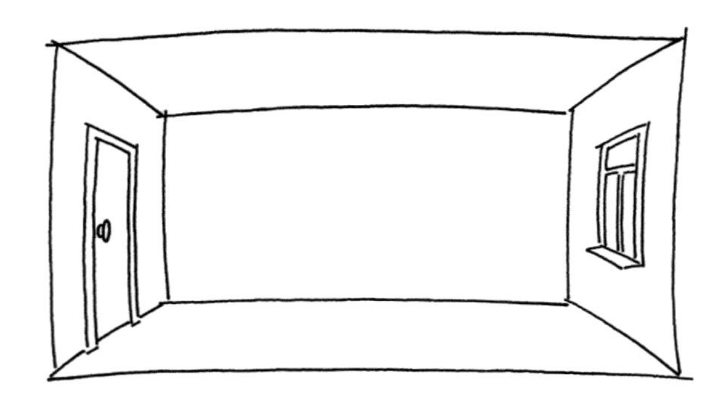

der Tisch • der Stuhl • das Glas • der Schrank • der Mann • die Frau

Der Tisch ist unter dem Fenster. Die Frau ist ...

b) Vergleichen Sie die Zeichnungen im Kurs.

Wohnen ...

... auf dem Wasser

Seit 15 Jahren lebt Annette Schneider auf dem Wasser. Sie wohnt in Hamburg in einem Hausboot. „Mein Zuhause ist wie eine Insel!“, sagt sie. „Das Wasser gibt mir Ruhe und ein Gefühl von Freiheit.“

... auf dem Campingplatz

40 m² sind nicht viel. Aber genug für Matthias Werner. „Mein Haus ist klein, aber mein. Und ich liebe die Natur.“ Er wohnt in einem Holzhaus auf dem Campingplatz Hohensyburg in Dortmund. „Hier ist man nicht allein. Ich habe so viele nette Nachbarn!“

Rätsel

5 Häuser, 5 Farben. Malen Sie.

Rot steht rechts neben Grün.
Grau steht neben Blau.
Gelb steht rechts neben Rot.
Grau steht ganz rechts.

Möbel ganz billig

Wissenswertes

Noch eine Abkürzung: WBS

WBS heißt Wohnberechtigungsschein. Der WBS hilft, eine billige Wohnung (= Sozialwohnung) zu finden. Wer wenig Geld hat, kann einen WBS bekommen.

Kennen Sie das Wohngeld?

Das Wohngeld (D)[1] bekommt man in Deutschland und kann damit die Miete bezahlen. Für weitere Informationen zum WBS und zum Wohngeld: Fragen Sie beim Bürgerbüro in Ihrer Stadt!

1 die Wohnbeihilfe (A)

Ich kann ...

eine Wohnung beschreiben

Die Wohnung hat zwei Zimmer. Sie ist 50 Quadratmeter groß.
Sie kostet 420 Euro plus Nebenkosten.
Das Bad ist klein, aber hell. Es hat eine Dusche, aber keine Badewanne.
Die Wohnung hat einen Balkon. Es gibt auch eine Gäste-Toilette / eine Zentralheizung / eine Einbauküche / eine Waschmaschine ...

fragen und sagen, wo etwas ist

Wo ist mein Handy? Auf dem Teppich? Unter dem Schrank? Oder im Regal? Vielleicht in der Schublade? Oder neben den Pflanzen?
Wo bist du? Im Flur? Im Wohnzimmer? In der Küche?

Farben nennen

schwarz + weiß = grau   gelb + blau = grün   grün + rot = braun

Ich kenne ...

Präpositionen ...

auf   unter   in   neben   vor   hinter   zwischen

den Dativ

- Wo ist der Löffel? ▪ Auf dem Tisch, neben dem Teller.
- Wo ist das Messer? ▪ Rechts neben dem Teller.
- Wo ist die Gabel? ▪ Noch in der Schublade.
- Und sind die Gläser schon neben den Tellern?

die Demonstrativa

Der Teppich hier ist schön! – Der da? Nein, der gefällt mir nicht. *Er* ist zu klein.

Das Sofa hier ist schön. – Das da? Nein, das gefällt mir nicht. *Es* ist zu hell.

Die Lampe hier ist schön. – Die da? Nein, die gefällt mir nicht. *Sie* ist zu groß.

Die Lampen hier sind schön. – Die da? Nein, die gefallen mir nicht. *Sie* sind zu klein.

zusammengesetzte Wörter

das Zimmer: das Wohnzimmer, das Schlafzimmer und das Kinderzimmer
in der Küche: der Küchentisch, das Küchenfenster, die Küchenlampe, die Küchenstühle

Und wie geht es weiter?

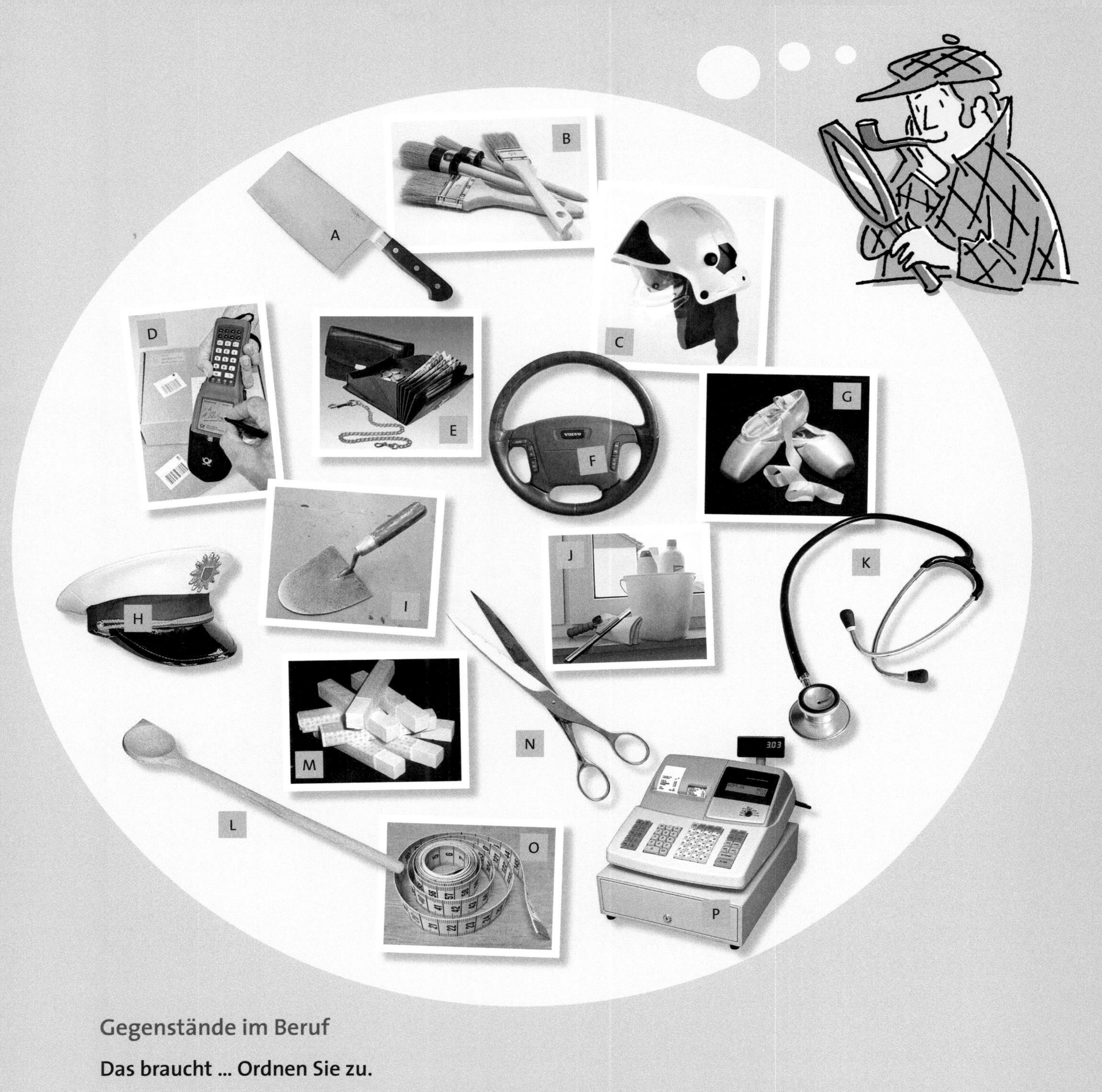

Gegenstände im Beruf

Das braucht ... Ordnen Sie zu.

☐ ein Arzt / eine Ärztin ☐ ein Koch / eine Köchin ☐ ein Maler / eine Malerin

☐ ein Verkäufer / eine Verkäuferin ☐ ein Polizist / eine Polizistin

☐ ein Kellner / eine Kellnerin

Zur nächsten Stunde:

Und was brauchen Sie für Ihren Beruf?
Bringen Sie etwas mit oder malen Sie ein Bild.

Arbeitsplätze

Wo arbeiten Sie?

9

1 Welche Berufe hören Sie? Kreuzen Sie an.

1. der Zeitungszusteller / die Zeitungszustellerin ☐
2. der Arzt / die Ärztin ☐
3. der Call-Center-Mitarbeiter / die Call-Center-Mitarbeiterin ☐
4. die Haushaltshilfe ☐
5. der Fußballspieler / die Fußballspielerin ☐
6. der Verkäufer / die Verkäuferin ☐
7. der Kellner / die Kellnerin ☐
8. der Radiomoderator / die Radiomoderatorin ☐

A

B

C

D

2 Hier arbeite ich.

a) Welches Foto passt? Lesen Sie die Texte und ordnen Sie die Fotos zu.

1. ☐ Matthias Alt (60), Kfz-Mechatroniker: „Ich arbeite in einer Werkstatt. Ich repariere Autos und rede mit den Kunden. Die Arbeit macht Spaß und meine Kollegen sind nett. Ich repariere sehr gern Oldtimer. Ich war schon als Kind ein Fan von Oldtimern."

2. ☐ Monika Schnell (57), Taxifahrerin: „Ich arbeite im Auto. Ich fahre seit 32 Jahren Taxi – oft nachts. Nachts sind die Straßen leer und alles ist ruhig. Das mag ich. Und ich kann meine Arbeitszeit frei einteilen. Ich bin also sehr flexibel. Im Taxi wird es nie langweilig: Ich höre jeden Tag viele Geschichten."

3. ☐ Susanne Glatt (45), Frisörin: „Ich arbeite im Frisörsalon „Haarscharf". Die Arbeit ist anstrengend. Ich muss den ganzen Tag stehen. Aber ich mag die Kunden. Viele kommen schon seit Jahren zu mir. Sie sind zufrieden und das ist schön!"

4. ☐ Jan Mankowsky (25), Krankenpfleger: „Ich arbeite im Krankenhaus. Da gibt es immer viel Arbeit. Ich bringe den Patienten das Essen und die Medikamente. Ich wasche sie und ziehe sie an. Viele Patienten bekommen keinen Besuch. Ich rede mit ihnen. Aber oft habe ich einfach zu wenig Zeit."

b) Welche Aussagen sind richtig, welche falsch? Lesen Sie die Texte noch einmal und kreuzen Sie an.

	richtig	falsch
1. Matthias Alt mag Oldtimer.	☐	☐
2. Monika Schnell fährt gern morgens Taxi.	☐	☐
3. Susanne Glatt findet ihre Arbeit anstrengend.	☐	☐
4. Jan Mankowsky hat viel Zeit für seine Patienten.	☐	☐

3 Wo haben Sie schon gearbeitet? Fragen und antworten Sie im Kurs.

... in einem Büro/Krankenhaus[1]/Altersheim/Haushalt/Call-Center/Kindergarten/Frisörsalon/Geschäft/Supermarkt/Museum/Theater ...
... in einer Werkstatt/Bäckerei/Bibliothek / bei McDonald's ...

1 Spital (A, CH)

Wo hast du schon gearbeitet?

In einem Büro. Und du?

4 Wie viele Berufe hat Herr Schmuck? Hören Sie den Dialog.

10

5 Arbeiten Sie mit dem Dialog.

10
11

- Was ist Ihr Beruf, Herr Schmuck?
- Das ist nicht so einfach. Ich mache so viele Sachen.
- Was denn zum Beispiel?
- Ich trage morgens Zeitungen aus.
- Aha, dann sind Sie also Zeitungszusteller.
- Ja und nein. Ich arbeite auch im Garten. Fünf Stunden in der Woche versorge ich den Garten von zwei Mietshäusern.
- Aha, dann sind Sie also Gärtner.
- Ja, aber nicht nur. Ich mache auch kleine Reparaturen in den Mietshäusern.
- Aha, dann sind Sie also Hausmeister.
- Ja, schon. Aber jeden Mittag gehe ich mit drei Hunden spazieren.
- Na, dann sind Sie Hundesitter.
- Ich glaube, dann bin ich wohl ein Zeitungszusteller-Gärtner-Hausmeister-Hundesitter.

Wo?
der *und* das: in einem ...
die: in einer ...
bei + *Name:* bei *McDonald's*

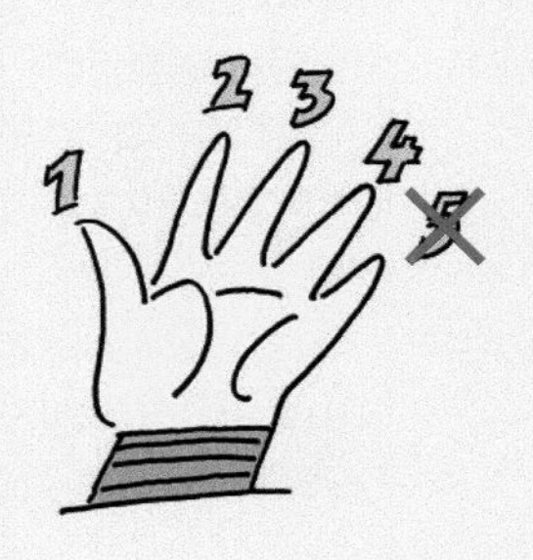

D A CH
Frisör/in (A, D) = der Coiffeur / die Coiffeuse (CH)
Hausmeister (A, D) = Hauswart (CH)

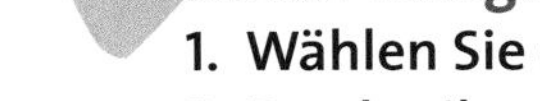

Schon fertig?
1. **Wählen Sie einen Beruf aus Aufgabe 2. Beschreiben Sie.**
2. **Beschreiben Sie den Tag von Herrn Schmuck.**

6 Und was machen Sie beruflich? Fragen Sie und antworten Sie im Kurs. Zeigen Sie Ihren Gegenstand.

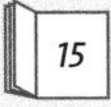

Was machen Sie beruflich / machst du beruflich?	Ich bin ... / Ich arbeite als ... Ich arbeite in einer ... / in einem ... / bei ...

Ich arbeite ... Stunden pro Tag.
Ich arbeite Vollzeit (< 38,5 Std.) / Teilzeit (> 38,5 Std.).
Ich habe (im Moment / noch) keine Arbeit.

Mann	*Frau*
der Verkäufer	*die Verkäuferin*
der Lehrer	*die Lehrerin*
...	
der Arzt	*die Ärztin*

7 Berufe raten. Machen Sie eine Pantomime oder sagen Sie einen typischen Satz. Die anderen raten.

Lebensläufe

8 Früher – heute. Lesen Sie die Texte.

A

Sabine G.: Ich habe 35 Jahre in Leipzig gelebt. Nach dem Studium habe ich zuerst als Sportlehrerin gearbeitet. Danach hatte ich keine Arbeit. Aber dann hatte ich eine Idee! Ich bin nach Thailand ausgewandert. Heute lebe ich in der Nähe von Phuket und arbeite als Tauchlehrerin.

B

Aiman Z.: Ich komme aus Aserbaidschan. Dort habe ich eine Ausbildung zum Informatiker gemacht. Ich hatte eine Firma. Jetzt lebe ich in Österreich. Ich möchte als Informatiker arbeiten. Ich habe lange einen Arbeitsplatz gesucht. Aber ich habe nichts gefunden. Jetzt fahre ich Taxi.

C

Li Gou Hu: Ich komme aus Shanghai und habe dort Deutsch studiert. Danach habe ich in einem Call-Center gearbeitet. Aber ich hatte immer einen Traum: ein Leben in Deutschland. Darum bin ich nach Köln gekommen. Jetzt habe ich ein Restaurant und bin Koch – und Chef.

a) Wer sagt was? Ordnen Sie die Texte zu.

Früher hatte ich eine Firma.

Ich hatte keine Arbeit, aber dann hatte ich eine Idee.

Ich hatte einen Traum.

1. ☐ 2. ☐ 3. ☐

Das Verb haben *im Präteritum*	
ich	*hatte*
du	*hattest*
er/sie/es	*hatte*
wir	*hatten*
ihr	*hattet*
sie/Sie	*hatten*

132

b) Lesen Sie die Texte noch einmal. Sammeln Sie die Informationen in einer Tabelle.

		früher	heute
Sabine:	Beruf?	______	______
	Land?	______	______
Aiman:	Beruf?	______	______
	Land?	______	______
Gou Hu:	Beruf?	______	______
	Land?	______	______

c) Was steht in der Tabelle? Fragen und antworten Sie im Kurs.

Was hat Sabine früher gemacht?

Sie hat als ... gearbeitet.

Was macht sie heute?

Wo hat ... früher gewohnt?

9 **Wiederholung Perfekt. Suchen Sie in den Texten aus Aufgabe 8 alle Perfektformen und ordnen Sie sie zu.**

haben	sein
ich habe gelebt	ich bin ...

2x haben
Vollverb: Ich habe ein Restaurant.
Ich hatte eine Firma.
Hilfsverb: Ich habe in Leipzig gelebt.

10 **Wer hat was gemacht? Schreiben Sie Sätze im Perfekt wie im Beispiel.**

	haben / sein		Partizip
Sabine	hat	35 Jahre in Deutschland	gelebt.

Sabine Aiman Gou Hu	eine Ausbildung als Sportlehrerin einen Arbeitsplatz in Shanghai nichts in Deutschland	leben machen suchen arbeiten finden studieren

Das Partizip
regelmäßige Verben:
leben, er lebt: er hat gelebt

Verben auf -ieren:
studieren, sie studiert:
sie hat studiert

unregelmäßige Verben:
finden: er findet:
er hat gefunden

11 **Und Ihr/e Nachbar/in?**
a) Stellen Sie drei Fragen und machen Sie Notizen.

Wo? (gelebt/gewohnt/gearbeitet)
Was? (gemacht/gelernt/gearbeitet)
Wie lange? (ein Jahr / ... Jahre / seit ... Jahren/von 19XX bis 20XX)

b) Stellen Sie Ihren Partner / Ihre Partnerin vor.

Er/Sie hat von ... bis ... eine Ausbildung zum/zur ... gemacht.
Er/Sie hat von ... bis ... in ... studiert.
Er/Sie hat von ... bis ... als ... gearbeitet.
Er/Sie hat von ... bis ... in ... Deutsch / Englisch / ... gelernt.

Raus mit der Sprache. Fragen Sie drei Personen: „Wie heißt Ihr Beruf auf Deutsch?"

Arbeitssuche

12 Auf eine Anzeige antworten.

a) Was machen Sie? Ergänzen Sie die Verben.

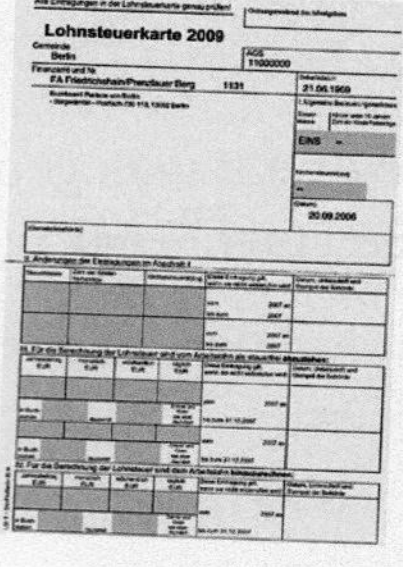

1. Anzeigen ____________
2. die Firma ____________
3. einen Termin ____________
4. die Lohnsteuerkarte[1] *mitbringen*

1 der Lohnsteuerausweis (CH)

12

b) Hören Sie. Was denken Sie? Wie geht es weiter? Erzählen Sie.

Pjotr bekommt den Job.

Er bekommt ihn nicht.

Pjotr möchte den Job nicht machen.

Pjotr hat keinen Führerschein ...

13 Lesen Sie den Text.

a) Wer hat in Aufgabe 12 b) richtig geraten?

- Hallo, Pjotr. Wie geht es dir?
- Gut. Ich hatte heute einen Termin in einer Zeitarbeitsfirma. Sie suchen einen Fahrer. Ich habe den Job bekommen.
- Super. Herzlichen Glückwunsch. Was musst du machen?
- Ich muss jeden Morgen Brot von einer Großbäckerei in die Geschäfte bringen.
- Um wie viel Uhr musst du morgens anfangen?
- Sehr früh. Um drei Uhr.
- Um drei Uhr morgens!? Und bis wann musst du dann arbeiten?
- Bis 12 Uhr.
- Ab wann kannst du dort arbeiten?
- Schon ab morgen!
- Möchtest du meinen Wecker haben?

Berliner Morgenpost

Kraftfahrer zur Auslieferung von Lebensmitteln in Frühschicht gesucht. Keine Fernfahrten, nur Berlin. DAL-Zeitarbeit GmbH, Torstr. 49, 10119 Berlin. Terminvereinbarung: Frau Land, Frau Schmalfuß, Tel.: 030-443 23 90

b) Markieren Sie im Text die Antworten auf die Fragen.

1. Wie heißt der Beruf?
2. Ab wann kann Pjotr arbeiten?
3. Wann muss er morgens anfangen?
4. Bis wann muss er arbeiten?
5. Was muss er machen?

c) Schreiben Sie eine Zusammenfassung.

14 Was muss Pjotr machen? Schreiben Sie Sätze wie im Beispiel.

2:00 Uhr aufstehen / Brote machen
2:30 Uhr losgehen / Führerschein mitnehmen!
Um 3:00 Uhr anfangen – pünktlich sein!
12:00 Uhr einkaufen
15:00 Uhr Zeitarbeitsfirma anrufen

Er muss um zwei Uhr aufstehen und ...

15 Nach der Arbeit spricht Pjotr mit seiner Freundin Tanja.

13

a) Hören Sie den Dialog. Berichten Sie.

Arbeit: was und wie? – Kollegen: wer und wie?

b) Was oder wen? Fragen Sie nach den markierten Wörtern und antworten Sie.

Tanja: Und ... Wie war's?
Pjotr: Gut, aber anstrengend. Ich hatte 33 Pakete und ich habe **sie** alle in die Geschäfte gebracht.
Tanja: Und die Kollegen. Sind sie nett?
Pjotr: Ja, vor allem Boris. Ich mag **ihn** und er mag **mich**.
Tanja: Schön, wir können **uns** ja am Wochenende treffen. Dann lerne ich **euch** als Team kennen.

Was hat er in die Geschäfte gebracht?
Die Pakete.
Wen mag Pjotr?

Personalpronomen im Akkusativ
Singular
ich → *mich*
du → *dich*
er/sie/es → *ihn/sie/es*
Plural
wir → *uns*
ihr → *euch*
sie/Sie → *sie/Sie*

137

16 a) Wie sprechen Sie in Ihrer Sprache das *r*? So spricht man es in D A CH. Hören Sie zu.

14

Sind Sie der Zeitungszusteller-Gärtner-Hundesitter-Hausmeister?

15

b) Welche *r* hören Sie? Markieren Sie.

Der Hausmeister arbeitet am Freitag bis vier Uhr.
Er macht viele Reparaturen.

das r am Silbenende (D, A)
Man spricht das r nicht.
Man spricht ein schwaches a [ɐ].

17 a) Was möchten Sie tun? Beschreiben Sie Ihren Traumjob.

Ich möchte	morgens früh/spät anfangen. allein arbeiten. / mit Menschen Kontakt haben. Menschen helfen. etwas Neues machen / etwas produzieren. viel Geld verdienen. zu Hause / draußen / im Büro ... arbeiten. wenig/viel/Vollzeit/Teilzeit arbeiten. Sicherheit haben. / Spaß haben.

b) Und was müssen Sie tun? Erzählen Sie.

Alle zusammen

18 Berufsporträts

a) Notieren Sie alle Berufsbezeichnungen, die Sie in der Wörterliste finden. 

b) Bilden Sie Gruppen mit drei bis vier Personen. Verteilen Sie die Berufsbezeichnungen aus a) auf die Gruppen.

c) Schreiben Sie in der Gruppe zu jedem Beruf ein Porträt. Schreiben Sie Karteikarten.

Beruf?
Arzt/Ärztin
Wo?
im Krankenhaus
Was?
Patienten untersuchen, Rezepte schreiben

19 Berufe raten

a) Alle schreiben je eine Berufsbezeichnung auf einen Zettel.

b) Der/Die Kursleiter/in mischt die Zettel und klebt jedem/jeder Kursteilnehmer/in einen Zettel auf die Stirn.

c) Was steht auf Ihrem Zettel? Fragen Sie im Kurs und raten Sie den Beruf.

Wer trägt was?

Gefährliche Berufe

Gefahr im Beruf? Da denkt man sofort an die Feuerwehr oder an die Polizei. Sie riskieren bei manchen Einsätzen ihr Leben. Ärzte und Ärztinnen kommen mit vielen Krankheiten in Kontakt. Und viele Politiker und Politikerinnen haben sogar Bodyguards. Aber: Die meisten Unfälle passieren im Haushalt und die Statistik sagt: Der gefährlichste Beruf von allen ist – Fensterputzer!

Wissenswertes

Kleines Glossar der Berufe: Neudeutsch – Deutsch

Neudeutsch	Deutsch
Facility Manager	Hausmeister/in
Vision Clearance Engineer	Fensterputzer/in
Master of Welcome	Pförtner/in
Environment Improvement Technician	Putzmann/-frau
Head of Verbal Communications	Sekretär/in
Petroleum Transfer Engineer	Tankwart/in
Waste Removal Engineer	Müllmann/-frau
Sales Manager	Verkaufsleiter/in
Human Resources Director	Personalchef/in
Key Account Manager	Großkunden-Betreuer/in

Eine Frau im Männerberuf

Bettina Möller ist Fischerin auf der Ostsee. Sie war das einzige Mädchen an der Landesfischereischule in Rendsburg. Heute ist sie Fischereimeisterin und fährt täglich aufs Meer. Doch sie hat lange keinen Arbeitsplatz gefunden: Die Männer wollten keine Frau als Kollegin haben.

Ein Mann im Frauenberuf

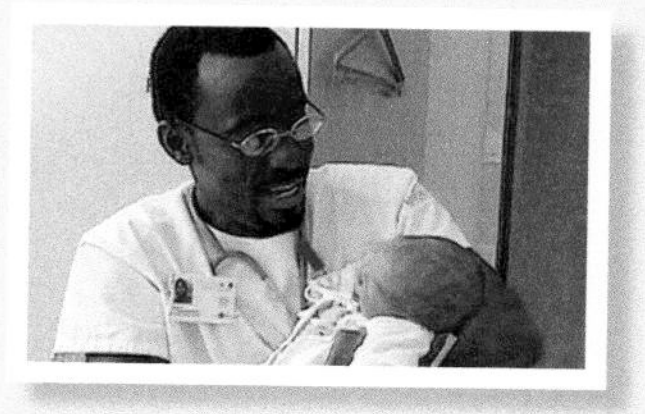

Medscha kommt aus Afrika. Heute lebt er in der Schweiz. Er arbeitet seit fünf Jahren im Universitätsspital Genf als Hebamme. Er war der erste Mann als Hebamme in der Schweiz; heute arbeiten hier fünf Männer in diesem Beruf.

Ich kann ...

fragen und sagen, was man beruflich macht oder gemacht hat

Wo arbeiten Sie?	Ich arbeite in einem Geschäft / in einer Bäckerei.
	Ich habe (im Moment / noch) keine Arbeit.
Wo hast du schon gearbeitet?	In einem Büro und in einer Werkstatt. Bei Siemens.
Was machen Sie beruflich?	Ich bin ... / Ich arbeite als ...
Was hast du früher gemacht?	Ich habe als ... gearbeitet. / Ich war ... / Ich hatte eine Firma.
Wie lange arbeiten Sie pro Tag?	Ich arbeite ... Stunden pro Tag.
Wie lange hast du früher gearbeitet?	Ich habe Vollzeit / Teilzeit / ... Stunden gearbeitet.
Hast du eine Ausbildung gemacht?	Ja, ich habe Informatik studiert.

früher und heute vergleichen

Früher hat sie in Leipzig gewohnt, heute lebt sie in Thailand.
Früher hatte er eine Firma, heute arbeitet er als Taxifahrer.
Früher hat er in einem Call-Center gearbeitet, heute hat er ein Restaurant.

über berufliche Wünsche und Verpflichtungen sprechen

Ich möchte spät anfangen.	Ich muss morgens früh anfangen.
Ich möchte mit Menschen Kontakt haben.	Ich muss allein arbeiten.
Ich möchte zu Hause/draußen arbeiten.	Ich muss im Büro arbeiten.
Ich möchte Teilzeit arbeiten.	Ich muss Vollzeit arbeiten.
Ich möchte Menschen helfen.	Ich muss etwas produzieren.

Ich kenne ...

das Verb *haben* im Präteritum

ich	hatte	Zeit / eine Idee.
du	hattest	
er/sie/es	hatte	
wir	hatten	
ihr	hattet	
sie/Sie	hatten	

Personalpronomen im Akkusativ

Wann kann ich kommen? Rufst du mich an?

Er/Sie mag dich. Magst du ihn/sie auch?

Wann haben wir Zeit? Boris möchte uns treffen.

Wann könnt ihr kommen? Ich möchte euch sehen.

Er pflegt die Patienten. Er wäscht sie und zieht sie an.

das -*r* am Silbenende

Der Hausmeister arbeitet bis vier Uhr. Er macht viele Reparaturen.

Und wie geht es weiter?

Wer wohnt hier?

Ich glaube, hier wohnt ein/eine ...

Er/Sie ...

Zur nächsten Stunde:

Bringen Sie einen Prospekt von einem Supermarkt mit.

Einkaufen

Was brauchen wir?

16

1 Haben wir noch ...? Was passt? Hören Sie und kreuzen Sie an.

☐ viel Mehl ☐ wenig Mehl ☐ viel Käse ☐ wenig Käse

2 Unser Vorrat. a) Ordnen Sie zu.

Milch ☐ und Joghurt ☐
Eier ☐, Butter ☐ und Käse ☐
Spaghetti 20 und Reis ☐
Mineralwasser ☐ und Cola ☐
Apfelsaft ☐, Wein ☐
Chips ☐ und Schokolade ☐
Salat ☐, Essig ☐ und Öl ☐
Ketchup ☐ und Senf ☐
Äpfel ☐ und Bananen ☐
Pizza ☐, Fisch ☐

b) Was haben wir alles? Fragen und antworten Sie im Kurs.

Haben wir noch Reis?

Ja, wir haben noch Reis.

Nein, wir haben keinen Reis mehr.

ohne Plural:
Was man nicht zählen kann: Butter, Mehl, Wasser, ...
aber:
3 Pakete Mehl, 4 Flaschen Wasser, 2 Liter Milch, ...

134

3 Aufgeräumt. Wo finden Sie die Sachen aus Aufgabe 2 a) jetzt? Ergänzen Sie die Tabelle. Arbeiten Sie mit der Wörterliste. 155

im Schrank	im Kühlschrank	im Obstkorb
der Reis		

17

4 Wollen wir einen Kuchen backen?

a) Welche Zutaten fehlen? Hören Sie den Dialog.

- Wollen wir einen Zwiebelkuchen backen?
- Au ja.
- Okay, ich hole das Rezept und dann machen wir eine Einkaufsliste ... Also, wir brauchen 250 Gramm Mehl und ein Päckchen Hefe. Haben wir das?
- Wir haben nur noch sehr wenig Mehl und keine Hefe.
- Also, ein Paket Mehl und ein Päckchen Hefe. Okay. Wir brauchen 200 Gramm Butter und drei Eier.
- Ja, das haben wir.
- Haben wir auch Saure Sahne?
- Nein. Was brauchen wir noch?
- 1 Kilo Zwiebeln.
- Nein, wir haben auch keine Zwiebeln mehr.
- Okay ... Und 200 Gramm Schinken.
- Oh, ich mag keinen Schinken.
- Es geht auch ohne Schinken. So, dann gehe ich schnell einkaufen.
- Ich komme mit!

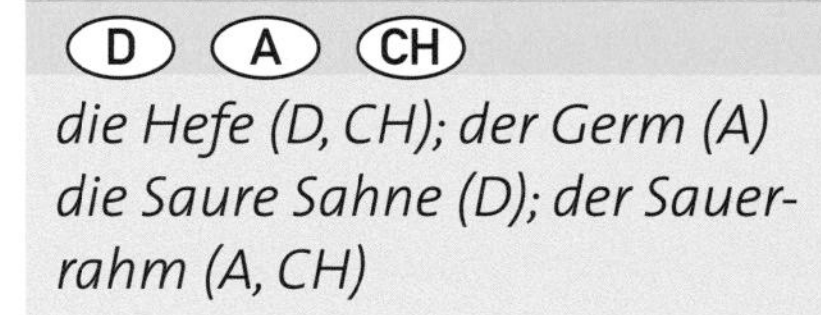

die Hefe (D, CH); der Germ (A)
die Saure Sahne (D); der Sauerrahm (A, CH)

17
18

b) Arbeiten Sie mit dem Dialog. Variieren Sie mit dem Rezept.

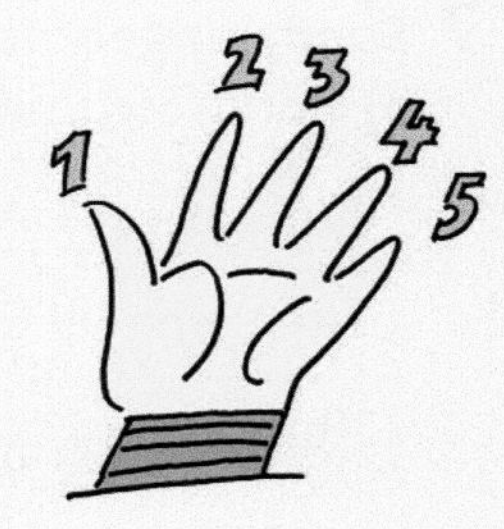

Zutaten:
500 g Mehl
250 g Butter
250 g Zucker
1 Päckchen Vanillinzucker
4 Eier
1 Päckchen Backpulver
125 ml Milch
1 EL Kakaopulver
Puderzucker

g = Gramm, ml = Milliliter, EL = Esslöffel

Marmorkuchen

5 Was kochen oder backen Sie heute ...? Fragen und antworten Sie.

Brauchst du Mehl?
Ja.
Brauchst du Zucker?
Nein.
Machst du Pizza?
Ja genau!

die Pizza • das Omelett/die Omelette • das Brot • ...

Schon fertig?

1. **Was brauchen Sie für Zwiebelkuchen? Schreiben Sie eine Einkaufsliste.**
2. **Schreiben Sie eine Einkaufsliste für Ihr Lieblingsessen.**

Im Supermarkt

19

6 Was suchen die Personen? Hören Sie und kreuzen Sie an.

- [ ] Milch
- [ ] Mehl
- [ ] Zucker
- [ ] Bier
- [ ] Hefe
- [ ] Kaffee

Entschuldigung, wo finde ich hier ...?	Tut mir leid. Das weiß ich leider auch nicht.
Können Sie mir helfen?	
Ich suche ...	Erster/Zweiter/Dritter Gang rechts.
Wo ist/sind ...?	Hier vorne/links/rechts.
	Da vorne rechts/links.

Raus mit der Sprache. Wo finde ich ...?
Fragen Sie im Supermarkt nach den Lebensmitteln auf der Einkaufsliste.

Fisch
Joghurt
Eier
Apfelsaft
Reis
Schokolade
Öl

7 Sonderangebote.

20

a) Hören Sie und ergänzen Sie.

500 g Kaffee kosten jetzt ______________ [1]. 500 g ______________ [2] kosten jetzt 99 Cent. Eine ______________ [3] kostet jetzt 2,99 Euro. 250 g ______________ [4] kosten jetzt ______________ [5] Cent.

b) Vergleichen Sie die Preise aus Ihren Prospekten im Kurs. 25

Hier kosten 500 g Mehl ... Euro.

Das ist teuer.

Das ist billig.

Nudeln (D, A) Teigwaren (CH)

8 a) Der Ich-Laut. Hören Sie und sprechen Sie nach.

21

b) Der Ach-Laut. Hören Sie und sprechen Sie nach.

22

c) Ich- oder Ach-Laut? Hören und markieren Sie mit zwei Farben.

23

- Was suchst du?
- Ich möchte einen Kuchen backen und ich brauche Milch.
- Hier ist sie doch.
- Ach, hier. Ich brauche auch noch ein Päckchen Hefe.
- Hefe ist im Regal, da rechts.

Ich-Laut:
Pst! Flüstern Sie ein **j**!

PST!

Nach **a**, **o**, **u**, *und* **au** *spricht man den Ach-Laut.*

CHR-CHR-

Ich mag am liebsten ...

9 Am liebsten mit ...

24

a) Wie isst Maria ihre Pommes frites und die Bratwurst? Hören Sie und kreuzen Sie an.

Pommes frites mit ☐ Majonäse. / ☐ Ketchup.
Bratwurst ☐ mit Senf. / ☐ mit Senf und Brötchen.

Portion Pommes frites	
klein	1,20 €
mittel	1,40 €
groß	1,80 €
Bratwurst mit Brötchen und Senf	1,50 €
Currywurst mit Pommes frites	3,50 €
Ketchup, Majonäse, Soße: Pfeffer-, Jäger-, Zigeuner- oder Currysoße	0,30 €

b) Wie essen Sie Pommes frites, Pizza ... am liebsten?

Wie magst du deine Pommes frites am liebsten?

Am liebsten mit ...

10 Welches Eis? Ergänzen Sie.

Tim: Ich mag gern Schokolade und Zitrone. Und ihr?
Laura: Schokolade? Nein! Ich mag gern Zitrone, aber ich mag Vanille lieber.
Nina: Und ich mag am liebsten Melone.
Tim: Und jetzt? Ich kann nur eine Kugel Eis kaufen. Nina, magst du auch gern Zitrone?
Nina: Nein, ich mag lieber Vanille.
Laura: Ja! Vanille!
Tim: Okay. Bitte eine Kugel – Vanille.

1. Tim mag gern ________________ und ________________.
2. Laura mag lieber ________________ als Zitrone.
3. Nina mag am liebsten ____________________________.
4. Nina mag lieber ________________ als Zitrone.

☺	*gern*
☺☺	*lieber (als)*
☺☺☺	*am liebsten*

11 Was mögen Sie lieber? Fragen und antworten Sie.

Magst du lieber Fisch oder Fleisch?

Ich mag lieber Fisch.

Magst du lieber ...

12 Was trinken, essen und kochen Sie am liebsten? Schreiben Sie eine Liste.

Im Kaufhaus

13 Kleidung. Singular oder Plural? Sehen Sie die Bilder rechts an. Was tragen Sie heute?

Ich trage eine Hose und ...

14 Shoppen

a) Was passt wo? Lesen Sie und ordnen Sie zu.

1. Nein, die passt nicht. Sie ist zu klein.
2. Danke! Ich möchte nur mal schauen.
3. Größe 40 oder 42.
4. Kann ich mit Karte zahlen?

b) Wer sagt was? Ordnen Sie die Sätze in eine Tabelle.

Bitte, Pullover sind hier vorne rechts. • Entschuldigung, wo finde ich hier die Toiletten? • Größe 42. • Hier, bitte. Das ist Ihre Größe • In der ersten Etage. • Ja, sie passt. • Ja, ich suche einen Pullover für meinen Sohn. • Kann ich Ihnen helfen? • Kann ich die Jacke mal anprobieren? • Und: Passt die Jacke? • Was kostet der Pullover? • Was?! So teuer? • Welche Größe brauchen Sie? • 59,90 Euro. • Vielen Dank.

Kunde/Kundin	Verkäufer/in
Entschuldigung, ...	Bitte, Pullover ...

25

c) Hören Sie und schreiben Sie aus den Sätzen aus Aufgabe b) drei Dialoge.

der Anzug

das Hemd, die Krawatte

Schuhe, Socken

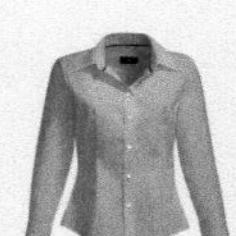

die Bluse, der Rock (D, A)[1]

die Hose, der Pullover

der Mantel, die Jacke

die Jeans, das T-Shirt

der Schal, die Mütze (D, CH)[2]

Handschuhe

1 der Jupe (CH) 2 die Haube (A)

15 Umtausch.

a) Warum will Katja die Jacke umtauschen? Lesen Sie den Dialog.

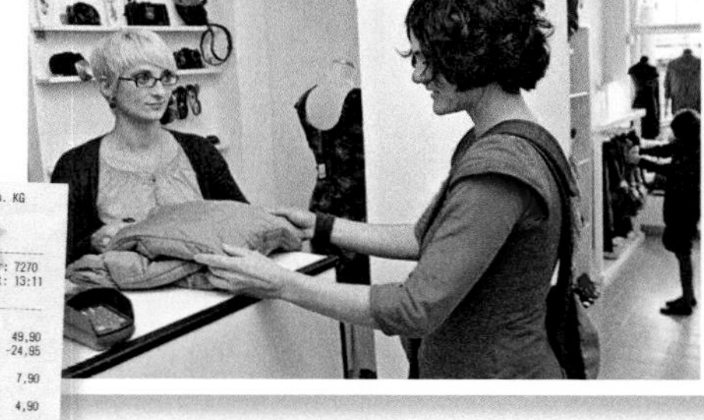

- Entschuldigung, ich möchte etwas umtauschen.
- Ja, was denn?
- Die Jacke hier.
- Warum? Ist sie kaputt?
- Nein, aber sie passt leider nicht.
- Das ist kein Problem. Haben Sie den Kassenbon[1]?
- Ja, hier.

1 der Kassenbon (D, CH), der Kassabon (A)

b) Warum wollen Sie den Pullover umtauschen? Fragen und antworten Sie wie im Beispiel. Variieren Sie die Kleidung.

kaputt

zu dunkel

zu groß

zu klein

Warum wollen Sie den Pullover umtauschen?

Er ist zu groß.

Das Modalverb wollen

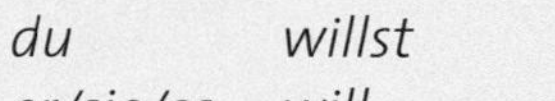

ich	will
du	willst
er/sie/es	will
wir	wollen
ihr	wollt
sie/Sie	wollen

131

Raus mit der Sprache. Fragen Sie im Kaufhaus, wo man etwas umtauschen kann.

16 Zu schnell gekauft? Ergänzen Sie.

~~alles~~ • etwas • nichts • alles

- Entschuldigung, ich möchte ______________ für meine Tochter umtauschen.
- Ja, kein Problem. Was denn?

- Das hier.
- Das *alles*?
- Ja, ich habe drei Hosen und drei Pullover, gekauft, aber ______________ passt. ______________ ist viel zu groß.

Haben wir alles?
Brauchen wir noch etwas?
Nichts vergessen?

Alle zusammen

17 Haushalte in Deutschland. Wo bleibt das Geld?

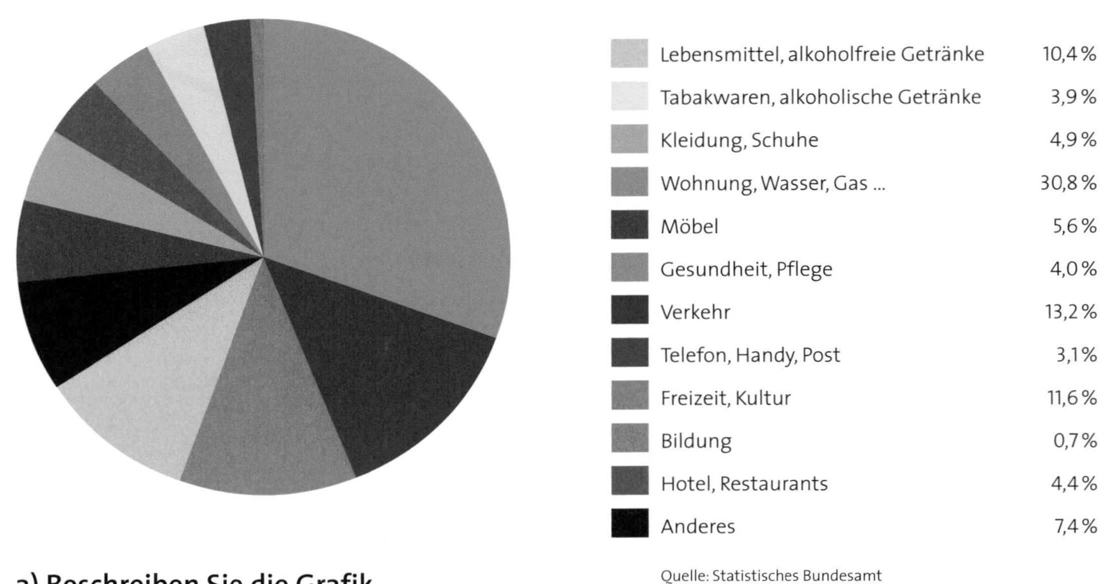

Quelle: Statistisches Bundesamt

a) Beschreiben Sie die Grafik.

In Deutschland geben die Menschen 10,4 % für Lebensmittel und alkoholfreie Getränke aus.

10,4 %: Man sagt: zehn Komma vier Prozent.

b) Machen Sie eine Umfrage im Kurs. Fragen Sie Ihren Nachbarn/Ihre Nachbarin.

Wie viel gibst du für Brot aus?

Wenig./Viel./Sehr viel.

	nichts	wenig	viel	sehr viel
... Brot	☐	☐	☐	☐
... Getränke (ohne Alkohol)	☐	☐	☐	☐
... Alkohol	☐	☐	☐	☐
... Zigaretten	☐	☐	☐	☐
... Obst und Gemüse	☐	☐	☐	☐
... Kaffee und Tee	☐	☐	☐	☐
... Fleisch	☐	☐	☐	☐
... Fisch	☐	☐	☐	☐
... Chips, Schokolade usw.	☐	☐	☐	☐
... Fertigprodukte (Pizza, ...)	☐	☐	☐	☐
... Kleidung und Schuhe	☐	☐	☐	☐
... Telefon und Internet	☐	☐	☐	☐
... Kino, Theater	☐	☐	☐	☐

c) Sammeln Sie die Ergebnisse an der Tafel.

d) Präsentieren Sie Ihre Ergebnisse auf einem Plakat. Benutzen Sie Ihre Prospekte. 

12 Länder der EU* im Vergleich: Ausgaben in Prozent.

Gibt es Unterschiede zwischen Nord und Süd, West und Ost?

	Lebensmittel, Getränke und Tabakwaren	Alkoholische Getränke	Fleisch	Kleidung und Schuhe	Gaststätten, Cafés usw.
Deutschland	12,9	1,4	k.A.	4,8	3,1
Griechenland	18,9	0,6	3,6	7,0	7,7
Spanien	20,3	0,7	4,7	6,9	8,4
Frankreich	15,7	1,2	3,4	6,6	2,3
Italien	20,4	0,9	4,4	7,0	3,1
Österreich	15,8	1,1	2,9	5,6	4,9
Polen	28,0	1,0	7,3	4,6	1,2
Portugal	17,8	0,8	3,8	4,1	9,6
Rumänien	50,0	2,3	11,8	6,2	0,5
Finnland	15,1	1,7	2,3	3,8	2,9
Schweden	12,4	1,2	1,9	4,6	3,2
Großbritannien	12,3	1,4	2,2	5,0	6,4

*Europäische Union, Ausgaben privater Haushalte in Prozent, Quelle http://ec.europa.eu/eurostat

Echt passiert

Was gefällt Ihnen?

Hightech-Jacken

Diese Jacken sind keine normalen Jacken. Sie können sehr viel. Sie sind intelligent. Sie nutzen die Sonne. Sie produzieren Energie – zum Beispiel für einen MP3-Player.
Oder sie kontrollieren den Körper. Sie können z. B. ein elektronischer Tennis- oder Tanzlehrer sein. Es gibt auch Jacken mit Navigationsgerät und Airbag.

Ich kann ...

meine Absicht ausdrücken

Ich will einen Zwiebelkuchen backen.

Aber ich möchte lieber fernsehen.

im Supermarkt nach Lebensmitteln fragen

Entschuldigung, wo finde ich hier Mehl?
Können Sie mir helfen? Ich suche Tomaten.
Wo gibt es hier Joghurt?

Tut mir leid. Das weiß ich leider auch nicht.
Dritter Gang rechts.
Da vorne rechts/links.

meine Vorlieben ausdrücken / nach Vorlieben fragen

Spaghetti mag ich gern. Aber Kartoffeln mag ich lieber (als Spaghetti).
Und am liebsten esse ich Pizza. Was magst du am liebsten?

Kleidung kaufen

Kann ich Ihnen helfen?

Danke. Ich möchte nur mal schauen.
Ich suche einen Pullover und eine Jacke.
Kann ich die Jacke mal anprobieren?

Welche Größe brauchen Sie?

Ich habe Größe 42.

Passt sie?

Ja, sie passt. / Nein, sie ist zu groß/klein.

Ich kenne ...

den Nullartikel

Haben wir noch Tomaten? Hast du noch Kaffee? Haben Sie Socken für Kinder?

die Indefinitpronomen: *viel – wenig – alles – nichts – etwas*

◖ Hast du etwas gekauft? ▮ Nein, nichts. ◖ Haben wir noch Brot? ▮ Nur noch wenig.
100 Euro? Das ist aber viel. ◖ Ist das alles? ▮ Ja, das ist alles.

den Ich-Laut

◖ Ich möchte backen. Wo ist bei euch in der Küche das Backpulver?
▮ Hier rechts ist ein Päckchen.

den Ach-Laut

◖ Was macht ihr gern?
▮ Wir kochen gern und wir essen auch gern Kuchen.

das Modalverb *wollen*

ich	will	wir	wollen
du	willst	ihr	wollt
er/sie/es	will	sie/Sie	wollen

Und wie geht es weiter?

das Rathaus

die U-Bahn-Station

die Post

In der Stadt

der Park

der Bahnhof

das Kino

das Bürgeramt (D)

der Marktplatz

Das ist Ramón Rodríguez. Er kommt aus Kolumbien. Er ist seit ein paar Wochen in Deutschland. Er wohnt in Fürth und lernt dort Deutsch. Die Stadt ist für ihn noch neu. Er möchte sie gern kennenlernen. Aber im Moment hat er keine Zeit. Er muss viel organisieren: Möbel kaufen, das Telefon anmelden und er muss zur Fahrschule. Natürlich ist er in Kolumbien Auto gefahren, aber in Deutschland ist sein Führerschein nicht gültig. Er muss morgen zum Bürgeramt. Aber wo ist das?

Was ist wo in Ihrer Stadt?

Zur nächsten Stunde:

Gehen Sie zum Informationsbüro in Ihrer Stadt und bringen Sie einen Stadtplan und Infomaterial mit.

Stadt und Verkehr

Orientierung in der Stadt

das Bürgeramt (D)
das Gemeindeamt, das Magistrat (A)
die Gemeindekanzlei, die Stadtkanzlei (CH)

1 Machen Sie eine ABC-Liste. Sammeln Sie Stadtwörter.

A – Auto
B – Bahnhof
C – ...
D – Dom
E – ...

26

2 Wohin fährt Ramón? Hören Sie und kreuzen Sie an.

zum Bahnhof	☐	zum Krankenhaus	☐	zur Fahrschule	☐
zum Marktplatz	☐	zum Bürgeramt	☐	zur Post	☐

27

3 Wo ist Ramón jetzt? Hören Sie.

27
28

4 Arbeiten Sie mit dem Dialog.

- Hallo, Herr Rodríguez. Heute ist die Autobahn dran.
- Gut. Wie muss ich fahren?
- Fahren Sie zuerst geradeaus bis zur Ampel und an der Ampel links. Sind Sie aufgeregt?
- Ein bisschen. Ich bin in Deutschland noch nie Autobahn gefahren. Auf der Autobahn kann man sehr schnell fahren, oder?
- Ja, aber nicht immer. Fahren Sie jetzt bis zur nächsten Kreuzung und dann nach rechts. Dort ist schon die Autobahnauffahrt.
- Wie weit fahren wir?
- Bis zur ersten Abfahrt.

29

5 **Nach der Fahrstunde. Ramón fragt nach dem Weg. Hören Sie und zeichnen Sie den Weg in den Stadtplan ein.**

6 **Sie sind auf dem Marktplatz. Wählen Sie drei Ziele aus. Fragen Sie nach dem Weg und antworten Sie.**

So fragen Sie:
Entschuldigung, wie komme ich ...
... zum Bahnhof/Markt/Krankenhaus/Bürgeramt/ ...?
... zur Schule/U-Bahn-Station/Gartenstraße/ ...?

So antworten Sie:
Gehen/Fahren Sie an der Kreuzung/Ampel geradeaus / nach links / nach rechts.
Gehen Sie weiter bis zur Kreuzung/Ampel/Schillerstraße.
Die erste/zweite/... Straße links/rechts.
Nach ungefähr 100 Metern ist es auf der linken/rechten Seite.

zu + dem - *zum Kurs, zum Amt*
zu + der - *zur Schule*

***Imperativ* Sie-Form**
So geht's:
Sie gehen zur Ampel.
Gehen Sie zur Ampel.

Schon fertig?
Beschreiben Sie den Weg vom Bahnhof zur Sprachschule. Benutzen Sie den Stadtplan.

Ich fahre mit ...

7 Unterwegs in der Stadt
a) Ergänzen Sie das Wörternetz. Lesen Sie die Mail.

Verkehr

U ______
S *die S-Bahn*
Bus ______
Fahrrad ______
Auto ______

Hallo Peter,

weißt du was? Mein Führerschein ist hier nicht mehr gültig. Jetzt brauche ich 40 Minuten bis zur Sprachschule. Ich muss zuerst mit dem Fahrrad zur U-Bahn-Station fahren. Dann fahre ich mit der U-Bahn zum Bahnhof. Danach muss ich noch Bus fahren und ich warte oft sehr lange an der Haltestelle.
Aber die U-Bahn hat auch Vorteile: Letzte Woche habe ich meine Traumfrau kennengelernt – am Fahrkartenautomaten. Ich habe den Automaten nicht verstanden. Sie hat einfach auf „Einzelfahrkarte" und „Kurzstrecke" gedrückt und mit einem Lächeln habe ich meine Fahrkarte bekommen. Jetzt warte ich jeden Tag am Automaten. Vielleicht sehe ich sie wieder.

Bis bald
Ramón

Perfekt
er versteht ⇨
er hat verstanden

b) Ramóns Schulweg. Lesen Sie den Text laut.

Er fährt mit dem [Fahrrad] zur [U]. Dann fährt er zum .
Von dort fährt er mit dem [Bus] zur [Schule].
Er möchte aber lieber mit dem [Auto] fahren.

So geht's:
der ⇨ *mit dem Bus*
das ⇨ *mit dem Fahrrad*
die ⇨ *mit der Bahn*

8 Wie fahren Sie? Fragen und antworten Sie.

Wie kommst du zur Schule / zum Supermarkt / zur Arbeit ...?

Ich fahre	mit dem Auto/Bus mit dem Fahrrad/Motorrad mit der U-Bahn/S-Bahn	zur ... zum ...
Ich gehe	zu Fuß	

Ich gehe zu Fuß.

9 Nach dem Weg fragen. Ein Partnerspiel. Partner/in A arbeitet mit Seite 121, Partner/in B mit Seite 122.

10 Was macht Ramón?

a) Sehen Sie die Bilder an und ordnen Sie im Text die Satzteile zu. Schreiben Sie den Text dann in Ihr Heft. Achten Sie auf die Artikel.

1. Beim Gemüsestand

2. bei meiner Tante

3. von meinem Tag

4. Aus dem Gemüse

Ramón erzählt: „Ich lebe seit einem Jahr in Deutschland. Ich wohne ☐. Ich gehe jeden Tag zum Deutschunterricht. Nach der Schule gehe ich einkaufen. ☐ kaufe ich viel Obst und Gemüse. Vom Markt ist es nicht mehr weit bis zu meiner Wohnung. ☐ koche ich mein Lieblingsessen: Minestrone! Danach esse ich zusammen mit meiner Tante und meinen zwei Neffen und erzähle ☐.

Ich gehe → zum Markt. → Ich bin beim Gemüsestand. → vom Markt. → Ich komme

30

b) Präpositionen mit Dativ. Hören Sie und machen Sie mit.

Ich hab' kein Problem mit dem Dativ.
Denn ich weiß genau, wann ich ihn benutzen muss.
Klar: nach *aus, bei* und *mit, nach, seit, von, zu.*
Ich sag's noch einmal. Hört alle zu:
nach, aus, bei, mit, seit, von, zu.

c) Markieren Sie die Präpositionen mit Dativ im Text von 10 a). Ergänzen Sie die Tabelle.

Artikelwörter im Dativ	der / das	die	die (Plural)
bestimmter Artikel	dem	der	den
unbestimmter Artikel	______	einer	–
Possessivartikel	meinem	______	______

Nomen im Dativ Plural
haben immer ein -n *am Ende.*
die Neffen → mit den Neffen
die Kinder → mit den Kindern

135 136

11 Würfeln Sie. Was passt? Sagen Sie Sätze. Schnell.

gehe zur/zum • arbeiten bei der/beim • kommen von der/vom • wohnen bei der/beim • fahren mit der/dem

Supermarkt

Post

Arbeit

Fahrrad

U-Bahn

Arzt

Ich gehe zum Supermarkt.

Auf dem Amt

12 **a) Ordnen Sie die Wörter den Bildern rechts zu.**

der Pass • der Führerschein • das Passfoto • das Formular • die Wartenummer

b) Welche Verben passen? Ordnen Sie zu und schreiben Sie Sätze.

ausfüllen • machen • ziehen • mitbringen

Ich muss eine Wartenummer ziehen.

c) Warum kann Ramón in Deutschland nicht Auto fahren? Lesen Sie den Dialog auf dem Amt.

Ramón: Guten Tag.
Frau Mai: Bitte, nehmen Sie Platz. Was kann ich für Sie tun?
Ramón: Ich möchte Auto fahren. Ist mein Führerschein hier gültig?
Frau Mai: Woher kommen Sie?
Ramón: Aus Kolumbien.
Frau Mai: Dann können Sie maximal sechs Monate in Deutschland fahren.
Ramón: Und dann?
Frau Mai: Dann müssen Sie die Fahrprüfung wiederholen.
Ramón: Ich habe meinen Führerschein aber schon sehr lange.
Frau Mai: Tut mir leid – so sind die Regeln. Nur Personen aus EU-Ländern und einigen anderen Ländern müssen keine Prüfung machen.
Ramón: Oh je ....

13 **Können Sie in D A CH Auto fahren? Erzählen Sie im Kurs.**

Ich habe keinen Führerschein.

Mein Führerschein ist hier nicht gültig.

Ich weiß es nicht.

31 **14** **Er hat ihn! Wie oft war Ramón auf dem Amt? Hören Sie.**

15 **Die Fahrprüfung**

32 **a) *f* oder *v*: Den Unterschied kann man nur sehen. Hören Sie.**

Ich hatte heute Fahrprüfung. Ich bin von der Fahrschule zum Bahnhof gefahren. In der Stadt war nicht viel Verkehr. Die Prüfung war einfach.

33 **b) Hören Sie die Sätze und schreiben Sie.**

Ein Städteporträt

16 Fürth in Bayern.

a) Ordnen Sie die *kursiven* Wörter den Fotos zu.

F
Fürth
ADAC
StadtPlan

G
Fürth
Nürnberg

Die Stadt Fürth[1] liegt in Bayern, *in der Nähe von Nürnberg*[2]. 2007 haben die 114.000 Einwohner den 1000sten Geburtstag gefeiert. Fürth hat viele Sehenswürdigkeiten. Viele Häuser sind sehr alt. Die Statistik sagt, es gibt 17,84 Denkmäler pro 1000 Einwohner – mehr gibt es in keiner anderen Stadt in Deutschland. Man nennt Fürth auch „Denkmalstadt".
Das Rathaus[3] und *das Stadttheater*[4] sind sehr bekannt. Aber auch *der „Adler"*[5] ist etwas ganz Besonderes: So heißt die erste deutsche Eisenbahn. Sie ist 1835 von Nürnberg nach Fürth gefahren. Wie in fast jeder Stadt gibt es auch in Fürth ein Stadtmuseum. Fürth ist klein, aber die Stadt hat z. B. auch noch ein Jüdisches Museum, *ein Rundfunkmuseum*[6] und *ein Fossilienmuseum*[7].

A ☐ B ☐ C ☐ D ☐ E ☐ F ☐ G ☐ 2

b) Lesen Sie den Text noch einmal. Beantworten Sie mindestens vier Fragen.

1. Wo liegt die Stadt?
2. Wie alt ist sie?
3. Wie viele Einwohner hat sie?
4. Welche Sehenswürdigkeiten sind sehr bekannt?
5. Was gibt es nur dort?
6. Welche Museen gibt es?

c) Was ist in Ihrer Stadt typisch? Sammeln Sie. Benutzen Sie Ihr Infomaterial aus dem Tourismusbüro. Die Fragen aus b) helfen Ihnen.

35

Typisch für Ihre Stadt:
Was riechen Sie?
Was hören Sie?
Was sehen Sie?
Was fühlen Sie?

Schon fertig?
Schreiben Sie zu zweit ein Porträt zu Ihrer Stadt.

Alle zusammen

17 Städteparcours im Kurs

a) Schreiben Sie die Wörter auf Karton.

der Markt(platz) • das Bürgeramt • die Bäckerei • der Supermarkt • die Bibliothek • das Museum • die Sprachschule • die U-Bahn-Station

b) Schreiben Sie zu zweit einen Dialog.

Auf dem Markt

Bitte schön?
Ein Kilo Tomaten und zwei Auberginen bitte.
Noch etwas?
Ja. Wie viel kosten die Äpfel?
Ein Kilo 2,80 Euro.
Gut, dann nehme ich ein halbes Kilo.
Ist das alles?
Ja, danke.

Markt: Sie kaufen Gemüse.
Bäckerei: Sie kaufen Brot.
Supermarkt: Sie suchen Reis.
Bürgeramt/Bibliothek/Museum: Sie fragen nach den Öffnungszeiten.
Sprachschule: Sie fragen nach Deutschkursen.
U-Bahn-Station: Sie brauchen Hilfe beim Fahrkartenautomaten.

c) Die Paare aus b) entscheiden: Wer fragt (A), wer antwortet (B)?

d) Alle As gehen aus dem Kursraum. Die Bs bauen einen Parcours. Dann gehen sie zu ihrem Karton.

Beispiel: Der/Die Verkäufer/in geht zum Karton „Supermarkt".

e) Die As kommen in den Kursraum und fragen nach dem Weg zu Ihrem Partner/Ihrer Partnerin. 37

f) Angekommen? Spielen Sie Ihren Dialog.

Schon gesehen?

Ein Elefant in der Luft
Die Stadt Wuppertal ist bekannt für ihre Schwebebahn. Sie transportiert die Menschen seit über 100 Jahren, aber sie fährt nicht auf und nicht unter der Straße und auch nicht auf Schienen. Sie schwebt in der Luft – in bis zu 12 Metern Höhe. Einmal ist sogar ein Elefant mit der Schwebebahn zum Zirkus gefahren. Das war 1950.

In der Schweiz fährt man mit der Post
In der Schweiz kann man jede Gemeinde gut mit öffentlichen Verkehrsmitteln erreichen. Das größte Busunternehmen ist die PostAuto Schweiz AG: 10.345 Kilometer Liniennetz, 2014 Fahrzeuge (Postautos) und 114,7 Millionen Fahrgäste im Jahr.

Ist Hupen okay?
Claudia erzählt: „In Deutschland heißt Hupen immer ‚Du hast etwas falsch gemacht!' oder ‚Fahr!' Hupen klingt hier oft sehr böse und aggressiv. Das kenne ich ganz anders. In Italien bedeutet Hupen vor einer Kurve ‚Achtung! Hier komme ich!' In der Türkei muss man sogar beim Überholen hupen. In Indien steht auf den LKWs: Horn please! *(Bitte hupen Sie, es ist okay!)*"

Lustig?

- Entschuldigen Sie bitte, können Sie mir sagen, wie ich am schnellsten ins Krankenhaus komme?
- Ganz einfach, Sie brauchen nur bei Rot über die Straße zu gehen!

Echt passiert

Mit 109 km/h in der Stadt
Düsseldorf – Der Verkehrsminister von Nordrhein-Westfalen ist 109 Stundenkilometer schnell gefahren – in einer Stadt! Er hat seinen Führerschein für zwei Monate verloren und muss eine Geldstrafe zahlen. Das ist kein Vorbild!
aus: Welt kompakt, vom 6. 2. 2009

Wo geht's lang?

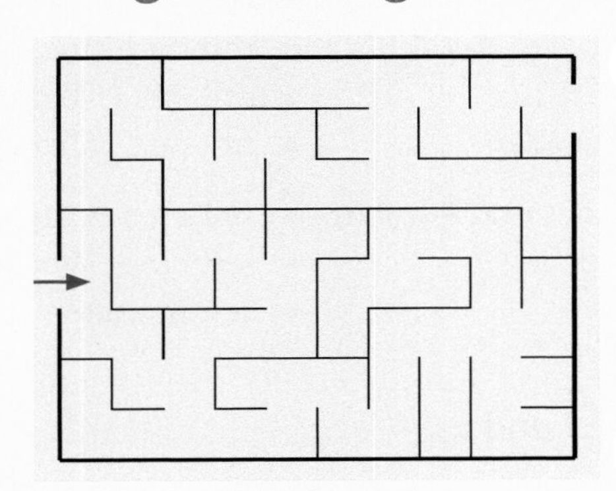

Geradeaus, nach unten ...

Jetzt nach rechts.

Nein, nach links und dann nach oben.

Ich kann ...

nach dem Weg fragen

- Entschuldigung, wie komme ich zum Bahnhof?
- Gehen Sie geradeaus, an der Ampel rechts und dann die zweite Straße links. Nach ungefähr 50 Metern sehen Sie den Bahnhof.

- Entschuldigung, wo ist die Gartenstraße?
- Fahren Sie hier links, dann weiter bis zur Kreuzung. Fahren Sie an der Ampel nach rechts. Das ist die Gartenstraße.

Verkehrsmittel nennen

Ich fahre oft mit dem Auto/mit dem Motorrad/mit dem Fahrrad/mit dem Bus/mit der U-Bahn/mit der S-Bahn ... / Ich gehe nicht immer zu Fuß.

auf dem Amt Fragen stellen und antworten

Muss ich eine Wartenummer ziehen?
Ist mein Führerschein hier gültig?
Ich muss ein Formular ausfüllen.
Was muss ich mitbringen? Habe ich alle Papiere?

über meine Stadt sprechen

Meine Stadt hat ... Einwohner und liegt in der Nähe von ...
Es gibt viele Sehenswürdigkeiten: zum Beispiel ...
Die Stadt ist klein, aber sie hat ein Rathaus, eine Post, einen Bahnhof und drei Museen.

Ich kenne ...

die Dativpräpositionen

Ich komme aus *der* Türkei. Ich lebe seit *einem* Jahr in Graz.
Ich arbeite bei *der* Post. Meine Frau arbeitet bei *einem* Frisör.
Nach *der* Schule gehe ich zum Markt. Vom Markt gehe ich nach Hause.
Ich fahre mit *der* U-Bahn und manchmal mit *dem* Fahrrad.

zu + dem = zum
zu + der = zur
bei + dem = beim
von + dem = vom

die Artikel im Dativ

der Bus und **das** Auto ► mit dem Bus, mit dem Auto
die U-Bahn ► mit der U-Bahn
die Fahrräder ► mit den Fahrrädern

ein Monat und **ein** Jahr ► seit einem Monat, seit einem Jahr
eine Woche ► seit einer Woche
Monate ► seit Monaten

das [f]: f und v

Heute ist nicht viel Verkehr. Fahren Sie zum Bahnhof. Viel Glück bei der Prüfung.

Und wie geht es weiter?

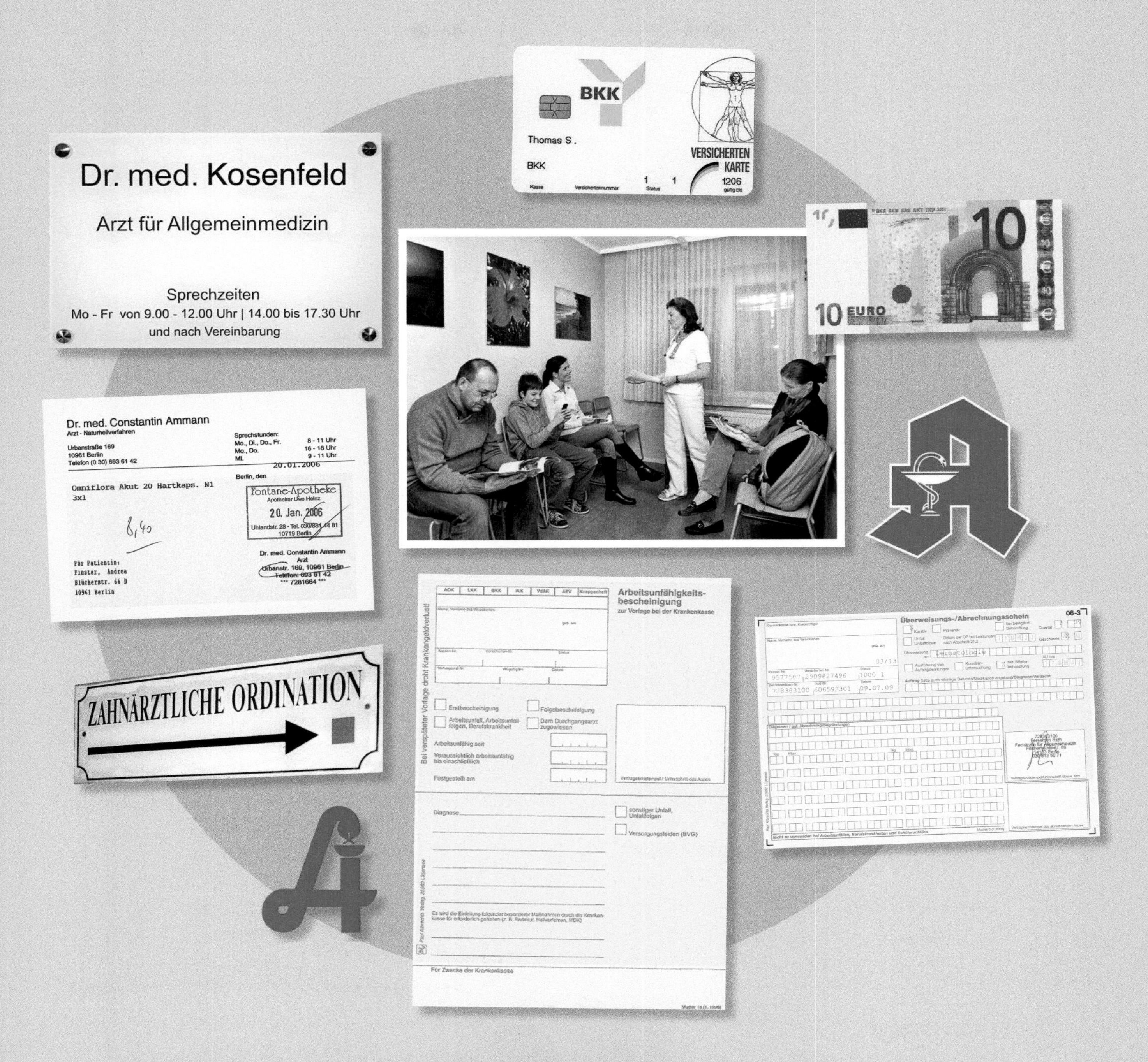

Sie sind krank. Und jetzt? Ersetzen Sie die *kursiven* Wörter.

1. einen *Frisörtermin* machen
2. zum *Rathaus* gehen
3. die *Ausweise* abgeben
4. *35 Franken* bezahlen
5. noch einen Moment im *Kino* Platz nehmen
6. den *Tag* frei machen
7. ein *Buch* bekommen
8. zur *Post* gehen
9. viel *Kaffee* trinken

(die) Apotheke • (das) Wartezimmer • (der) Hausarzt • 10 Euro • (der) Arzttermin • (die) Sprachschule • (das) Rezept • (der) Oberkörper • (das) Bett • (der) Tee • (die) Versicherungskarte

Gesundheit

Der Körper.

1 Schmerzen.
a) Wer sagt was? Ordnen Sie zu.

1. ☐ Ich habe eine Erkältung.
2. ☐ Ich habe Ohrenschmerzen.
3. ☐ Mir ist schlecht.
4. ☐ Mein Arm tut weh.
5. ☐ Ich habe Zahnschmerzen.

A *eine Kellnerin*

B *ein Koch*

b) Wählen Sie eine Person aus. Fragen und antworten Sie.

Was hat die Kellnerin?

Sie hat Zahnschmerzen.

2 Körperteile. Was gibt es zweimal? Schreiben Sie.

zwei Augen, zwei ...

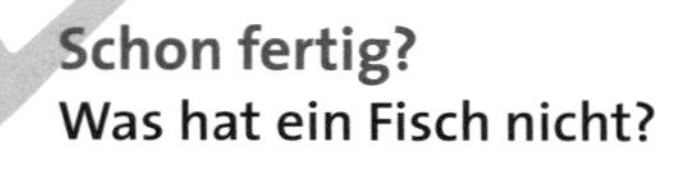

Schon fertig?
Was hat ein Fisch nicht?

Ein Fisch hat keine ...

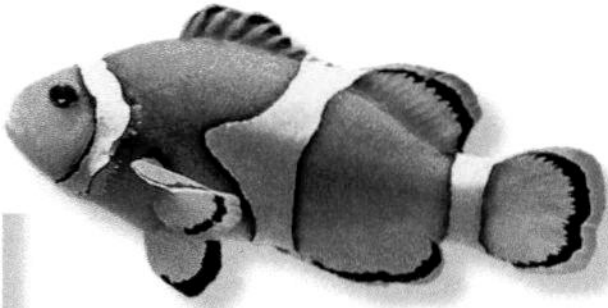

34

3 Das Körperlied. Hören Sie und machen Sie mit.

Füße, Beine, Bauch und Mund, Bauch und Mund,
Füße, Beine, Bauch und Mund, Bauch und Mund,
Und Arme, Hals, Kopf, Ohren und
Füße, Beine, Bauch und Mund, Bauch und Mund.

C

ein Musiker

D

ein Tennisspieler

E

eine Moderatorin

35

4 War Tom Miller schon beim Arzt? Hören Sie den Dialog.

35
36

5 Arbeiten Sie mit dem Dialog.

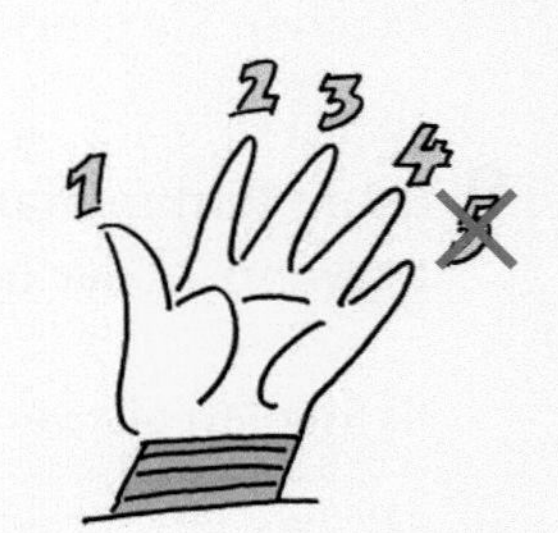
1
2
3
4
5

- Hallo, Tom, wie geht es dir?
- Nicht gut. Meine Augen tun weh und ich habe Kopfschmerzen.
- Nimm doch eine Tablette.
- Ich habe schon eine Tablette genommen, aber sie hilft nicht.
- Hast du auch Fieber?
- Nein.
- Schnupfen und Husten?
- Schnupfen ja, Husten nein.
- Vielleicht ist es eine Erkältung. Warst du schon beim Arzt?
- Ich rufe gleich an.
- Ja, das ist gut. Mach schnell einen Termin!

6 Pantomime. Was haben Sie? Die anderen raten.

Ich habe Hals-/Kopf-/Rücken-/Ohren-/Bauch-/Zahnschmerzen.
Mein Arm/Fuß tut weh. / Meine Augen tun weh.
Ich habe Schnupfen/Husten/Fieber.
Ich habe eine Erkältung/Grippe.
Mein Bein ist gebrochen.
Mein Knie und mein Fuß sind dick. / Meine Hand ist dick.

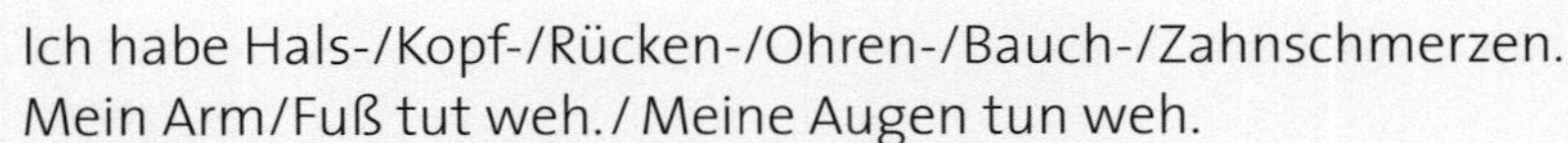

Ich bin schlecht!

Mir ist schlecht!

Brauchen Sie einen Arzt?

7 **Wer braucht welchen Arzt? Ordnen Sie die Schilder zu.**

1. ☐ *Kazushi:* Ich kann die Sätze an der Tafel nicht lesen.
2. ☐ *Maria:* Ich habe Zahnschmerzen.
3. ☐ *Ayşe:* Ich bin schwanger.
4. ☐ *Anna:* Mein Sohn hat eine Erkältung.
5. ☐ *Pavel:* Ich habe Halsschmerzen.

A
Dr. med. Gabriele Schatz
Frauenärztin
Ambul. Operationen - Akupunktur
Sprechzeiten:
Mo. 8.15-13 Uhr,
Di. 8.15-12.00 und 14.00-18.00 Uhr,
Mi. 8.15-13.00 Uhr,
Do. 13.00- 19.00 Uhr,
Freitag nach Vereinbarung

B
Dr. med.
Maria Rormann
Kinderärztin
Homöopathische Ärztin
Privatkassen & Privat
Termine nach Vereinbarung Tel. 0391/4935185

C
Dr. med. Birgitt Sothe
FÄ für Hals- Nasen- Ohrenheilkunde
Allergologie, Akupunktur, Homöopathie,
Naturheilverfahren

D
Gemeinschaftspraxis
Dr. med. Christine v. d. Gänne
Dr. med. habil. Hans - Werner Kotke
FÄ für Augenheilkunde

E
ZAHNARZTPRAXIS
DR. STEFAN VIRCHNER

MONTAG	8.00 - 12.00 Uhr	16.00 - 19.00 Uhr
DIENSTAG	8.00 - 12.00 Uhr	14.00 - 17.00 Uhr
MITTWOCH	8.00 - 12.00 Uhr	
DONNERSTAG	8.00 - 12.00 Uhr	16.00 - 19.00 Uhr
FREITAG		13.00 - 17.00 Uhr

SOWIE NACH VEREINBARUNG
TELEFON 0341-301 84 75

8 **Kennen Sie einen Arzt in der Nähe? Fragen und antworten Sie im Kurs.**

Mein Zahnarzt ist gut. Er spricht auch Persisch und Englisch.

Super, hast du die Adresse?

Raus mit der Sprache. Wo finde ich ...?
Rufen Sie in einer Arztpraxis an. Spricht man da Ihre Sprache?
Machen Sie eine Ärzte-Liste für den Kurs.

9 **Einen Termin machen.**
37 **a) Wann ist der Termin? Hören Sie.**

b) Spielen Sie den Dialog. Variieren Sie.

- Praxis Dr. Seeger, was kann ich für Sie tun?
- Ich hätte gerne einen Termin.
- Lieber vormittags oder nachmittags?
- Das ist egal.
- Am Freitag, um 16:30 Uhr?
- Kann ich nicht heute kommen? Mir geht es nicht gut.
- Heute geht es leider nicht mehr, aber Sie können morgen um 8:00 Uhr kommen.
- Gut, dann komme ich morgen. Vielen Dank. Auf Wiederhören.

38 **10** **Was braucht man beim Arzt? Hören Sie. Ergänzen Sie die Tabelle.**

die Versicherungskarte • die Überweisung • ~~die Quittung~~ • die Krankmeldung • das Rezept • 10 Euro

man bringt mit	*man bekommt*
	die Quittung

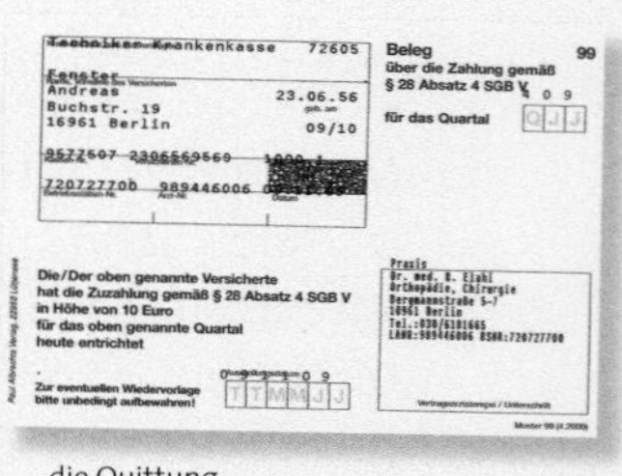
Techniker Krankenkasse 72605
Andreas
Buchstr. 19
16961 Berlin
23.06.56
Beleg über die Zahlung gemäß § 28 Absatz 4 SGB V
für das Quartal
Die/Der oben genannte Versicherte hat die Zuzahlung gemäß § 28 Absatz 4 SGB V in Höhe von 10 Euro für das oben genannte Quartal heute entrichtet
Zur eventuellen Wiedervorlage bitte unbedingt aufbewahren!

die Quittung

Ein Termin beim Arzt

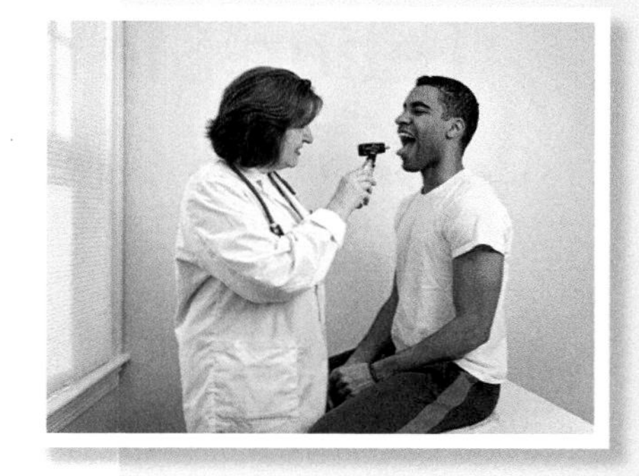

11 Bei der Ärztin.

a) Was hat Tom Miller? Hören und lesen Sie.

39

Ärztin: Guten Morgen, Herr Miller. Na, was fehlt Ihnen?
Tom: Mein Kopf tut weh, meine Augen sind ganz rot und ich habe Schnupfen. Vielleicht eine Erkältung?
Ärztin: Mal schauen, machen Sie bitte den Mund auf. Ja, der Hals sieht gut aus. Danke. Gut. Jetzt machen Sie bitte den Oberkörper frei. Atmen Sie tief ein und aus ... Nein, eine Erkältung haben Sie nicht. Wie lange haben Sie die Probleme schon?
Tom: Seit zwei Wochen. Zuerst war es nicht so schlimm, aber jetzt ...
Ärztin: Vielleicht ist es eine Allergie. Wir müssen einen Test machen. Bitte nehmen Sie noch einen Moment im Wartezimmer Platz.

b) Was sagt die Ärztin? Korrigieren Sie die Aussagen.

1. Tom Miller ist gegen Katzen allergisch.
2. Er soll viel Wein trinken und Obst essen.
3. Er soll jeden Tag eine Tablette nehmen.
4. Er bekommt ein Buch über Allergien.

„Ja, Herr Miller, leider hatte ich Recht. Sie haben eine Pollenallergie und jetzt im Frühling blüht alles. Außerdem sind Sie gegen Äpfel und Nüsse allergisch. Trinken Sie viel Wasser, essen Sie normal, aber kein Obst und bleiben Sie die nächsten drei Tage zu Hause. Ich schreibe Ihnen ein Rezept. Die Tabletten können aber etwas müde machen. Also Vorsicht beim Autofahren und trinken Sie keinen Alkohol. Nehmen Sie zweimal am Tag eine Tablette. Hier, lesen Sie auch die Broschüre. Gute Besserung!"

c) Was soll Tom Miller (nicht) machen? Sammeln Sie im Kurs.

Die Ärztin sagt:

Er soll viel Wasser trinken.

Er soll kein Obst essen.

das Modalverb sollen	
ich	*soll*
du	*sollst*
er/sie/es	*soll*
wir	*sollen*
ihr	*sollt*
sie/Sie	*sollen*

131

12 Allergien. Erzählen Sie im Kurs.

Ich bin gegen Wespen allergisch.

Ich habe keine Allergien.

die Katze, -n

Leben Sie gesund!

13 Tipps für Ihre Gesundheit

a) Lesen Sie die Ratschläge. Und was machen Sie?

Lachen Sie pro Tag mindestens 20 Minuten. Das macht so fit wie 3 Minuten rudern!

Schlafen Sie 7,5 Stunden pro Nacht: Das ist optimal.

Nehmen Sie 1 Löffel Olivenöl pro Tag: So lebt man 4 Jahre länger.

Trinken Sie 2,5 Liter Wasser pro Tag: Dann bleibt die Haut schön.

Wiederholen Sie beim Sport alle Übungen 12 mal: Das ist ideal.

Essen Sie 2 Äpfel pro Tag: Das ist gut für das Herz.

b) Markieren Sie die Imperative in den Ratschlägen in a) und im Text zu Aufgabe 11 b) auf Seite 49.

Imperativ mit Sie: 37
Lachen Sie viel.

14 Imperativ mit *du*.
Suchen Sie im Dialog von Aufgabe 5 die Imperativformen.
Ergänzen Sie die Tabelle. Vergleichen Sie.

47

Sie	Du
Nehmen Sie doch eine Tablette. Machen Sie schnell einen Termin.	________ doch eine Tablette. ________ schnell einen Termin.

Imperativ du-Form:
So geht's:
~~du~~ nimmst
Nimm eine Tablette.
~~du~~ machst
Mach einen Termin.
aber:
~~du~~ schläfst
Schlaf 7,5 Stunden pro Nacht.
~~du~~ isst
Iss 2 Äpfel pro Tag.

15 Schreiben Sie die Sätze aus Aufgabe 13 in die *Du*-Form.

Iss 2 Äpfel pro Tag: Das ist gut für das Herz.

________(1) beim Sport alle Übungen 12mal: Das ist ideal.

________(2) 2,5 Liter Wasser pro Tag: Dann bleibt die Haut schön.

________(3) 1 Löffel Olivenöl pro Tag: So lebt man 4 Jahre länger.

________(4) 7,5 Stunden pro Nacht: Das ist optimal.

________(5) pro Tag mindestens 20 Minuten.

Das macht so fit wie 3 Minuten rudern!

Hausmittel

16 Was hilft?

40

a) Hören Sie die Dialoge und ordnen Sie die Fotos zu.

Dialog 1: ☐
Dialog 2: ☐
Dialog 3: ☐

b) Was passt zusammen? Verbinden Sie.

1. Ich habe Husten.
2. Mir ist schlecht.
3. Ich habe Kopfschmerzen.
4. Ich habe Fieber.

a. Kaffee mit Zitrone trinken
b. Wadenwickel machen
c. Thymiantee trinken
d. Cola trinken und Salzstangen essen

c) Probleme und Ratschläge. Fragen und antworten Sie im Kurs.

Ich habe Kopfschmerzen.

Trink doch einen Kaffee mit Zitrone.

Ich bin müde. •
Mir ist schlecht. •
Meine Augen sind rot. •
Ich habe keine Zeit. •
Ich bin zu dick/dünn.
...

17 Dreimal *e*.

41

a) Hören Sie und sprechen Sie nach.

- Es geht mir nicht gut. Ich habe Schmerzen.
- Oh je. Geh zum Arzt.

b) Welches *e* kennen Sie in Ihrer Sprache?

1. Wie g[eː]ht's?
2. Nicht schl[ɛ]cht.
3. Ich bin nur müd[ə].

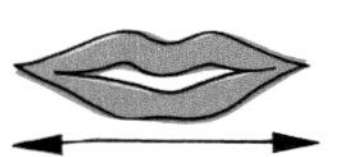

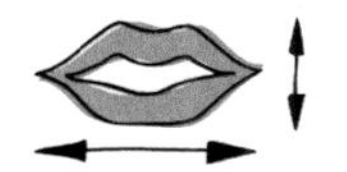

[eː] geschlossen | [ɛ] offen | [ə] am Ende

18 Drei Gruppen. Jede Gruppe sammelt Wörter mit *e*. Sie haben drei Minuten Zeit. Welche Gruppe hat die meisten Wörter?

Gruppe A:
[eː] geschlossen

Gruppe B:
[ɛ] offen

Gruppe C:
[ə] am Ende

Alle zusammen

19 Der Körper. Bilden Sie Gruppen.

Machen Sie ein Lernplakat: Zeichnen Sie einen Menschen und ergänzen Sie die Körperteile mit Artikel und Plural. Hängen Sie die Plakate im Kursraum auf.

20 Dialoge selber machen.

a) Bilden Sie zwei Gruppen. Jede Gruppe schreibt drei Dialoge.

Gruppe A

Einen Termin machen
- Begrüßung, Name
- Termin
- Am ..., um ...
- Ja. / Nein. Früher / später
- Okay. Abschied

Gruppe B

Im Arztzimmer
- Begrüßung
- Problem (Schmerzen, Erkältung ...)
- Seit wann ...? – Seit ...
- Ratschlag/Rezept
- Abschied

b) Zerschneiden Sie Ihre Dialoge. Mischen Sie die Papierstreifen.

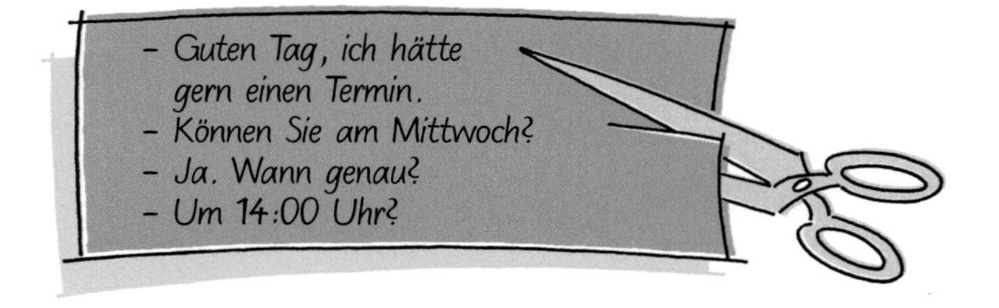

- Guten Tag, ich hätte gern einen Termin.
- Können Sie am Mittwoch?
- Ja. Wann genau?
- Um 14:00 Uhr?

c) Gruppe A bekommt die Streifen von Gruppe B (und umgekehrt). Sortieren Sie und lesen Sie die Dialoge zu zweit vor.

Was ist das?

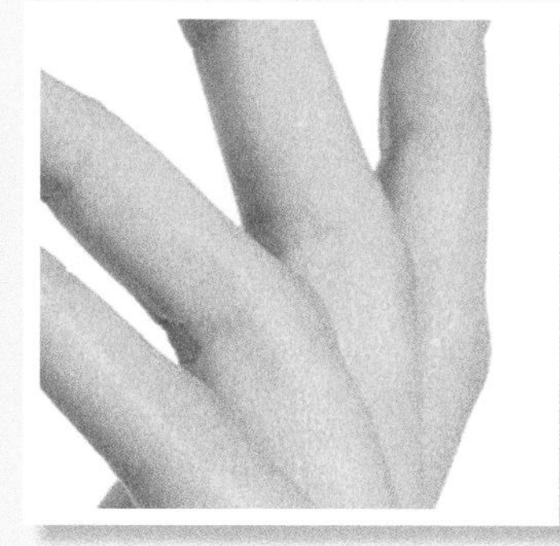 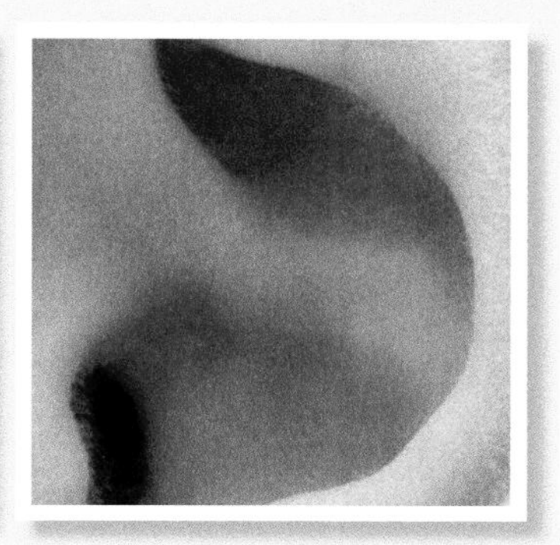 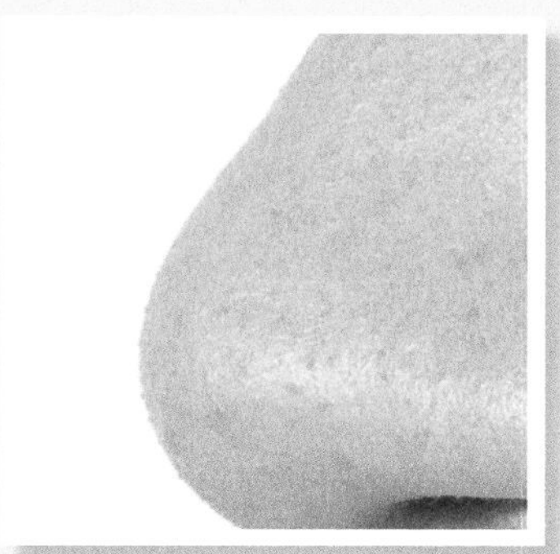 

Starke Personen

Andreas Pröve ist Fotoreporter. Mit 23 Jahren hatte er einen Unfall mit seinem Motorrad. Seitdem sitzt Andreas Pröve im Rollstuhl. Aber schon drei Jahre nach seinem Unfall hat er seine erste Reise gemacht – durch Indien. Nun reist er schon seit über 25 Jahren durch die Welt. Auf Vorträgen erzählt er von seinen Erfahrungen.

Hee Ah Lee ist Pianistin aus Korea. Sie ist sehr bekannt, denn sie spielt Klavier mit nur vier Fingern.

Echt passiert

Francesca Grassi erzählt: Einmal habe ich ein Mittel gegen Haarausfall gebraucht und ich bin in die Apotheke gegangen. Aber Haarausfall – das Wort hatte ich noch nicht gelernt. Ich habe gesagt: „Meine Haare sagen Auf Wiedersehen." Die Apothekerin hat das Mittel geholt und gesagt: „Jetzt sagen Ihre Haare wieder Grüß Gott."

Ich war beim Arzt und die Sprechstundenhilfe hat gesagt: „Wir brauchen eine Urinprobe." Und ich habe geantwortet: „Wo kann ich die kaufen?"

Was heißt das?

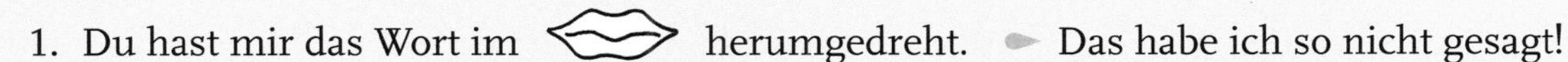

1. Du hast mir das Wort im 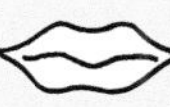 herumgedreht. ➡ Das habe ich so nicht gesagt!
2. Drück doch noch mal ein  zu. ➡ Bitte sei nicht böse.
3. Ich habe zwei linke . ➡ Etwas bauen oder reparieren? Das kann ich nicht.
4. Leg doch mal einen zu! ➡ Beeil dich!

Ich kann ...

Fragen in der Arztpraxis beantworten

Ich habe/brauche eine Überweisung. / Hier ist meine Versicherungskarte. /
Ich brauche eine Quittung. / Wie lange muss ich warten?

Was fehlt Ihnen?
Mir ist schlecht.
Ich habe Schmerzen. Ich habe Hals-/Kopf-/Rücken-/Ohren-/Bauchschmerzen.
Mein Arm tut weh. / Mein Fuß und mein Bein tun weh. /
Meine Augen und meine Nase sind ganz rot. /
Mein Knie ist dick. / Meine Finger sind dick.

Seit wann haben Sie das?
Seit gestern/zwei/...Tagen. / Seit einer Woche.

einen Termin machen

Ich hätte gern einen Termin.
Das ist mir egal. / Lieber am ...
Geht es auch früher?
Ja, das ist gut. Dann bis Freitag.

Können Sie am Vormittag oder am Nachmittag?
Am Freitag, um 16:30 Uhr?
Um 12:30 Uhr?

Ich kenne ...

den Imperativ

Infinitiv	*Sie*	*du*
lachen	Lachen Sie doch mal!	Lach doch mal!
trinken	Trinken Sie nicht so viel Cola!	Trink nicht so viel Cola!
essen	Essen Sie dreimal am Tag Gemüse!	Iss dreimal am Tag Gemüse!
lesen	Lesen Sie die Broschüre!	Lies die Broschüre!
nehmen	Nehmen Sie bitte die Tabletten!	Nimm bitte die Tabletten!
aufmachen	Machen Sie bitte das Fenster auf!	Mach bitte das Fenster auf!
schlafen	Schlafen Sie gut!	Schlaf gut!

das Modalverb *sollen*

Ich habe eine Grippe. Ich soll im Bett bleiben.

ich soll	wir sollen
du sollst	ihr sollt
er/sie/es soll	sie/Sie sollen

dreimal *e*: [eː] geschlossen, [ɛ] offen und [ə] „müde"

Wie g[eː]ht [ɛ]s Ihn[ə]n j[ɛ]tzt?

Dank[ə], [ɛ]s tut nichts m[ɛ]hr w[eː]. Ich bin nur [ɛ]twas müd[ə].

► Und wie geht es weiter?

Warum schreit der Mann?

Wo?

Im ersten/zweiten/ dritten Stock.

Vielleicht sind ...

Meine Nachbarn

Unser Haus

1 Finden Sie Ihre Ecke: A, B, C oder D?

Wie viele Menschen wohnen mit Ihnen in einem Haus?
Wie viele Nachbarn kennen Sie gut?
Wie viele Nachbarn finden Sie nett?

Ecke A: 0 bis 3
Ecke B: 4 bis 10
Ecke C: 11 bis 15
Ecke D: mehr als 15

2 Möchten Sie hier wohnen? Sehen Sie die Zeichnung von Aufgabe 3 an.

42

3 Das Lied von den Nachbarn.
a) Wer singt Strophe 1 bis 4? Hören Sie das Lied. Zeigen Sie die Person auf der Zeichnung.

b) Was passt? Hören und lesen Sie. Ordnen Sie die Bilder dem Text zu.

1 Meine Nachbarn sind schrecklich!
Ihre Kinder machen Krach ☐
und die Eltern streiten täglich. ☐
Ja, so bleibe ich wach.

5 Meine Nachbarn sind chaotisch!
Ja, ihr Abfall steht im Flur ☐
und der stinkt sehr exotisch.
Mann, was denken die nur?

Meine Nachbarn sind nicht höflich!
10 Keiner sagt mal „Hallo". ☐
Und ihr Hund ist gefährlich.
Warum bellt der denn so? ☐

Meine Nachbarn sind nie leise!
Ihre Wohnung ist immer voll.
15 Wie sie singen und feiern: ☐
Das ist wirklich nicht toll!

Unser Nachbar ist schwierig
und er schimpft jeden Tag!
Er hasst Kinder und Tiere.
20 *Es gibt nichts, was er mag.*

– über Nachbarn und das Wohnen sprechen – um Hilfe bitten – sagen, was man (nicht) darf – Konjunktionen: *und, aber, denn* – das Pronomen *man* – das Modalverb *dürfen* – Verneinung mit *nicht* und *kein* – Satzmelodie – Aussprache: [ŋ]

13

43

4 Wo sind Stefan und Thomas? Hören Sie den Dialog.

Wer ist Stefan Berger?

43

5 Wie findet Stefan Berger seine Nachbarn? Hören und lesen Sie den Dialog. Sammeln Sie Adjektive.

***Adjektive:** Wie sind ...*
Sie sind chaotisch, laut, ...

43
44

6 Arbeiten Sie mit dem Dialog.

Thomas: Hallo, Stefan. Ihr seid umgezogen, oder? Wie ist die Wohnung?
Stefan: Sie ist sehr schön, ...
Thomas: Aber?
Stefan: Aber die Nachbarn sind schrecklich! Sie sind unfreundlich. Und sie sind laut. Sie hören Musik, sie streiten im Treppenhaus und die Kinder machen im Garten Krach. Und ...
Thomas: Aha.
Stefan: Und sie sind chaotisch. Sie machen nie die Treppe sauber. Ihre Fahrräder stehen im Flur – und der Flur ist so eng. Vor ihrer Tür steht der Abfall und stinkt. Und ...
Thomas: Ist das wirklich so schlimm?
Stefan: Ja! Und in der Altpapiertonne sind Flaschen ...
Thomas: Hast du ihnen das schon mal gesagt?
Stefan: Nein! Die sagen noch nicht mal „Hallo“!
Thomas: Lad sie doch am Wochenende zum Kaffee ein.
Stefan: Wie bitte?!

Satzmelodie
Sie ist sehr schön. ↘
Sie ist sehr schön, ... →

Schon fertig?
Schreiben Sie: Wie ist ein/e Horrornachbar/in? Wie ist ein/e Lieblingsnachbar/in?

7 Und Ihre Nachbarn? Erzählen Sie im Kurs.

Ich habe keine/wenig/viele Nachbarn.
Ich kenne meine Nachbarn nicht gut/gut/sehr gut.
Meine Nachbarn haben ... Kinder / einen Hund / eine Katze.
Ich finde sie nett/sehr freundlich/unfreundlich/langweilig/anstrengend/ ...

8 Was machen und wie sind Horrornachbarn? Erzählen Sie.

Sie sind unfreundlich.
Ja genau. Und sie machen Krach.
Ja genau. Und sie ...

Nachbarn oder Freunde?

9 Wer schreibt diese E-Mail? Und wer ist Florian? Lesen Sie.

Die E-Mail schreibt
- ☐ Stefan.
- ☐ Thomas.
- ☐ die Frau von Stefan.

Florian ist
- ☐ der Sohn von Pjotr und Anja.
- ☐ der Bruder von Susanne.
- ☐ der Sohn von Thomas.

Liebe Maria,
gestern habe ich Stefan getroffen. Er ist umgezogen. Er findet seine Nachbarn schrecklich – laut, chaotisch und unfreundlich. Wir haben Glück! Unsere Nachbarn – Pjotr und Anja – sind super. Sie sind im April hier eingezogen. Sie haben zwei Kinder und einen Hund. Gestern haben wir zusammen gekocht. Es war sehr lustig!
Sie sind sehr nett. Im Urlaub gießen sie unsere Blumen. Am Samstagabend haben sie auf Florian aufgepasst. Ich jogge mit Pjotr. Susanne mag Anja sehr gern. Sie machen viel zusammen und Susanne lernt mit Anja ein bisschen Polnisch.
Ich habe Pjotr und Anja geholfen. Sie hatten viele Fragen – zum Beispiel zum Mietvertrag. Ich bin mit Pjotr zum Einwohnermeldeamt gegangen. Wir sind nicht nur Nachbarn, wir sind auch Freunde.
Aber Stefan und seine Nachbarn ... Ich weiß nicht. Sind die Nachbarn wirklich so schlimm? Oder ist Stefan schwierig? Was meinst du?
Liebe Grüße

Perfekt
er zieht um →
er ist umgezogen

Sie ziehen um?
Dann müssen Sie sich an- oder ummelden! Das macht man in (D) beim Einwohnermeldeamt, in der (CH) heißt es Einwohnerdienste und in (A) Meldeamt. Sie haben dafür in (A) nur drei Tage, in (D) sieben und in der (CH) zehn Tage Zeit! Bringen Sie Ihren Ausweis und den Mietvertrag mit.

10 Sie brauchen Hilfe?
a) Ordnen Sie die Bilder rechts zu.

1. die Blumen gießen ☐
2. auf die Kinder aufpassen ☐
3. die Katze füttern ☐
4. mitkommen ☐

b) Fragen Sie die Nachbarn! Schreiben Sie Sätze wie im Beispiel.

wegfahren • zum Amt müssen • zum Arzt müssen • meine Verwandte besuchen

Ich fahre weg. Könnten Sie bitte meine Blumen gießen?

höflich fragen:
Könnten Sie bitte ...
Könntest du bitte ...

Schon fertig?
Was tun Sie für Ihre Nachbarn? Was tun Sie nicht? Schreiben Sie zwei Listen.

So viele Regeln!?

11 **Regeln im Haus.**
a) Was darf man hier nicht? Ordnen Sie in die Tabelle.

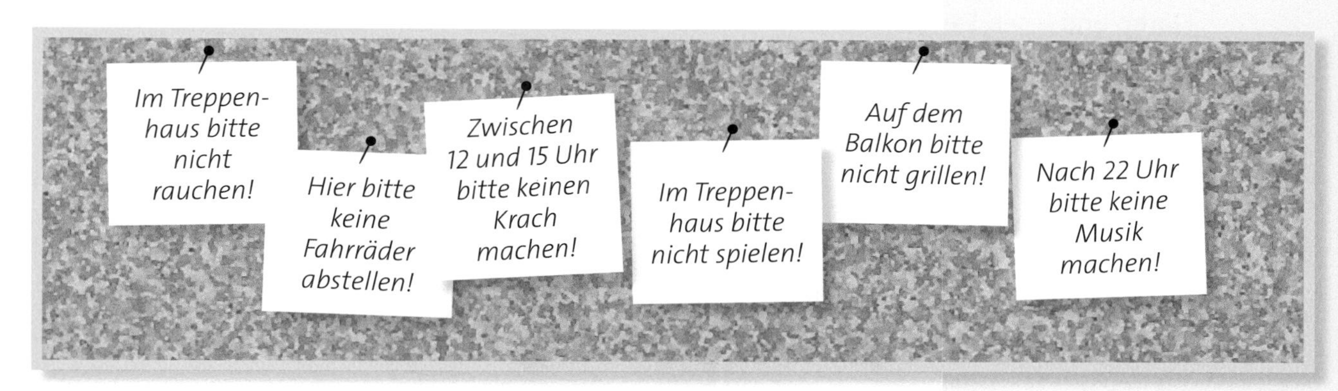

nicht + Verb	*kein* + Nomen
nicht rauchen	*keine Fahrräder abstellen*

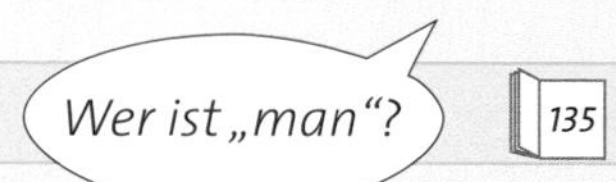

b) Schreiben Sie Sätze wie im Beispiel.

Man darf im Treppenhaus nicht rauchen.

c) Was sagt der Hausmeister? Verbinden Sie immer zwei Sätze aus Aufgabe b) mit *und*.

Man darf nicht rauchen und man darf keine Fahrräder abstellen.

das Modalverb dürfen	
ich	*darf*
du	*darfst*
er/sie/es	*darf*
wir	*dürfen*
ihr	*dürft*
sie/Sie	*dürfen*

131

12 **Was fragt das Kind? Was antwortet der Hausmeister? Schreiben Sie Dialoge mit *aber*.**

- Darf ich im Garten spielen?
- Natürlich darfst du im Garten spielen, aber du musst leise sein.

Fußball spielen? • im Garten Fahrrad fahren? • mittags draußen spielen?

leise sein • vorsichtig sein • nichts kaputt machen

13 **Im Mietshaus. Was ist richtig? Was ist falsch? Lesen Sie die Zettel auf dem Foto und kreuzen Sie an.**

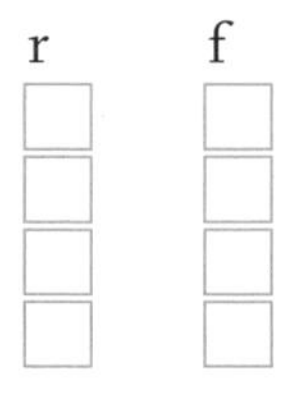

	r	f
1. Am Montag kommt der Heizungsableser.	☐	☐
2. Familie Neumann feiert Geburtstag.	☐	☐
3. Die Haustür muss immer zu sein.	☐	☐
4. Der Babysitter ist laut.	☐	☐

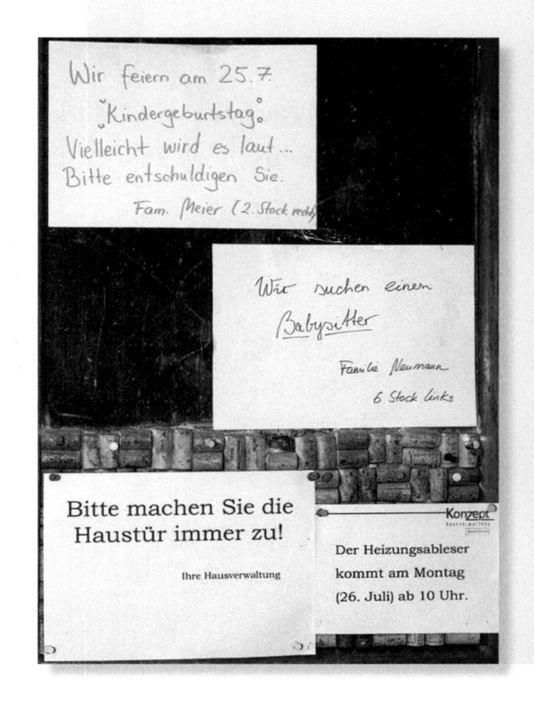

Wie wohnen Sie?

14 Unsere Straße. 45

a) Wo wohnt Familie Demirel?
Hören und lesen Sie. Kreuzen Sie das passende Foto an.

Ich wohne gern hier. Ein Haus: Das ist toll. Wir haben viel Platz!

Und die Straße ist ruhig. Hier ist nicht viel Verkehr.

Ich spiele gern im Garten. Nebenan wohnt auch eine Familie mit Kindern. Wir spielen oft zusammen.

Mein Kollege hat gesagt: „Euer Garten ist schön, aber sehr klein." Also, ich mag unseren Garten. Hier können wir grillen und die Kinder können draußen spielen.

Wir haben viele Nachbarn. Fast alle sind sehr nett. Man ist hier nicht allein.

Nicht so schön: Die Zimmer sind sehr klein. Aber wir haben eine Garage. Das ist praktisch.

A ☐

B ☐

C ☐

b) Wer sagt was? Markieren Sie in Aufgabe a) die Vorteile und ergänzen Sie die Tabelle.

Frau Demirel	*Herr Demirel*	*die Tochter*
Wir haben viel Platz.	*Wir können grillen.*	

ein Vorteil (+): z.B. viel Platz
ein Nachteil (–): z.B. wenig Platz

c) Familie Demirel wohnt gern hier. Warum? Ergänzen Sie den Satz wie im Beispiel.

Sie haben viel Platz. ➨ Sie wohnen gern hier, denn sie haben viel Platz.

1. ~~viel Platz haben~~ • 2. einen Garten haben • 3. viele Nachbarn haben • 4. nicht allein sein • 5. eine Garage haben • 6. grillen können

Sie wohnen gern hier, denn ...

15 Wohnen Sie gern da, wo Sie wohnen? Fragen und antworten Sie.

Wohnst du gern in deiner Wohnung?

Ja, ich wohne ...

Wohnst du gern in deinem Haus?

Nein, ich ...

Wohnst du gern in deiner Straße?

	sehr gern	in meiner Wohnung,		ich habe viel/wenig Platz/ Ruhe ...
Ich wohne	gern	in meinem Haus,	denn aber	ich habe (k)eine(n) Garten/ Balkon/Garage ...
	nicht gern	in meiner Straße,		sie/es ist ruhig/laut/hell/ dunkel/schön/kalt/groß ...

16 Was passt: *denn* oder *aber*? Ergänzen Sie.

Ich wohne gern in meiner Straße, ______________ [1] die Häuser sind sehr schön. Sie sind nicht sehr groß, ______________ [2] sie haben alle einen Garten. Das ist toll. Die Straße ist ruhig, ______________ [3] hier fahren nicht viele Autos. Die Kinder können auf der Straße spielen, ______________ [4] hier ist nicht viel Verkehr. Ich finde das toll, ______________ [5] mein Nachbar schimpft immer. „Die Kinder sind zu laut“, sagt er.

141

17 Eng und dunkel – *ng* [ŋ] und *nk* [ŋk].

46

a) So klingt [ŋ]. Hören Sie.

- Wie la[ŋ]e wohnst du schon hier?
- Ich bin im Frühli[ŋ] umgezogen. Wie gefällt dir die Wohnu[ŋ]?
- Ich finde sie en[ŋ] und dun[ŋk]el – und la[ŋ]weilig.
- Da[ŋk]e!
- Entschuldigu[ŋ].

42

b) Welche Wörter mit [ŋ] hören Sie? Hören Sie das Lied von Aufgabe 3 noch einmal.

56

ng [ŋ]: ______________ nk [ŋk]: ______________

______________ ______________

So sprechen Sie [ŋ]:
Sprechen Sie ein „n“ und ziehen Sie die Zunge zurück.

47

c) Hören Sie und sprechen Sie nach.

Alle zusammen

18 **Stört das?**

a) Lesen Sie die Verben in der Tabelle. Sehen Sie die Zeichnung an und ordnen Sie zu.

b) Was stört Sie? Kreuzen Sie an.

		Das stört mich sehr. ☹☹☹	Das stört mich. ☹	Das stört mich nicht. 😐
	über andere lachen			
9	laut sein			
	essen oder trinken			
	Kaugummi kauen			
	zu spät kommen			
	nicht helfen			
	schlafen			
	Musik hören			
	mit dem Handy spielen			

c) Machen Sie eine Umfrage im Kurs.

Was stört dich (sehr)?

Was stört dich nicht?

Stört es dich, wenn man im Unterricht

	☹☹☹	☹	😐
uber andere lacht			
Laut ist			
andere unterbricht			
isst oder trinkt			
Kaugummi Kaut			
nicht zuhort			
zu spat Kommt			
nicht hilft			
Schlaft			
Musik hort			
mit dem Handy Spielt			

19 **„Unsere Regeln". Sammeln Sie in Gruppen und machen Sie Plakate. Wählen Sie ein Plakat für Ihren Kurs.**

Typisch D A CH?

Mai Qiaozhi: Hier arbeiten die Menschen gern im Garten. Das finden sie schön – wie Urlaub! Das ist komisch. Es ist Arbeit und sehr anstrengend.

Philippe Poirrier: Die Deutschen sind sooo ordentlich. Ihr Auto und ihr Haus müssen perfekt sein. Nichts darf kaputt sein.

Carmen Fernández: Warum gibt es in Deutschland kein Bidet? Ich habe in keinem Badezimmer ein Bidet gesehen.

Michael Thompson: Ich habe am letzten Sonntag im Garten gearbeitet. Ich habe den Rasen gemäht. Die Nachbarn waren sauer. Der Sonntag ist hier heilig. Alles muss leise sein. Warum?

Kim Hi Youl: In der Schweiz läuft man mit Straßenschuhen in der Wohnung herum – sogar im Bad!

Laura Benigno: Wo hängen die Österreicher ihre Wäsche auf? Ich sehe keine Wäsche. Nie!

Rafa Ramírez: Ich war zu Besuch in der Schweiz. In der Wohnung musste ich meine Schuhe ausziehen. Der Teppich war neu ...

Eleni Tsantidis: In Berlin ist ein Kindergarten umgezogen. Die Nachbarn haben protestiert: Die Kinder waren zu laut. Unglaublich!

Priya Singh: In Österreich ist am Sonntag kein Mensch auf der Straße. Wo sind die alle? In ihren Wohnungen?

Wissenswertes

Brot und Salz ist in D A CH ein Geschenk für Menschen, die neu im Haus sind. Und bei Ihnen?

Ich kann ...

über Nachbarn sprechen

Wir haben viele Nachbarn. / Ich kenne meine Nachbarn nicht sehr gut.
Meine Nachbarn sind nett/unfreundlich/höflich/schwierig/schrecklich/chaotisch/ ...
Sie sind laut / machen Krach / streiten / hören laut Musik / machen nie sauber / ...
Sie gießen unsere Blumen / passen auf unser Kind auf / füttern unseren Hund / ...

über Wohnen sprechen

Wir haben viel/wenig Platz.
Wir haben einen Garten, aber keinen Balkon.
Wir haben ein Auto, aber keine Garage.
Die Straße ist ruhig/laut/freundlich ...
Das Haus ist hell/dunkel/schön/langweilig/groß ...

sagen, was man (nicht) darf

Hier darf man Fahrrad fahren. 

Hier darf man gehen. 

Hier darf man nicht rauchen 

Hier darf man keine Musik machen. 

um Hilfe bitten

Könnten Sie bitte meine Blumen gießen?
Kannst du bitte auf meine Kinder aufpassen?

Ich kenne ...

und – aber – denn

Das Haus ist schön und wir haben hier viel Platz.
Der Garten ist klein, aber die Kinder können dort spielen.
Wir sind nie allein, denn wir haben viele Nachbarn und Freunde.

die Verneinung mit *nicht* und *kein*

nicht + Verb:
Hier dürfen Sie nicht fotografieren!

kein + Nomen:
Hier dürfen Sie keine Fahrräder abstellen!

das Modalverb *dürfen*

ich	darf
du	darfst
er/sie/es	darf
wir	dürfen
ihr	dürft
sie/Sie	dürfen

Aussprache: [ŋ]

Die Wohnung ist dunkel und stinkt. Die Nachbarn sind langweilig!

Und wie geht es weiter?

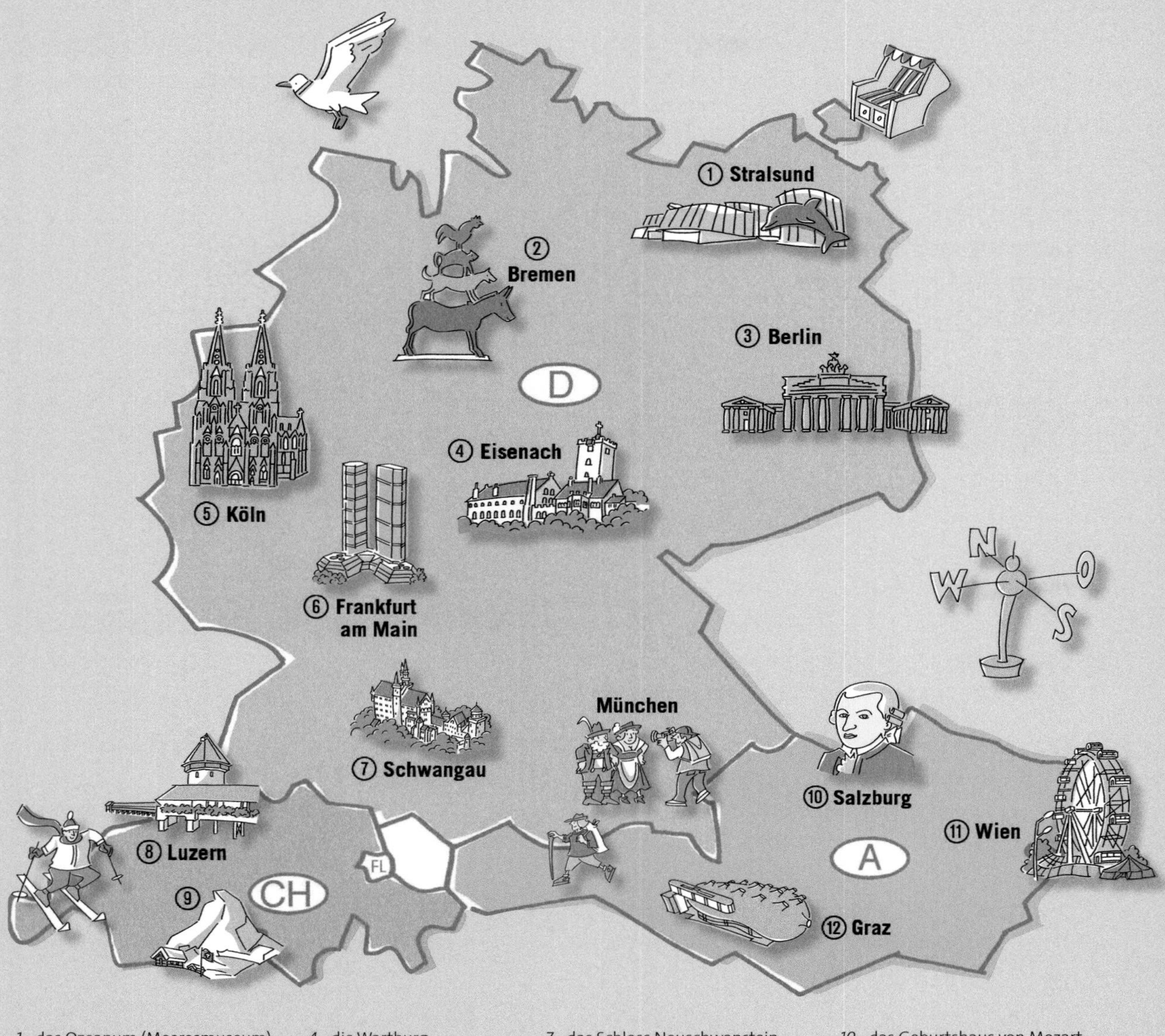

1 das Ozeanum (Meeresmuseum)
2 die Bremer Stadtmusikanten
3 das Brandenburger Tor
4 die Wartburg
5 der Kölner Dom
6 das Bankenviertel
7 das Schloss Neuschwanstein
8 die Kapellbrücke
9 das Matterhorn
10 das Geburtshaus von Mozart
11 der Prater
12 das Kunsthaus Graz

Was kann man wo sehen und machen? Erzählen Sie im Kurs.

In Wien kann man ...

In der Nähe von ... kann man ...

schwimmen • (in den Bergen) wandern • am Strand liegen • spielen • Boot fahren • Ski fahren • eine Fahrradtour machen • eine Burg/ein Schloss/ein Museum/eine Kirche ansehen

Wo waren Sie schon mal? Was wollen Sie mal sehen? Erzählen Sie im Kurs.

Zur nächsten Stunde:
Bringen Sie einen Gegenstand, ein Foto oder eine Postkarte von einer Reise mit.

Reisen in D A CH

Wie reisen Sie?

**1 Ein See – drei Länder.
Lesen Sie die Fragen und sammeln Sie Antworten.**

1. Welche Länder sind am Bodensee? 173
2. Was kann man am Bodensee machen?

2 Reisetypen.
a) Welche Texte hören Sie? Kreuzen Sie an.

48

1. ☐ Wir fliegen nicht gerne. Wir fahren immer mit dem Zug und besichtigen so ganz Deutschland.
2. ☐ Hotels finde ich schrecklich. Ich gehe lieber in die Berge. Ich gehe wandern oder zelte an einem See – allein.
3. ☐ Mein Freund und ich wollen im Urlaub etwas sehen. Wir besichtigen Städte und gehen in viele Museen.
4. ☐ Wir haben nicht so viel Geld und Urlaub mit Kindern ist teuer. Wir bleiben zu Hause. Aber wir gehen oft in den Park, grillen und spielen mit den Kindern.
5. ☐ Ich besuche in den Ferien immer meine Verwandten. Das ist anstrengend, aber wir sind alle zusammen und lachen viel.
6. ☐ Ich habe auf der Arbeit viel Stress und möchte im Urlaub entspannen. Am liebsten liege ich am Pool und lese.
7. ☐ Urlaub ist nur Urlaub in der Sonne und am Meer. Wir fliegen immer in den Süden: Griechenland, Türkei, Spanien.
8. ☐ Ich bin gerne am Meer, aber faul am Strand liegen mag ich nicht. Ich mache lieber eine Fahrradtour, gehe schwimmen oder spiele Volleyball.

b) Unterstreichen Sie in den Texten wichtige Wörter. Ordnen Sie die Wörter in die Tabelle.

Städte	Süden/Meer	Natur	zu Hause/Familie
besichtigen			

3 Was für ein Reisetyp sind Sie? Sprechen Sie im Kurs.

Ich fliege gerne in den Süden.

Echt? Ich besuche lieber Freunde und Verwandte.

Ich bleibe zu Hause und gehe in den Park.

Das ist doch langweilig. Ich …

49

4 Was ist das für ein Dialog? Hören Sie und kreuzen Sie an.

1. ein Telefongespräch mit einem Freund ☐
2. eine Umfrage/ein Interview ☐
3. eine Quiz-Show ☐

49
50

5 Lesen Sie die Fragen. Hören und lesen Sie den Dialog und antworten Sie.

1. Wohin fährt Frau Vogelsang am liebsten?
2. Wo bekommt sie ihre Informationen?
3. Wie reist sie?

- Haben Sie einen Moment Zeit? Wir machen eine Umfrage zum Thema Reisen. Kann ich Ihnen ein paar Fragen stellen?
- Ja, in Ordnung.
- Sind Sie im Sommer weggefahren?
- Ja, mein Mann und ich sind nach Österreich gefahren.
- Was haben Sie dort gemacht?
- Wir sind in die Berge gefahren und sind viel gewandert.
- Was ist Ihnen besonders wichtig: der Ort, das Hotel oder die Aktivitäten?
- Der Ort ist sehr wichtig. Ich fahre immer an den Bodensee. Nach Vorarlberg. Dort ist die Landschaft herrlich.
- Wo bekommen Sie Ihre Informationen – im Internet, am Bahnschalter, in Werbeprospekten oder im Reisebüro?
- Ich buche alles im Internet. Das ist sehr praktisch.
- Wann verreisen Sie am liebsten – im Frühling, im Sommer, im Herbst oder im Winter?
- Ich bin gern zweimal im Jahr unterwegs: im Sommer gehe ich wandern und im Winter fahre ich Ski.
- Wie reisen Sie – mit dem Auto, mit der Bahn, mit dem Flugzeug oder mit dem Reisebus?
- Nach Österreich reise ich mit der Bahn. Das ist bequem.
- Vielen Dank für die Informationen. Auf Wiedersehen.

Perfekt
sie wandert – sie ist gewandert

Wohin fahren Sie?
ans Meer
an den Bodensee
in die Berge
in die Schweiz
nach Österreich/Spanien ...

6 Arbeiten Sie mit dem Dialog.

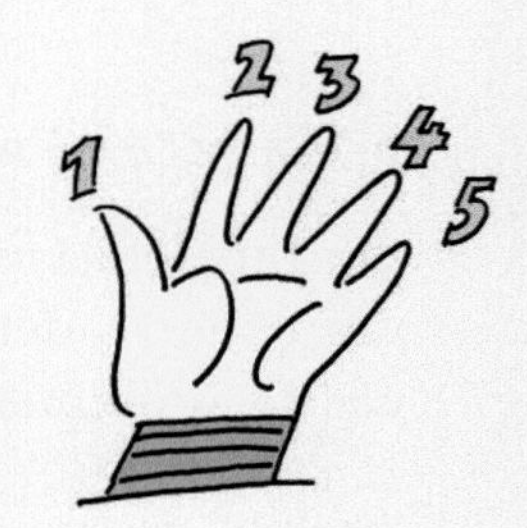

7 Ihre Traumreise. Schreiben Sie einen Text.

Wer? – Wohin? – Wie? – Wie lange? – Wann?

Schon fertig?
Sie haben drei Monate Zeit und viel Geld. Was machen Sie?

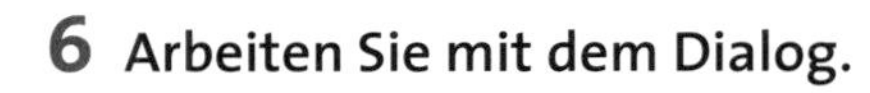

Was möchten Sie sehen?

8 Ausflugsziele in D A CH.

a) Lesen Sie die Texte und suchen Sie die Orte auf der Karte.

Unsere Reisetipps für Sie

Auf der Ostsee-Insel Rügen gibt es viele Strände und der Kreidefelsen ist berühmt. Fähre ab 1,20 Euro.

Die Glaskuppel auf dem Reichstag in Berlin besuchen jedes Jahr über 2,7 Mio. Menschen. Tipp: spät kommen, kurz warten (letzter Einlass 22 Uhr, Eintritt frei)

Das Riesenrad im Prater bietet einen Rundum-Blick auf Wien aus 64,57 m Höhe. Tickets: 8,50 Euro, Kinder: 3,50 Euro.

Im Kölner Zoo ist das Highlight das Elefantenhaus. Eintritt 13 Euro, Kinder 6 Euro, montags nur 9,50/4 Euro.

Der Main Tower in Frankfurt ist 170 m hoch. Er ist das erste Hochhaus in Europa mit einer Fassade nur aus Glas. Oben gibt es ein Restaurant mit Aussicht.

Das Deutsche Museum in München ist ein großes Technikmuseum. Hier ist das Experimentieren erlaubt. Eintritt: 8,50 Euro

Das Matterhorn ist 4478 m hoch und das Wahrzeichen der Schweiz. Kommen auch Sie nach Zermatt und machen Sie ein Foto!

Das Schloss Neuschwanstein in Bayern ist das Ziel Nummer 1 für Touristen aus aller Welt. Eintritt: 9 Euro.

b) Was ist wo? Antworten Sie. Sammeln Sie weitere Informationen.

der Kreidefelsen • der Main Tower • das Matterhorn • der Prater • der Reichstag • das Schloss Neuschwanstein • das Technikmuseum • der Zoo

Was? Wo? Wie teuer?

Wo ist der Kreidefelsen?

Auf der Insel Rügen.

c) Wohin wollen Sie fahren? Diskutieren Sie.

Ich möchte nach Rügen/Köln/Frankfurt ... / in die Schweiz fahren.
Ich möchte den Zoo / den Prater / das ... sehen.
Nein, das ist zu teuer / zu weit weg / zu langweilig.
Ich will lieber ...
Ich habe eine andere Idee: Wir können nach ... fahren.

Europa in einem Monat

9 Ein Reiseblog im Internet. Beantworten Sie die Fragen.

1. Wie viele Länder kann man mit dem Interrail-Ticket besuchen?
2. Wie lange ist das Ticket gültig?
3. Wo schläft Jana? Warum?
4. Was macht Jana mit ihrem Gepäck?

Reiseberichte

Mit dem Zug durch Europa

Autorin: Jana

Ich sitze im Zug nach Rom. Gestern war ich in Graz. Ich habe ein Interrail-Ticket gekauft. Mit dem Ticket kann ich 32 Länder in Europa kennenlernen und einen Monat lang reisen – echt super! Ich habe schon die Ostsee und die Alpen gesehen, ich war in Hamburg, Berlin, Zürich und Luzern. Und ich habe schon so viele Leute kennengelernt. Gestern z. B. einen Japaner. Er war schon in fünf europäischen Hauptstädten – in vier Tagen! Ich brauche mehr Zeit.

Vor zwei Wochen bin ich in Stockholm losgefahren. Ich schlafe immer im Zug. Das ist nicht sehr bequem, aber billig. Die Toiletten sind nicht so toll, aber oft kann man in den Bahnhöfen duschen. Dort gibt es auch Schließfächer für das Gepäck. So kann ich in Ruhe die Stadt besichtigen. Morgen will ich für zwei Tage nach Palermo. Ich möchte mal wieder baden – im Meer! [mehr ...]

10 Liebe Grüße! Lesen Sie die Postkarte. Variieren Sie die markierten Wörter und schreiben Sie eine neue Karte. Die Tabelle unten hilft.

Lieber Jacob,
seit gestern bin ich in Graz. Das Wetter ist nicht so toll, aber ich habe schon viele Sehenswürdigkeiten gesehen. Die Stadt ist super. Morgen fahre ich nach Innsbruck.
Liebe Grüße, Jana

Jacob Nikowa
Beethovenplatz 18
53115 Bonn

Wann?	Wo/Wohin?	Wetter?	Was?
seit zwei Wochen	Palermo	nicht so toll	viele Leute kennengelernt
seit gestern	Graz	schön	tolle Sachen gegessen
am Sonntag	Hamburg	herrlich	viele Städte besucht
seit Montag	Innsbruck	schlecht	Sehenswürdigkeiten gesehen
morgen	Luzern	sonnig	im Meer gebadet
...	...	...	...

11 Ihre Postkarten, Fotos und Gegenstände. Sprechen Sie über Ihre Urlaubserlebnisse. 65

Hin- und Rückfahrt?

12 Ein Ticket kaufen.

51

a) Für wen kauft Frau Vogelsang ein Ticket? Hören Sie.

b) Lesen Sie den Dialog. Markieren Sie die Informationen in Rot auf dem Ticket.

DB BAHN — Bitte auf A4 ausdrucken

Online-Ticket — **bahn.corporate**

ICE Fahrkarte

Gültigkeit: **23.10.2009 - 24.10.2009**

Normalpreis (Einfache Fahrt)
Klasse: **2**
Erw: **1, mit BC50**
Hinfahrt: **Brühl → Frankfurt(Main)+City**, mit ICE
Über: **VIA: Köln*MT*LM*(FH/FFMF)**

Zahlungspositionen und Preis

Positionen		Preis	MwSt (D) 19%		MwSt (D) 7%
ICE Fahrkarte GKR	1	29,75€	29,75€	4,75€	
Reservierung	1	2,00€	2,00€	0,32€	
Summe		**31,75€**	**31,75€**	**5,07€**	

Ihre Reiseverbindung und Reservierung Hinfahrt am 23.10.2009

Halt	Datum	Zeit	Gleis	Fahrt	Reservierung
Brühl	23.10.	ab 16:13	2	RE 11024	
Köln Messe/Deutz	23.10.	an 16:33	2		
Köln MesseDeutz11-12	23.10.	ab 16:44	11	ICE 725	1 Sitzplatz,
Frankfurt(Main)Hbf	23.10.	an 17:48	7		Nichtraucher

- Hallo? Ich bin jetzt online und möchte deine Fahrkarte kaufen.
- Gut. Ich möchte am Freitag kommen und so um vier losfahren.
- Von Brühl fährt ein Regionalexpress um 16:13 Uhr nach Köln. Da musst du dann umsteigen und mit dem ICE weiterfahren. Soll ich einen Sitzplatz reservieren?
- Ja gern. Wann bin ich dann in Frankfurt?
- Um 17:48 Uhr – ich hole dich ab. Und zurück? Wann willst du zurückfahren, Mama?
- Ich brauche nur die Hinfahrt. Lisa ist auch in Frankfurt und nimmt mich im Auto mit.
- Super. Hast du deine BahnCard noch?
- Ja, ich habe eine BahnCard 50.
- So, ich drucke das Ticket gleich aus und schicke es dann per Post.
- Super, danke. Du, was macht eigentlich …

13 Ein Fahrplan.

a) Lesen Sie und finden Sie den richtigen Zug.

1. Sie fliegen um 19 Uhr von Frankfurt nach Kairo.
2. Sie besuchen eine Freundin in Brühl und wollen Ihr Fahrrad mitnehmen.
3. Sie haben in Bonn-Bad Godesberg einen Kurs.

Abfahrt Bonn Hbf.

Zeit Time	Zug Train	Richtung Destination	Gl. Track
14:00			
14:01	RE 5 11020	***Rhein-Express*** Brühl 14:12 – Köln Süd 14:20 – Köln Hbf 14:28 – K-Messe/Deutz 14:33 – LEV Mitte 14:44 – Düsseldorf Hbf 15:00 – D-Flughafen 15:08 – Duisburg 15:18 – Oberhausen 15:26 – Dinslaken 15:38 – Wesel 15:49 – **Emmerich 16:21**	1
14:08	RB 48 11217 11277	***Rhein-Wupper-Bahn*** BN-Bad Godesberg 14:13 – **BN-Mehlem 14:16**	3
14:14	IC 2025	Koblenz 14:46 – Mainz 15:38 – Frankfurt (M) Flughafen 15:59 – **Frankfurt (M) Hbf 16:13**	3
14:17 X außer Sa	RB 23 11646	***Voreifelbahn*** BN-Duisdorf 14:23 – Witterschlick 14:27 – Industriepark 14:34 – Meckenheim 14:37 – Rheinbach 14:41 – **Euskirchen 14:56** – hält nicht in Kottenforst –	5

b) Sie möchten am Schalter eine Fahrkarte kaufen. Sammeln Sie Fragen und Antworten. Spielen Sie den Dialog.

+ Was kann ich für Sie tun?
– Ich möchte heute um 17 Uhr nach … fahren.
+ …

14 Eine Ansage im Zug. Richtig oder falsch? Kreuzen Sie an.

52

	r	f
1. Der Zug kommt in Hannover an.	☐	☐
2. Der ICE nach Hannover fährt von Gleis 21.	☐	☐
3. Die Regionalbahn fährt um 17:45 Uhr.	☐	☐

Unterwegs passiert

15 Kurios!

a) Was ist passiert? Was glauben Sie?

A **Einfach durchgefahren**

B Schminken auf der Damentoilette verboten!

C **Urlaubsgrüße mit 19 Jahren Verspätung**

D **Kind vergessen**

b) Ordnen Sie die Überschriften den Texten zu. Welche Wörter helfen? Markieren Sie.

HALLE. Aus einem Urlaub in Rhodos hat Ernst Singer aus Halle seinen Eltern eine Postkarte geschickt. Das war im Sommer 1989, erst jetzt, im August 2009, ist die Karte angekommen. Ernst Singer hat in seinem Leben genau eine Postkarte verschickt – und die hat 19 Jahre für ihr Ziel gebraucht. Unglaublich!

1.

GRAZ. Nachts um drei Uhr hat eine Familie aus Klagenfurt ihren Sohn auf einem Rastplatz vergessen. Das Kind war auf der Toilette. Die Eltern sind mit nur vier Kindern weitergefahren. Erst eine Stunde später haben sie den siebenjährigen Dennis abgeholt. Peinlich!

2.

GÖTTINGEN. Ein ICE-Lokführer ist am Montag am Bahnhof vorbeigefahren. Er hat auf der Strecke von Basel nach Hamburg den Bahnhof Göttingen einfach vergessen. Der Zug musste dann in Northeim halten und die Fahrgäste sind mit dem Bus nach Göttingen zurückgefahren.

3.

STUTTGART.
„Bitte nur Hände waschen – Schminken verboten." Das lesen die Benutzerinnen der Damentoilette auf dem Stuttgarter Hauptbahnhof. „Viele Teenager stehen sehr lange vor dem Spiegel und blockieren alles, das geht nicht!", sagt eine Mitarbeiterin.

4.

c) Bilden Sie vier Gruppen. Jede Gruppe beantwortet die W-Fragen zu einem Text aus b).

d) Bilden Sie neue Gruppen. Erzählen Sie Ihre Texte und hören Sie die anderen.

Texte verstehen
So geht's:

1. Lesen Sie zuerst die Überschriften. Was glauben Sie, was steht im Text? (Wer? Was? Wann? Wo?)

2. Schnüffelstrategie: Welche Informationen/Wörter brauchen Sie? Suchen und markieren Sie im Text.

3. Alles verstanden? Erzählen Sie den Text. (Wer? Was? Wann? Wo?)

16 Was ist Ihnen beim Reisen passiert? Erzählen Sie im Kurs.

Ich hatte / war schon mal ...
Das war vor einem Jahr / letzte Woche / vor ein paar Monaten ...
Das war merkwürdig/lustig/kurios/peinlich ...

Alle zusammen

17 Eine Exkursion planen

a) Was ist bei Ihnen in der Nähe und interessant? Machen Sie eine Liste und wählen Sie einen Ort aus.

b) Was kann man dort sehen und machen? Recherchieren Sie im Internet, im Tourismusbüro oder am Bahnhof. Bilden Sie Informationsgruppen.

Der Weg
Verkehrsmittel
Fahrkarten. *Wie teuer?*

Essen und Trinken
Einkaufen. *Was?*
Gibt es einen Imbiss? *Wo?*

Das Ziel
Eintrittspreise. *Wie teuer?*
Öffnungszeiten. *Wann?*

Das Wetter
Wetterbericht. *Wie?*
Tipps für Kleidung. *Was?*

c) Präsentieren Sie Ihre Ergebnisse im Kurs.

Wir fahren mit ...

Wir brauchen ...

Es gibt ...

Viel Spaß unterwegs!

Rothenburg ist wie im Märchen. Die Architektur – wunderbar! Und wir haben so viel gelernt.
Es war sehr lustig. Unsere Gruppe ist nett und ich habe auch gedacht: Wow – Deutschland ist sehr schön!
Ich möchte am liebsten gleich wieder eine Exkursion machen.

Der Korbmacher Wilhelm Bartelmann aus Rostock hat 1882 den ersten Strandkorb gebaut – für eine Frau. Sie war gerne am Strand, aber es war oft sehr kalt und windig oder die Sonne war zu heiß. Im Strandkorb findet man Schutz, Ruhe und Schatten. Bis heute gibt es Strandkörbe an der Nord- und Ostseeküste. Im Strandkorb können zwei Personen sitzen. Es gibt sogar einen kleinen Tisch.

Kulinarische Reise

Was kennen Sie? Kennen Sie noch mehr?

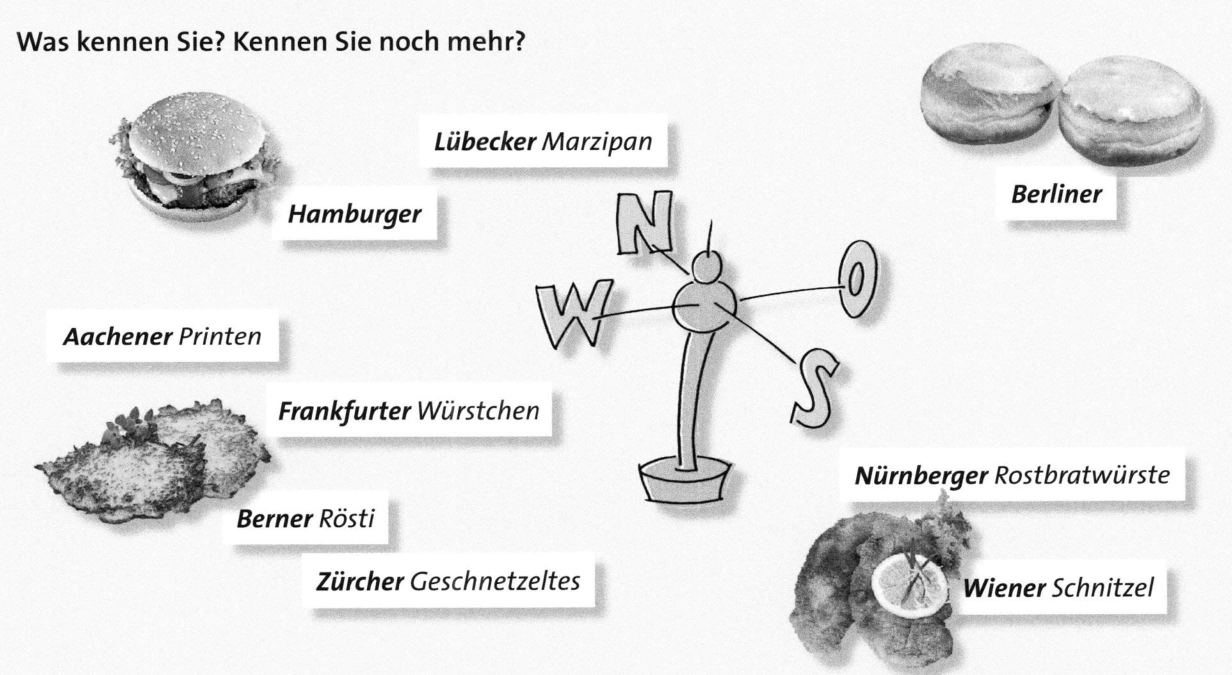

Kurioses

Huppi grüßt Huppi

Gerd Huppertz hat 138 Länder bereist und rund 2500 Karten geschrieben – immer an seine Adresse. Die erste Karte hat er aus Hongkong am 20. 10. 1980 geschrieben. Der Text war: *Huppi grüßt Huppi.* Seit fast 30 Jahren macht er das schon. Alle Karten sind angekommen – nur eine nicht. Diese Karte hat er in Israel einem Taxifahrer gegeben, denn er hatte wenig Zeit. Gerd Huppertz hat viel erlebt und seine Karten sind eine gute Erinnerung: „Ich muss nur sechs, sieben Karten ansehen und schon kann ich ein ganzes Jahr aus meinem Leben erzählen."

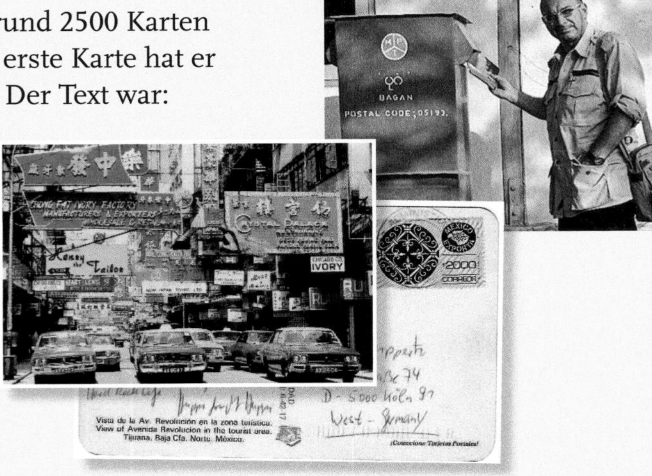

Ich kann ...

über Ferienaktivitäten sprechen

Ich fahre in die Berge / ans Meer / an den Bodensee / nach Spanien ...
Wir wollen im Urlaub etwas sehen. Am liebsten besichtigen wir Städte und besuchen ihre Sehenswürdigkeiten.
Ich gehe gern wandern und zelte an einem See. Ich liege nicht gern faul am Strand.
Ich mache Fahrradtouren oder spiele Volleyball.
Ich verreise am liebsten im Frühling / im Sommer / im Herbst / im Winter / in den Ferien.

über Reisen sprechen

Ich möchte nach ... fahren/fliegen.
Ich möchte das Schloss/den Zoo/... sehen.

Sind Sie dieses Jahr weggefahren?

Ich war in ... Ich habe ... besichtigt.
Ich habe Verwandte besucht.
Ich bin zu Hause geblieben.

Wo haben Sie die Reise gebucht?

Ich habe die Reise im Internet / im Reisebüro / am Bahnschalter gebucht.

eine Fahrkarte kaufen

Ich möchte am 5. Mai von Köln nach Berlin fahren.
Hin und zurück?
Nur hin.
Um wie viel Uhr?
Vormittags, ab neun Uhr.
Haben Sie eine BahnCard?
Nein./Ja. / Ja, ich habe eine BahnCard 25.
Möchten Sie einen Sitzplatz reservieren?
Ja, gern am Fenster.
Okay, das geht.

Ich kenne ...

Lesestrategien

Überschriften helfen
Lesen Sie zuerst nur die Überschriften.
Was glauben Sie, was steht im Text?

Die Schnüffelstrategie
1. Die W-Fragen oder die Fragen zum Text helfen.
2. Suchen Sie nur (!) diese Antworten.
   Markieren Sie wichtige Wörter.

W-Fragen: *Wer? Was? Wann? Wo?*

Alles Perfekt? Ja genau!

1

Hobbys:
Ich habe/bin früher gern ...

2

Sprachkurs:
Im Deutschkurs haben wir ...

3

Informationen:
Ich habe früher in ...

4
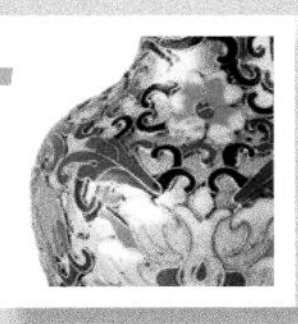
Markt:
Ich habe auf dem Flohmarkt ...

5

Familie:
Mit meinen Eltern habe/bin ich früher ...

6

Wetter:
Gestern hat es ...

7

Alltag:
Am Wochenende habe/bin ich ...

8

Wohnung:
Hast du meine/n ...

9

Arbeit:
Ich habe früher als ...

10

Kaufhaus:
Ich habe nichts ...

11

Stadt:
Vom Sprachkurs bin ich ...

12

Gesundheit:
Gestern ging es mir nicht gut. Dann habe ich ...

13

Nachbarn:
Mein Nachbar hat/ist ...

14

Reisen:
Bei meiner letzten Reise habe/bin ich ...

Lesen Sie die Spielregeln. Wählen Sie eine Variante. Spielen Sie in Gruppen.

Variante 1:
Ergänzen Sie die Sätze im Perfekt. Welche Gruppe ist zuerst fertig?

Variante 2:
Schreiben Sie in 10 Min. so viele Sätze im Perfekt wie möglich. Welche Gruppe hat die meisten, die längsten, die schönsten Sätze?

Variante 3:
Wählen Sie einen Satz. Beginnen Sie damit die „Ja genau und ...“-Übung.

57

Zu **2** 1) **Was bedeuten die Abkürzungen? Lösen Sie das Rätsel.**

1. OG
2. NK
3. Apart.
4. m²
5. möbl.
6. Whg.
7. EG
8. KT
9. Zi
10. EBK
11. ZH

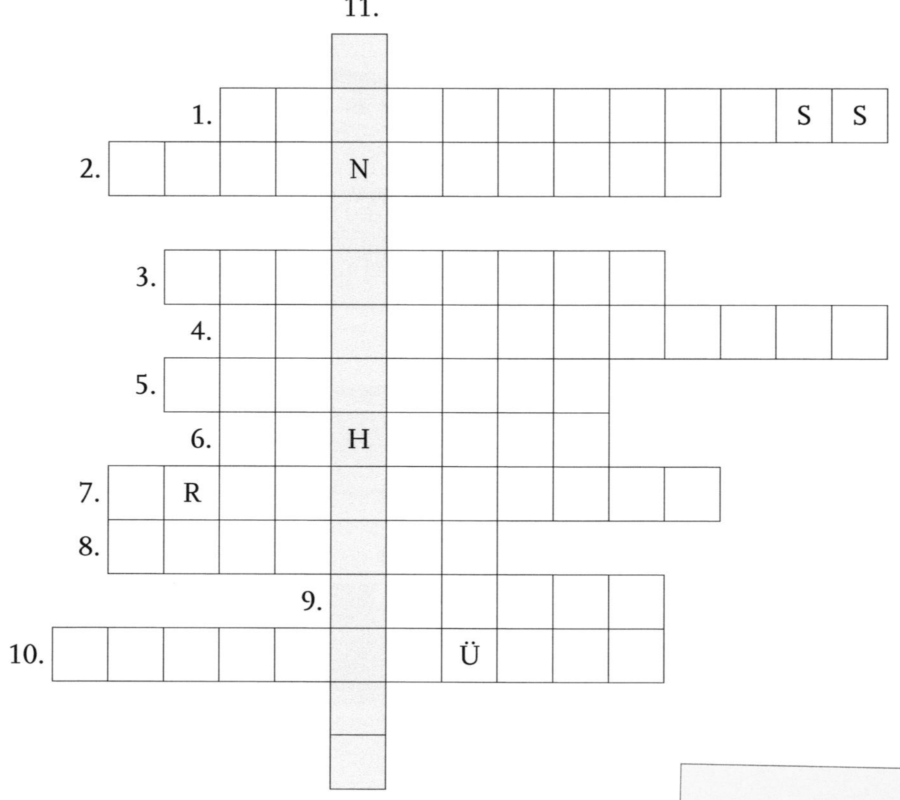

2) **Hören Sie und ergänzen Sie die Abkürzungen in der Anzeige.**

3-__________-__________,
75 __________, 3. __________, mit
Balkon. 650 € + 80 € __________

Zu **3** 1) **Wählen Sie eine Anzeige aus Aufgabe 1 in Einheit 8 und lesen Sie sie laut vor.** 6

2) **Welche Reaktion passt? Verbinden und ergänzen Sie.**

1. Die Wohnung hat fünf Schlafzimmer.
2. Das Haus kostet 3 Millionen Euro.
3. Die Wohnung hat 200 m².
4. Das Zimmer hat 6 m².
5. Die Wohnung hat keine Küche.
6. Das Haus hat einen Garten.

a. Das ist klein.
b. Das ist schrecklich.
c. Das ist sehr groß.
d. Das ist sehr teuer.
e. Das ist __________.
f. So viele?

Zu **5** **Prüfungstraining. Hören Sie die Nachrichten zweimal. Was ist richtig: a, b oder c?**

3

1. Warum ruft Herr Kaiser Herrn Berger an?

a) Er sucht eine Wohnung. ☐
b) Er hat eine Wohnung gefunden. ☐
c) Er nennt einen Termin und eine Adresse. ☐

2. Er ruft noch einmal an und sagt: Die Wohnung ...

a) hat keinen Balkon. ☐
b) kostet 550 Euro plus NK. ☐
c) kostet 60 Euro. ☐

Zu **7** **1) Wo passiert was?**

1. 2. 3. 4.

1. Die Kinder ______________ im Flur.
2. Der Mann ______________ im Wohnzimmer.
3. Die Frau ______________ im Bad.
4. Die Familie ______________ in der Küche.

2) Und wo machen Sie was? Schreiben Sie Antworten.

im Garten • in der Küche • im Wohnzimmer • im Bad • im Schlafzimmer • im Flur

1. Wo lernen Sie? *Ich lerne* ______________
2. Wo frühstücken Sie? ______________
3. Wo bügeln Sie? ______________
4. Wo telefonieren Sie? ______________
5. Wo sehen Sie fern? ______________

Zu **8** **Wie heißt die passende Frage?**

1. ______________ Die Wohnung hat 65 m².
2. *Wie hoch* ______________ 400 Euro pro Monat.
3. ______________ 60 Euro pro Monat.
4. ______________ Sie hat zwei Schlafzimmer.
5. ______________ Nein, es gibt keinen Balkon.
6. ______________ Ja, sie liegt sehr zentral.
7. ______________ Nein, es ist leider etwas laut. Die Wohnung liegt direkt an der Autobahn.

Zu **9** **Nach dem Umzug. Wo steht was? Schreiben Sie Sätze wie im Beispiel.**

	zuerst	*jetzt*
der Schrank	Wohnzimmer	Küche
der Teppich	Schlafzimmer	Wohnzimmer
der Fernseher	Wohnzimmer	Schlafzimmer
das Sofa	Wohnzimmer	Kinderzimmer
der Schreibtisch	Wohnzimmer	Schlafzimmer
die Stühle	Küche	Wohnzimmer
das Regal	Flur	Bad

Der Schrank war zuerst im Wohnzimmer, jetzt ist er in der Küche.

Zu **10** 1) **Wie finden Sie die Farben, kalt oder warm? Ordnen Sie die Farben in die Tabelle.**

kalt	warm
blau	

2) **Was sehen Sie?**

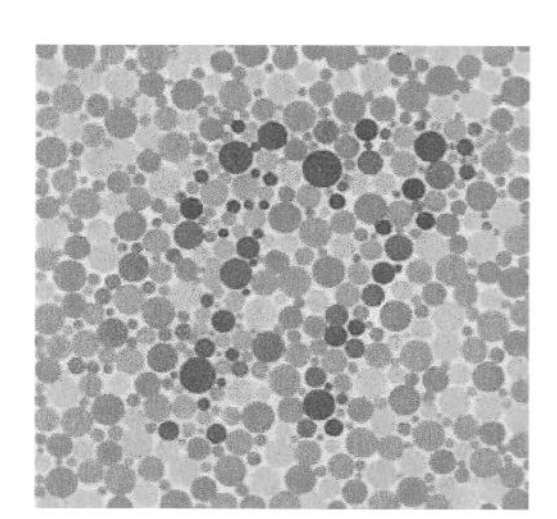

9 % aller Männer können die Farben rot und grün nicht unterscheiden. Sie haben eine Rot-Grün-Sehschwäche. Nur etwa 0,8 % der Frauen haben das Problem.

3) **Was ist grün, rot oder blau?**
Zählen Sie, dann schreiben Sie die Sätze.

1. Wie viele Sachen sind grün? ☐
2. Wie viele Sachen sind rot? ☐
3. Wie viele Sachen sind blau? ☐
4. Wie viele Sachen sind gelb? ☐

Das Kleid ist grün und die Zettel ...

Zu **12** **Maria sucht ein Geschenk für ihre Freundin Pia. Pia ist umgezogen.**

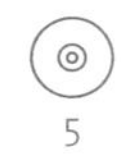
4

1) **Was zeigt der Verkäufer Maria? Hören Sie und markieren Sie.**

Teppich • Kette • Lampe • Vase • Handtücher • Spiegel • Gläser • Uhr

2) **Was gefällt Maria? Was gefällt ihr nicht? Hören Sie noch einmal und schreiben Sie Sätze.**

Der/Das/Die ________	gefällt gefallen	ihr sehr gut / gut / nicht so gut / gar nicht.

Zu **13** **Hören Sie und reagieren Sie wie im Beispiel.**

5

Gefallen Ihnen die Lampen?

Die Lampen? Nein, die gefallen mir nicht.

Zu **14** 1) **Eine Maus. Wo? Ergänzen Sie *in*, *auf*, *unter* und *neben*. Schreiben Sie dann Sätze.**

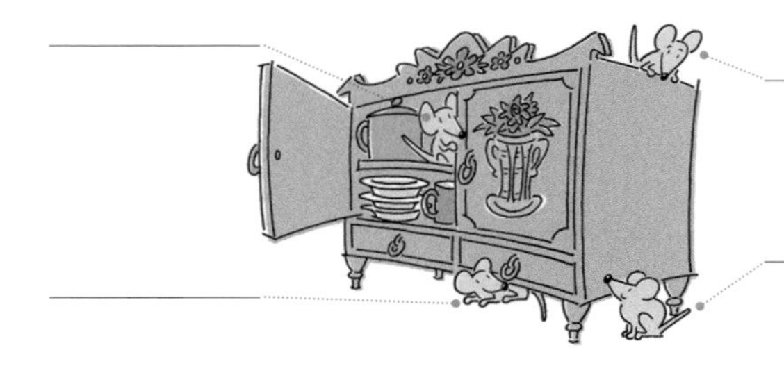

Eine Maus ist ...

6

2) **Welches Foto passt? Hören Sie und kreuzen Sie an.**

A ☐

B ☐

3) **Wo ist was in der Küche? Beschreiben Sie.**

Der Schrank steht rechts ________ ________[1] Kühlschrank.

________ ________[2] Kühlschrank steht Obst.

Der Herd steht links ________ ________[3] Spüle.

Der Tisch steht ________ ________[4] Fenster.

die Spüle (D), das Spülbecken (D, CH), die Abwasch (A)

4) **Von morgens bis abends. Wo ist der Schlüssel wann? Beschreiben Sie.**

Um 6 Uhr ist der Schlüssel neben der Tür. Um ...

Und wo ist Ihr Schlüssel? Wo ist er jetzt? Wo ist er um 6 Uhr, um 12 Uhr?

Zu **17** **Wo ist was auf dem Tisch? Ergänzen Sie (Artikel und Nomen).**

1. *Der Löffel* ______ ist auf ______________________.
2. ______________ ist rechts neben ________________.
3. ______________ ist links neben _________________.
4. ______________ ist oben rechts neben ___________.

Zu **18** **Zusammengesetzte Wörter. Hören Sie und sprechen Sie nach. Achten Sie auf den Wortakzent.**

7

1)
- Ich bin umgezogen. Ich brauche neue Visitenkarten. Die Straße, die Hausnummer und die Postleitzahl sind neu.
- Und deine Telefonnummer?
- Die ist gleich geblieben.

2)
- Wie ist deine Wohnung?
- Das Kinderzimmer ist klein, aber das Wohnzimmer ist sehr groß und hell. Wann kommst du mal?
- Am Wochenende – vielleicht am Samstag?
- Gut. Zum Mittagessen oder zum Abendessen?
- Gern zum Abendessen.
- Bringst du deinen Fotoapparat mit?
- Ja, okay.

Lernwortschatz: Eine Wohnung suchen und einrichten

Die Wohnungssuche

die Wohnung (Whg.), das Apartment (Apart.)
das Erdgeschoss (EG), das Obergeschoss (OG)
Wo liegt die Wohnung? – Im Erdgeschoss.
das Internet: Ich habe die Wohnung im Internet gefunden.
ein paar (> 3): Ich habe ein paar Fragen.
Wie groß ist die Wohnung? – 50 Quadratmeter (m^2).
der Balkon, die Terrasse, der Garten
Hat das Haus einen Balkon? – Nein, aber eine Terrasse und einen Garten!
Wie hoch ist die Miete?
Hat die Wohnung Zentralheizung?
Kann ich die Wohnung sehen?
Gut, bis später!

Die Traumwohnung

umziehen: Ich bin umgezogen. Ich bin so froh!
Wie ist die Wohnung? – Billig, groß und hell, zentral und ruhig!
Das klingt gut! Herzlichen Glückwunsch!

Die Kosten

die Miete: 600 Euro ohne Nebenkosten.
Wie hoch sind die Nebenkosten? – 60 Euro im Monat – 660 Euro insgesamt.
vergleichen: Wir haben die Kosten verglichen.

Die Zimmer

Wie viele Zimmer hat die Wohnung? – 3 Zimmer, Küche, Bad
das Schlafzimmer, das Wohnzimmer, das Kinderzimmer
der Flur (D)[1]: Die Schuhe stehen im Flur.
das Bad, die Gäste-Toilette

1 der Gang (A, CH), das Vorzimmer (A)

Im Bad

die Toilette = das WC
die Badewanne, die Dusche
das Lied: ein Lied unter der Dusche singen
das Wasser
das Handtuch: Ich bin nass und brauche ein Handtuch.
die Waschmaschine

Die Wohnung einrichten

Möbel (Pl.): Eure Möbel sind schön.
Was fehlt? – Was braucht ihr noch?
die Spüle (D)[2]: In der Küche fehlt noch eine Spüle.
der Teppich und das Sofa: Das Sofa steht auf dem Teppich.
die Schublade: Der Küchenschrank hat drei Schubladen.
der Teller und das Glas: Das Glas steht neben dem Teller.
der Löffel, das Messer, die Gabel
Wo sind die Löffel? – In der Schublade rechts.
das Chaos – Ich muss meine Sachen suchen.

2 das Spülbecken (D, CH), die Abwasch (A)

Die Farben

schwarz + weiß = grau
rot + grün + gelb + blau = braun
Dunkelblau oder hellblau? – Ich kann das nicht unterscheiden.
Gefällt dir die Farbe? – Nein, die gefällt mir gar nicht! Sie ist zu dunkel.

Wo?

Die Mäuse sind neben/in/unter/auf dem Schrank.
Gibt es auch eine Maus vor und hinter dem Schrank? Nein.

Zu 8 **2** 1) **Welchen Beruf aus Aufgabe 1 hören Sie?** 16

____

2) **Wo war Herr Schmitz wann? Hören Sie noch einmal und ergänzen Sie.**

~~im Bett~~ • zu Hause • im Garten • auf der Straße • draußen • in der Bäckerei • im Restaurant

1. *Um 2 Uhr war Herr Schmitz im Bett und hat geschlafen.*
2. Um 4 Uhr war er ______________________
3. Um 6 Uhr ______________________
4. Um 7:30 Uhr ______________________
5. Um 9 Uhr ______________________
6. Um 12:30 Uhr ______________________
7. Um 15 Uhr ______________________

3) **Wie ist die Arbeit? Ergänzen Sie ein passendes Adjektiv.**

KASSE

KASSE

SUPPEN

1. 2. 3. 4.

anstrengend • interessant • langweilig • schrecklich • super • schön

1. Sie findet ihre Arbeit ______________________.
2. Er findet seine ______________________.
3. ______________________.
4. ______________________.
5. Und Sie? – Ich finde ______________________.

Zu 9 **3** **Arbeitsplätze.**

1) **Wo ist das? Hören und ergänzen Sie.**

1. In *einem* ______________________
2. In ______________________
3. In ______________________
4. In ______________________

2) **Wer arbeitet wo? Schreiben Sie Sätze wie im Beispiel.**

im Restaurant • 3. Call-Center-Mitarbeiter • in der Schule • 4. Arzt • in der Bäckerei • 7. Kfz-Mechatroniker • ~~im Büro~~ • 2. Bäckerin • 5. Lehrerin • im Call-Center • in der Werkstatt • im Taxi • 8. Kellner • ~~1. Sekretärin~~ • 6. Taxifahrerin • im Krankenhaus

1. Die Sekretärin arbeitet im Büro.

Zu **5** **1)** **Was machen die Leute beruflich? Schreiben Sie Sätze wie im Beispiel.**

1. Ärztin

2.

3.

4.

5.

6.

7.

8.

9.

10.

Sie ist Ärztin. / Sie arbeitet als ...

2) **Und was macht Frau Multitalent beruflich? Ergänzen Sie.**

Sie ist Babysitterin und ______________________

____

____

____

Zu **6** **Schreiben Sie die passenden Fragen.**

1. ______________________ Ich bin Verkäuferin.
2. ______________________ Ich arbeite in einer Bäckerei.
3. ______________________ Ich arbeite dort seit drei Jahren.
4. ______________________ Nein, ich arbeite Teilzeit.
5. ______________________ Ich arbeite vier Stunden pro Tag.

Zu **8** 1) **Partygespräche. Ergänzen Sie die passende Form von *haben* im Präteritum.**

1. Warum seid ihr gestern nicht gekommen?	Wir *hatten* keine Zeit.
2. Was hat sie im letzten Jahr beruflich gemacht?	Sie __________ leider keine Arbeit.
3. Ich habe einen Oldtimer gekauft.	__________ du denn so viel Geld?
4. Warum hast du mich gestern nicht angerufen?	Ich __________ keine Zeit.
5. Wir haben gestern lange geschlafen.	__________ ihr denn keine Termine?
6. Peter und Anna waren drei Monate in China.	__________ sie denn so lange Ferien?

2) **Was für ein Jahr! Beschreiben Sie, wo Peter Flexibel 2010 gearbeitet hat.** 17

Von Januar bis Februar hat Peter Flexibel in einer Werkstatt gearbeitet. Im März und April ...

Zu **9** **Perfekt mit *sein* oder *haben*? Ergänzen Sie.**

Monika Schnell erzählt: Gestern hatte ich frei.

Ich __________[1] nicht Taxi gefahren, ich __________[2] lange geschlafen und dann __________[3] ich auf dem Balkon gefrühstückt. Danach __________[4] ich spazieren gegangen. Nachmittags __________[5] ich eine Freundin besucht.

Abends __________[6] ich in die Stadt gefahren.

Ich __________[7] ins Kino gegangen. Der Film war langweilig.

Und so __________[8] ich im Kino eine Stunde geschlafen.

Zu 10 Wie heißt das Partizip? Schreiben Sie den Text in Ihr Heft und korrigieren Sie die markierten Formen.

Li Gou Hu erzählt: Ich habe lange in Shanghai leben. Dort habe ich mit meinen Eltern zusammen wohnen. Ich habe auch eine Ausbildung machen. Ich habe drei Jahre Deutsch studieren. Danach habe ich in Shanghai arbeiten. Aber ich hatte immer einen Traum und nach zwei Jahren habe ich es machen: Ich bin nach Deutschland gehen. Zuerst habe ich einen Job als Koch suchen – und heute habe ich selbst ein Restaurant.

Zu 11 1) Hören Sie und reagieren Sie wie im Beispiel.

10

Ich habe eine Ausbildung gemacht.

Aha, Sie haben eine Ausbildung gemacht.

2) Herr Schreiber ist 85 Jahre alt. Was hat er alles gemacht? Sehen Sie sich die Fotos an und schreiben Sie Sätze wie im Beispiel.

1. 2. 3. 4. 5.

tanzen • Musik machen • kochen • Fußball spielen • rauchen

1. Früher hat er geraucht.

Zu 12 Ordnen Sie den Dialog.

- [ ] Wir brauchen Ihren Pass, Ihren Führerschein und Ihre Lohnsteuerkarte.
- [ ] Ja, das ist richtig. Die Stelle ist noch frei.
- [ ] Wunderbar! Dann kommen Sie doch zu uns. Wir können dann alles besprechen. Heute um 15 Uhr?
- [ ] Um drei Uhr nachts. Ist das ein Problem?
- [ ] Sie transportieren Brot von einer Großbäckerei zu Geschäften. Das heißt: Sie müssen morgens sehr früh anfangen.
- [ ] Sehr früh? Um wie viel Uhr?
- [ ] Was muss ich als Fahrer machen?
- [ ] Nein, das ist kein Problem.
- [1] Guten Tag, hier spricht Pjotr Kowalski. Ich habe Ihre Anzeige gelesen. Sie suchen einen Fahrer.
- [ ] Ja, das geht. Muss ich etwas mitbringen?
- [ ] Okay. Dann bis um drei.

Zu 15 Pronomen im Nominativ und Akkusativ. Ergänzen Sie den Text.

Ali Demirel ist Altenpfleger. Herr und Frau Becker sind seine Patienten.

Herr und Frau Becker erzählen: „Herr Demirel ist nett. Wir mögen ________[1] sehr gern. Er wäscht ________[2] jeden Morgen und zieht ________[3] an."

Ali erzählt: „Ich habe viele Patienten. Sie kennen ________[4] gut. Wir sehen ________[5] ja jeden Tag. Mittags hole ich ________[6] zum Essen ab. Nachmittags spielen wir manchmal. Aber leider habe ich nicht viel Zeit."

Zu 16 1) Wo sehen Sie ein *r*, hören aber ein schwaches *a* [ɐ]? Markieren Sie.

11

1. Ihr Name? – Peter Rüttner.
2. Ihr Alter? – Dreiundfünfzig Jahre.
3. Ihre Adresse? – Schillerstraße.
4. Und die Hausnummer? – Vierunddreißig.

12

2) Lückendiktat. Hören Sie den Text und ergänzen Sie.

Lieber Peter,

________________ ich nach China. Ich besuche ________________.

Er lebt dort ________________.

Das Klima ist da im ________________. Nicht so kalt ________________.

Aber ich bin ________________.

________________, Jan

Prüfungsvorbereitung

Lesen, Teil 1
Lesen Sie die SMS.
Kreuzen Sie an: richtig oder falsch?

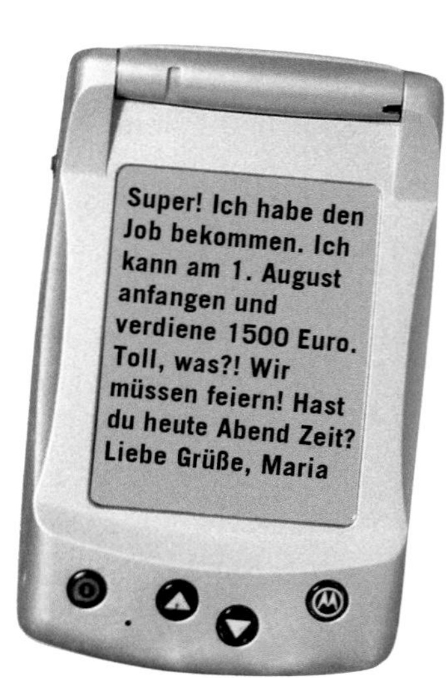

Super! Ich habe den Job bekommen. Ich kann am 1. August anfangen und verdiene 1500 Euro. Toll, was?! Wir müssen feiern! Hast du heute Abend Zeit? Liebe Grüße, Maria

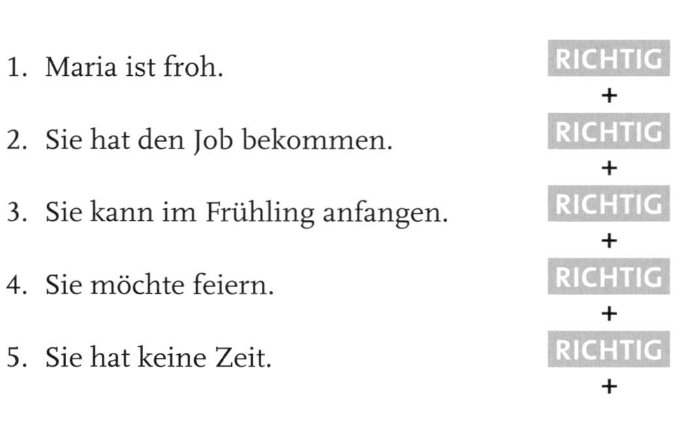

1. Maria ist froh.	RICHTIG +	FALSCH –
2. Sie hat den Job bekommen.	RICHTIG +	FALSCH –
3. Sie kann im Frühling anfangen.	RICHTIG +	FALSCH –
4. Sie möchte feiern.	RICHTIG +	FALSCH –
5. Sie hat keine Zeit.	RICHTIG +	FALSCH –

Lernwortschatz: Arbeitsplätze und Berufe

Der Arbeitsplatz

die Bäckerei: Der Bäcker und die Bäckerin arbeiten in der Bäckerei.
das Krankenhaus (D)[1]: Der/die Krankenpfleger/in arbeitet im Krankenhaus.
Der Koch / die Köchin und der/die Kellner/in arbeiten im Restaurant.
der/die Polizist/in
der/die Frisör/in (D, A)[2]: Er/Sie wäscht und schneidet Haare.
der/die Kund/in: Der Frisör redet mit den Kunden.
der/die Patient/in: Die Ärztin untersucht viele Patienten.
die Werkstatt: In der Werkstatt arbeitet z. B. der Kfz-Mechatroniker.
der/die Taxifahrer/in – der/die Fahrer/in
mitnehmen: Der Fahrer nimmt die Pakete mit.
das Paket
der/die Informatiker/in: Er/Sie arbeitet in einer Firma.
der/die Schüler/in: Ich gehe noch zur Schule.
Und wer arbeitet im Supermarkt, in der Bibliothek oder im Museum?

1 das Spital (A, CH)
2 der Coiffeur / die Coiffeuse (CH)

Im Mietshaus

das Mietshaus: Dort arbeitet der/die Hausmeister/in (D, A)[3].
der/die Gärtner/in: Er/Sie arbeitet im Garten.
austragen: Er hat die Zeitungen ausgetragen.
bringen: Ich habe die Zeitung gebracht.
die Reparatur: Der Hausmeister macht Reparaturen.
die Nähe: Der Hausmeister wohnt in der Nähe.
der Kontakt: Er hat viel Kontakt zu den Nachbarn ...
nett: ... und er ist sehr nett.

3 der Hauswart (CH)

Was machen Sie beruflich?

Menschen helfen – etwas produzieren
verdienen: Geld verdienen
die Arbeitszeit – die Teilzeit; die Vollzeit
der Mittag: Ich arbeite bis Mittag (= Teilzeit).
lange: Ich arbeite immer lange.
oft – manchmal – nie
im Moment = jetzt
zufrieden: Ich bin zufrieden mit meiner Arbeit. = Ich mag meine Arbeit.
der/die Chef/in: Auch die Chefin ist zufrieden.
die Sicherheit: Ich brauche Sicherheit.

Auswandern

auswandern: Sie ist nach Namibia ausgewandert
tun: Sie hat es getan.
der Traum: Das war ihr Traum!
früher ≠ heute
Früher war ich nicht zufrieden. Dann hatte ich eine Idee.
typisch: Was ist typisch Deutsch?
schwach ≠ stark

Die Arbeitssuche

der Lebenslauf: Der Lebenslauf beschreibt die Ausbildung und das Berufsleben.
etwas beschreiben
der Unterricht, die Ausbildung, das Studium
mitbringen: Haben Sie Ihren Lebenslauf mitgebracht?
die Lohnsteuerkarte (D)[4]: Haben Sie eine Lohnsteuerkarte?
der Zettel, die Notiz – der Notizzettel

4 der Lohnausweis (CH)

Tipp

Lernen Sie fünf bis sieben Wörter pro Tag – jeden Tag!

Zu **1** **Viel oder wenig? Wie trinkt Maria ihren Tee? Hören Sie und kreuzen Sie an.**

13

A ☐ B ☐ C ☐ D ☐ E ☐ F ☐

Zu **2** 1) **Was haben Maria und Pavel gekauft? Ergänzen Sie.**

Sie haben Milch, ...

14

2) **Was haben Maria und Pavel vergessen? Hören und vergleichen Sie.**

3 1) **▨, ✕ oder ✿? Ordnen Sie die Wörter zu.**

Milch • Melone • Wein • Fisch • Butter • Reis • Zucker • Kartoffel • Banane • Essig • Mineralwasser • Mehl • Käse • Kiwi • Öl • Apfel

der ▨	das ✕	die ✿

2) **Ich kaufe ... Welche Wörter haben keinen Plural?**

Ich kaufe Milch. Ich ...

Zutatenlisten. Was ist das? Kreuzen Sie an.

A
- ☐ Brot
- ☐ Pizza
- ☐ Gemüse

B
- ☐ Milch
- ☐ Joghurt
- ☐ Eis

A **Zutaten:** Weizenmehl, 27 % zerkleinerte Tomaten, 15 % Käse (schnittfester Mozzarella, Edamer), 14 % Ananasstücke, 6,8 % Kochschinken (Schweinefleisch, Wasser, Salz, Dextrose, Aroma, Raucharoma), Wasser, pflanzliches Öl, Zucker, Backhefe, jodiertes Spei... modifizierte Stärke, Petersilie, Säuerungsmittel Milchsäure

B Zutaten: Joghurt (23 %), Zucker, eingedickte entrahmte Milch, Weizenmehl, Sauerkirschsaft, Pflanzenfett, Pflanzenöl, Molkenerzeugnis, fettarmer Kakao, Emulgatoren (Mono- und Digly... Soja)), Stabilisatoren (Johannisbrotkernmehl, Guarkernmehl, Pektine), Rote Be... Aroma. Kann Spuren von Nüssen und Erdnüssen enthalten...
© Nestlé Schöller GmbH & Co. KG, D-90419 Nürnberg, www.schoeller.d...

Zu **4** **Was passt? Es gibt mehrere Lösungen.**

Eier • Backpulver • Öl • Mehl • Butter • Milch • Hefe • Zucker

1. 500 Gramm ______________________
2. 250 Gramm ______________________
3. 1 Liter ______________________
4. 5 Esslöffel ______________________
5. 6 ______________________
6. 1 Päckchen ______________________

Zu **5** 1) **Was passt nicht? Streichen Sie das Wort durch.**

1. Banane • Apfel • Essig • Melone • Kiwi
2. Saure Sahne • Kekse • Käse • Butter • Joghurt
3. Pommes frites • Reis • Spaghetti • Zucker • Kartoffeln
4. Milch • Öl • Apfelsaft • Mineralwasser • Wein

2) **Was passt noch? Ergänzen Sie.**

1. Schokolade – Kuchen – ______________ – ______________
2. Essig – Salz – ______________ – ______________
3. Tomate – Salat – ______________ – ______________
4. Cola – Kaffee – ______________ – ______________

Zu **6** 1) **Karaoke. Hören Sie Rolle 1 und sprechen Sie Rolle 2.**

15

Rolle 1: ...
Rolle 2: Ja! Wo finde ich denn Backpulver?
Rolle 1: ...
Rolle 2: Hier vorne?
Rolle 1: ...
Rolle 2: Danke. Gibt es da auch Zucker?
Rolle 1: ...
Rolle 2: Wunderbar. Vielen Dank.

16

2) **Prüfungstraining. Kreuzen Sie an: richtig oder falsch? Sie hören jeden Text einmal.**

	richtig	falsch
1. Das Restaurant ist im Erdgeschoss.	☐	☐
2. Tobias ist an der Information.	☐	☐
3. Das Kaufhaus schließt in 10 Minuten.	☐	☐

Zu 8 1) **Wie viele Ich- und wie viele Ach-Laute hören Sie? Hören Sie dreimal und zählen Sie die Wörter.**

17

PST!

Pst: Nicht so laut.

CHR··CHR·

Ach, der schläft.

Ich-Laut: ____________

Ach-Laut: ____________

18

2) **Hören Sie zweimal und ergänzen Sie die Vokale.**

- Hallo, Mama. __ch m__chte Apfelk__chen backen, aber __ch habe kein Rezept. __ch habe schon überall in der K__che ges__cht.
- Apfelk__chen? Das ist ganz einf__ch. Du br____chst Mehl und M__lch und ____ch ein P__ckchen Backpulver. Hast du n__ch Vanillinzucker?

3) **Markieren Sie in 2) die Ich-Laute.**

Zu 9 **Wer isst was gern? Schreiben Sie Sätze wie im Beispiel.**

Julia isst gern Schinken und Pilze. Sie mag am liebsten Pizza ...

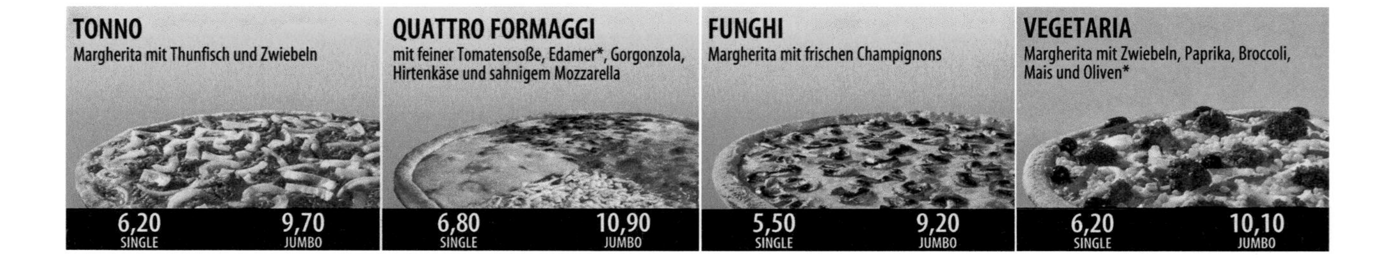

TONNO
Margherita mit Thunfisch und Zwiebeln
6,20 SINGLE
9,70 JUMBO
QUATTRO FORMAGGI
mit feiner Tomatensoße, Edamer*, Gorgonzola, Hirtenkäse und sahnigem Mozzarella
6,80 SINGLE
10,90 JUMBO
FUNGHI
Margherita mit frischen Champignons
5,50 SINGLE
9,20 JUMBO
VEGETARIA
Margherita mit Zwiebeln, Paprika, Broccoli, Mais und Oliven*
6,20 SINGLE
10,10 JUMBO

Zu **10** **Mit oder ohne? Wer trinkt den Tee oder Kaffee wie am liebsten? Ergänzen Sie.**

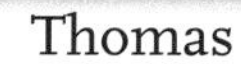
Thomas

Julia

Ramón

Maria

1. Thomas trinkt seinen Tee am liebsten mit ______________________
2. Julia ______________________
3. Ramón ______________________
4. Maria ______________________

Und Sie?: ______________________

Zu **13** **1) Farben und Kleidung. Beschreiben Sie die Kleidung auf dem Foto.**

Ihre Jacke ist weiß. Ihr ...
Sein ...

2) Was muss Stefan Berger alles waschen? Ergänzen Sie.

Er muss seine Jeans, ... waschen.

3) Wer trägt wann was? Ordnen Sie die Kleidungsstücke von Seite 30 in die Tabelle ein. 30

	Mann und Frau	nur Mann	nur Frau
Zu Hause	______	______	______
	______	______	______
	______	______	______
Bei einer Hochzeit	______	______	______
Im Winter	______	______	______

Zu 14 Im Kaufhaus. Schreiben Sie den Dialog.

Helfen?

Kann ich Ihnen helfen? ↘ Ja! Suche Hose.

Hier. Größe? ↙ _Ja, bitte. Ich ..._

________________ 38 oder 40.

Anprobieren? ↘ ________________

________________ ↙ Gern!

Passt? ↘ ________________

________________ ↙ Ja.

Gefällt? ________________

________________ ↘ Ja. Aber sehr teuer.

____

Zu 15 Ich will, du willst ... Ergänzen Sie die Formen von *wollen*.

- _Wollen_ wir in die Stadt fahren?
- Gute Idee. Ich ________ auch noch etwas umtauschen.
- Was ________ du denn umtauschen?
- Die Socken hier. Sabine ________ sie nicht haben. Die Farbe gefällt ihr nicht.
- Okay. ________ wir sofort fahren?

Zu 16 1) Nein, nichts ... Schreiben Sie Dialoge wie im Beispiel.

gestern Abend heute Morgen gestern heute Mittag	etwas	gemacht? gegessen? gekauft? gekocht?

19

2) Hören und imitieren Sie.

Alles oder nichts? Ergänzen Sie.

Es ist dunkel. Ich sehe ________.

Du bist so intelligent: Du weißt ________.

Ich habe lange gesucht, aber ________ gefunden.

Das ist ________ schön. Mir gefällt ________ sehr gut.

Lernwortschatz: Lebensmittel und Kleidung einkaufen

Im Supermarkt

die Milch und der Joghurt
der Käse: Der Käse ist im Kühlschrank – neben der Milch.
das Ei: Wo sind die Eier?
holen: Moment, ich hole sie.
Nudeln (D, A)[1] – Spaghetti
der Reis: Reis, Kartoffeln oder Pommes frites?
der Fisch und das Fleisch: Isst du Fleisch? Nein, aber ich esse Fisch.
der Schinken
die Pizza: Zweimal Pizza mit Schinken und Pilzen, bitte!
der Essig und das Öl
die Schokolade: Chips oder Kekse und Schokolade?
der Prospekt: Im Prospekt stehen viele Sonderangebote.

1 Teigwaren (CH)

Die Getränke

das Mineralwasser, der Apfelsaft und die Cola (D)[2]
die Flasche: Zwei Flaschen Bier, bitte.
der Wein und das Bier

2 das Cola (A, CH)

Ein Mittagessen?

eine Portion Pommes frites mit Ketchup
klein – mittel – groß
der/das Ketchup und die Majonäse
die Bratwurst: Zwei Bratwürste mit Senf, bitte.
der Senf
die Kugel: Ein Eis mit drei Kugeln, bitte, Schokolade, Vanille und ...
gern – lieber – am liebsten: Welches Eis isst du am liebsten?

Kochen oder backen?

die Portion: Wie viel brauchen wir für vier Portionen?
Wir brauchen: 500 g Mehl, 3 Eier ...
das Päckchen: 2 Päckchen Backpulver.
der Esslöffel (EL): 5 Esslöffel Mehl = 50 g

Im Kaufhaus

shoppen: Ich gehe shoppen.
mitkommen: Kommst du mit?
wollen: Was willst du denn kaufen?
etwas ≠ nichts
schauen: Ich kaufe nichts. Ich will nur mal schauen.
das Kaufhaus (A, D)[3]
die Kleidung
der Anzug, das Hemd, die Krawatte
die Hose oder der Rock (D, A)[4]
die Jeans und das T-Shirt: Sie trägt am liebsten Jeans und T-Shirts.
die Jacke oder der Mantel: Was mögen Sie lieber, Mäntel oder Jacken?
die Bluse – Aber doch nicht mit den Schuhen!
die Mütze (D, CH)[5], der Schal und der Handschuh
der Schuh und die Socke: Besser immer zwei Schuhe und zwei Socken.
anprobieren: Wo kann ich die Hosen, die Röcke und die Blusen anprobieren?

3 das Warenhaus (CH)
4 der Jupe (CH)
5 die Haube (A)

Bezahlen und umtauschen

der Cent: 1 Euro = 100 Cent
die Karte (EC-Karte/Kreditkarte): Kann ich mit Karte bezahlen?
die Kasse (D, CH)[6] und der Kassenbon (D, CH)[7]
ausgeben: Hast du viel Geld ausgegeben?
umtauschen: Warum möchten Sie das umtauschen?
der Umtausch: Sie brauchen den Kassenbon für einen Umtausch.
leidtun: Tut mir leid. So sind die Regeln.

6 die Kassa (A)
7 der Kassabon (A)

Tipp

Üben Sie zu zweit oder zu dritt. So macht Lernen mehr Spaß.

Übungen ▸ Stadt und Verkehr

Zu **1 In der Stadt. Lösen Sie das Kreuzworträtsel.**

	1 B					2					
3	I				4						
			5		6	R					
					7						
											8 P
	9		A								
	10		T								

Waagerecht: →

3 Da kann man Filme sehen.
4 Da kommen Züge an.
6 Da kann man draußen schwimmen.
7 Da arbeiten Lehrer und Lehrerinnen.
9 Da arbeiten z. B. Ärzte und Ärztinnen.
10 Da fahren die Autos sehr schnell.

Senkrecht: ↓

1 Da kann man Informationen bekommen.
2 Da kann man Autofahren lernen.
5 Da kann man Lebensmittel kaufen.
8 Da kann man Pakete abholen.

Zu **2** 1) **Im Taxi. Hören Sie und antworten Sie wie im Beispiel.**

20

Zum Bahnhof? — *Ja, zum Bahnhof, bitte.*

2) **Wohin geht Maria? Schreiben Sie Sätze mit *zu*.**

Maria geht zum Bahnhof.

Zu **3 Lesen Sie den Text laut. Vergleichen Sie dann mit der CD.**

21

Pavel fährt heute mit dem . Er möchte seinen Freund zum bringen.
Er fährt bis zum und biegt an der nach rechts ab. Er fragt einen Mann:
„Wo ist der Bahnhof?" Der Mann lacht und antwortet: „Mit dem ist es gleich dort drüben an der , aber mit dem müssen Sie zurückfahren.
Das hier ist eine Einbahnstraße."

Zu **6** **Eine Freundin ist zu Besuch und will zur Post gehen. Sie haben eine Skizze gezeichnet. Beschreiben Sie den Weg.**

Du gehst zuerst ...

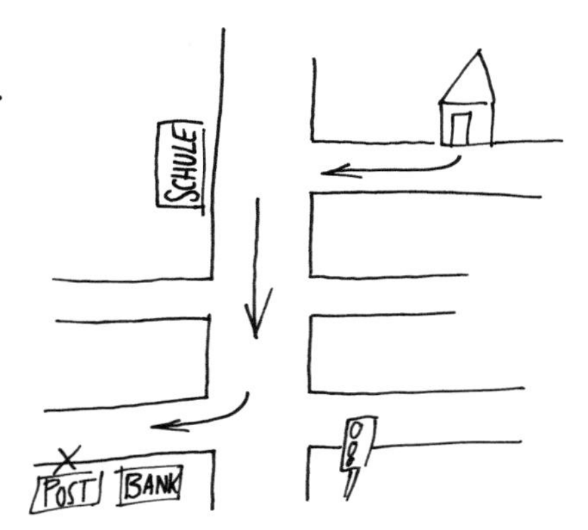

Zu **7** 1) **Sicher oder gefährlich? Langsam oder schnell? Ordnen Sie die Verkehrsmittel in die Grafik.**

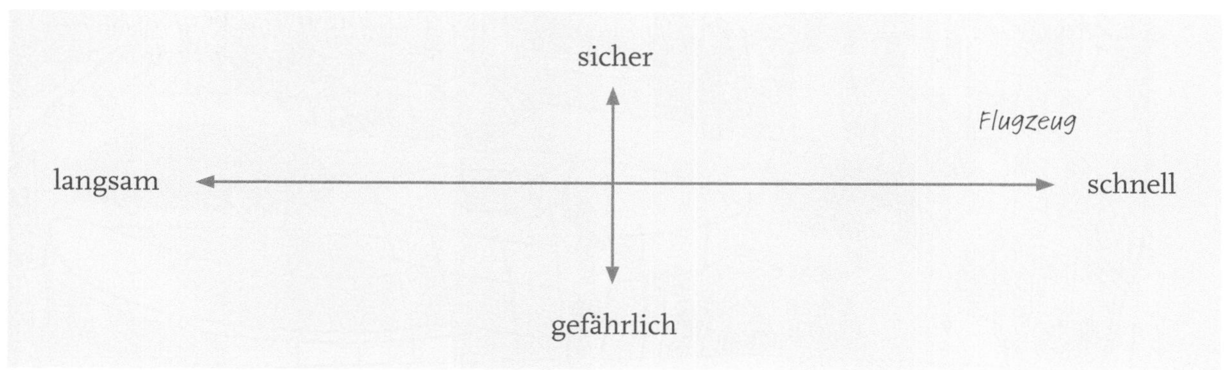

2) **Vier Reisen. Beschreiben Sie wie im Beispiel.**

1. Ramón	zu Hause Auto Flughafen Bogotá	Bogotá fliegen Frankfurt	Frankfurt Zug Nürnberg	Nürnberg U-Bahn Fürth
2. Julia	Hotel in Hamm Bus Bahnhof Hamm	Hamm Zug Graz	Bahnhof Graz Bus Waltendorf	Waltendorf zu Fuß gehen nach Hause
3. Gou Hu	seine Eltern Taxi Flughafen Shanghai	Shanghai fliegen Düsseldorf	Düsseldorf Zug Köln	Köln Bus nach Hause
4. Pjotr	zu Hause S-Bahn Flughafen Hamburg	Hamburg fliegen Zürich	Zürich Zug Zermatt	Zermatt zu Fuß gehen Hotel

Beispiel Ramón:
Ramón ist von zu Hause mit dem Auto zum Flughafen Bogotá gefahren. Dann ist er von Bogotá nach Frankfurt geflogen. Von Frankfurt ist er mit dem Zug nach Nürnberg gefahren und von Nürnberg ist er mit der U-Bahn nach Fürth gefahren.

Zu **9** **Wegbeschreibungen.**
Hören Sie und zeichnen Sie den Weg in den Plan.

22

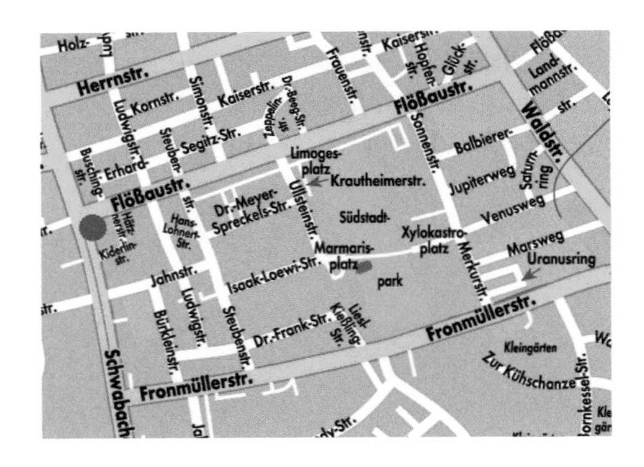

Zu **10** **Beschreiben Sie das Bild.**
Ergänzen Sie die Sätze. Benutzen Sie *nach, aus, bei, mit, von* und *zu*.

1. Viele Leute wollen Kuchen kaufen und stehen _beim Bäcker_ an.
2. Die Frau aus dem Hotel geht ______________________.
3. Die Kinder haben einen Film gesehen und kommen ______________________.
4. Ein Junge hört Musik. Er kommt ______________________.
5. Das Auto fährt ______________________.
6. Die Frau mit dem Hund geht ______________________.
7. Die Schwestern fahren ______________________ zum Sport.

Zu **11** **Was passt?**
1) Verbinden Sie und schreiben Sie Sätze. Es gibt viele Möglichkeiten.

zum Supermarkt	1	A	warten
bei der Post	2	B	gehen
seit zwei Stunden	3	C	fahren
von der Arbeit	4	D	kommen
mit dem Bus	5	E	arbeiten

Ich warte schon seit zwei Stunden!

2) Was ist richtig? Streichen Sie die falsche Präposition und schreiben Sie den Text in Ihr Heft.

Hans Gottwald lebt in / ~~von~~ Köln. Er wohnt mit / zu einem Freund zusammen. Beide arbeiten von / bei einer Telekommunikationsfirma. Hans kennt Klaus schon seit / nach 15 Jahren. Sie sind zusammen zur / aus der Schule gegangen. Aber jetzt hat Hans eine Frau kennengelernt. Sie heißt Alina. Er trifft sie oft zur / nach der Arbeit. Jetzt möchten sie zusammen eine Wohnung suchen. Hans möchte heute Abend mit / seit Klaus sprechen. Sie gehen direkt nach / zu der Arbeit in ihr Lieblingsrestaurant. Beim / Vom Essen erzählt Hans von / zu Alina. Klaus ist gar nicht böse. Er sagt: „Wir haben lange zusammengewohnt. Und das war schön. Aber jetzt ... Kennst du Heike schon? Sie arbeitet seit / nach gestern im Büro nebenan. Sie ist toll!"

Zu 12 Auf dem Amt.

23

1) Wie geht es weiter? Hören Sie und beantworten Sie die Fragen.

◖ Spreche ich mit dem Einwohnermeldeamt?
▮ Ja, was kann ich für Sie tun?
◖ Ich brauche einen Bewohner-Parkausweis. Wo bekomme ich den?
▮ Den Ausweis bekommen Sie hier bei uns ...

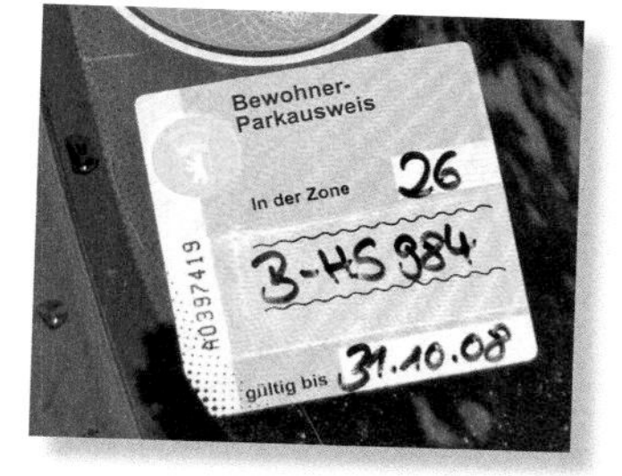

1. Was muss man mitbringen?

____

2. Wo bekommt man das Formular?

____

3. Wie ist die Adresse vom Einwohnermeldeamt?

____

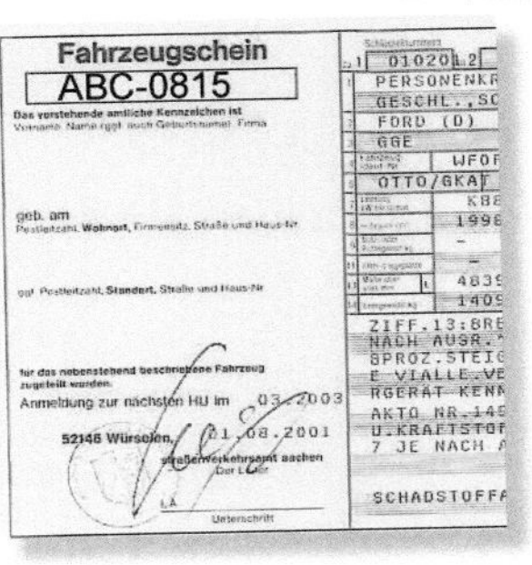

der Fahrzeugschein (D)
der Zulassungsschein (A)
der Fahrzeugausweis (CH)

2) Sie telefonieren mit dem Einwohnermeldeamt. Was sagt man Ihnen? Schreiben Sie die Sätze.

1. ausfüllen • Formular • Internet • Sie

Füllen Sie das Formular im Internet aus.

2. ausdrucken • Formular • Sie

____

3. kommen • Amt • Sie

____

4. Wartenummer • Sie • ziehen

____

Zu 16 Der Geburtsort von Maria ist Athen.
Das sagt Maria über Athen. Ergänzen Sie den Text.

1. Wo liegt Athen? — *in Griechenland, am Meer*
2. Wie ist Athen? — *sehr groß, laut, im Sommer heiß, sehr*
3. Welche Sehenswürdigkeiten gibt es? — *die Akropolis, der Hafen Piräus, das Kloster Daphni*

Athen ist eine Stadt in Griechenland. Sie liegt am ______________ 1.
Sie ist sehr ______________ 2 und ______________ 3.
Im Sommer ist es hier ______________ 4. Athen ist ______________ 5.
Man kann das Kloster Daphni und den ______________
______________ 6 besuchen. Und natürlich muss man die
______________ 7 sehen.

17 Ihr Geburtsort.
1) Machen Sie drei Listen.

1. Wo? 2. Wie? 3. Welche Sehenswürdigkeiten?

2) Schreiben Sie mit den Listen aus 17 1) ein Porträt von Ihrem Geburtsort.

Mein Geburtsort heißt ... Die Stadt liegt in ... Sie ist ... Dort gibt es ...

Prüfungsaufgabe

Schreiben. Antworten Sie auf den Brief. Schreiben Sie etwas über ...

– die Verkehrsmittel in Ihrer Stadt
– Sehenswürdigkeiten
– Souvenirs
– Wetter und Kleidung

Liebe Maja,

jetzt dauert es nicht mehr lange. In drei Tagen fliege ich nach Deutschland. Zum ersten Mal! Kannst du mir ein bisschen von deiner Stadt erzählen? Wie fährt man dort am besten von A nach B? Gibt es Busse oder eine U-Bahn? Ist Taxifahren sehr teuer? Muss ich mit dem Fahrer über den Preis sprechen? Was muss ich sehen? Was kann ich für meine Familie kaufen? Es darf nicht so groß (du weißt, ich fliege) und nicht zu teuer sein. Und wie ist das Wetter? Welche Kleidung muss ich mitnehmen?

Bitte antworte bald.
Deine Naomi

Liebe Naomi,
hier in ... gibt es ...

Lernwortschatz: Stadt und Verkehr

In der Stadt

der Marktplatz, das Rathaus
das Amt, das Bürgeramt (D)[1]: Ich muss heute zum Bürgeramt gehen.
die Post: Entschuldigung, wo ist hier die Post?
der Park: Ich gehe im Park spazieren.
das Stadion: Im Stadion ist heute ein Konzert.
in der Nähe von: Das Rathaus ist in der Nähe vom Bahnhof.

1 das Gemeindeamt, das Magistrat (A), die Gemeindeverwaltung, die Stadtkanzlei (CH)

Den Weg beschreiben

der Weg: Können Sie den Weg beschreiben?
links ↖ – rechts ↗ – geradeaus ↑
die Ampel: Fahren Sie an der ersten Ampel nach links.
die Kreuzung: Gehen Sie bis zur nächsten Kreuzung.
unterwegs: Wie lange bin ich unterwegs?
weit: Wie weit ist das?
ungefähr = circa: Ungefähr 500 Meter.
fast: 496 Meter sind fast 500 Meter.

Unterwegs

wohin: Wohin fahren Sie?
nach Hause: Ich fahre nach Hause.
der Bus, der Zug: Ich fahre mit dem Bus und dann mit dem Zug.
die U-Bahn: Ich fahre mit der U-Bahn.
der Bahnhof (Zug), die Haltestelle (Bus), die U-Bahn-Station (U-Bahn): Ich warte an der Haltestelle.
die Fahrkarte: Wo kann ich eine Fahrkarte kaufen?
der Automat: Fahrkarten gibt es am Automaten.
einsteigen: Ich bin in den Bus eingestiegen.
zu Fuß: Ich gehe zu Fuß.
nie ≠ immer: Du gehst nie zu Fuß.
der Vorteil: Hat die U-Bahn Vorteile?
fliegen: Ich bin noch nie geflogen.
das Flugzeug: Das Flugzeug ist schnell, aber teuer.

In der Fahrschule

gültig: Mein Führerschein ist hier nicht gültig.
die Fahrschule: Autofahren lernt man in der Fahrschule.
die Prüfung: Oh je, ich habe Fahrprüfung.
aufgeregt = nervös: Sind Sie aufgeregt?
ein bisschen = etwas: Ja, ich bin ein bisschen aufgeregt.
zuhören: Hören Sie genau zu!
die Autobahn: Wir fahren auf der Autobahn.

Auf dem Amt

die Wartenummer: Du musst eine Wartenummer ziehen.
drücken: Du musst hier drücken.
Platz nehmen: Bitte nehmen Sie Platz.
tun: Was kann ich für Sie tun?
das Formular
ausfüllen: Haben Sie das Formular ausgefüllt?
ausdrucken: Haben Sie das Formular ausgedruckt?
anmelden: Hast du dein Telefon schon angemeldet?

Städteporträt

Wo liegt Fürth? – Fürth liegt in Bayern.
der Einwohner/die Einwohnerin: Die Stadt Fürth hat 114.000 Einwohner.
die Sehenswürdigkeit: Die Sehenswürdigkeiten hier sind zum Beispiel das Rathaus und das Museum.
z. B. = zum Beispiel
bekannt: Jeder kennt das Theater; es ist sehr bekannt.

Tipp

Lernen Sie unterwegs: an der Haltestelle, im Zug, im Auto.
- *Nutzen Sie Ihre Wortkarten.*
- *Hören Sie die Lerner-CD.*
- *Machen Sie Notizen.*

Zu **1** **Herr Immerkrank. Welche Schmerzen hat er? Ergänzen Sie die Buchstaben.**

___ a ___ ___ schmerzen

Oh ___ e ___ schmerzen

___ ah ___ schmerzen

___ ü ___ ___ e ___ schmerzen

___ au ___ ___ schmerzen

___ o ___ ___ schmerzen

Zu **2** **Ein Besucher aus dem All.**

1) **Ergänzen Sie die Körperteile.**

2) **Beschreiben Sie den Besucher aus dem All.**

Er hat drei Köpfe. Sein Bauch ist ...

3) **Wie finden Sie den Besucher aus dem All? Suchen Sie Adjektive. Schreiben Sie.**

Er ist nicht sehr schön, aber ...

Sammeln Sie Körperteile mit *der*.

1. **Zeichnen Sie einen Besucher aus dem All nur mit diesen Körperteilen.**
2. **Was fehlt? Machen Sie eine Liste.**

Augen ...

Zu **4 Gute Besserung.**

24

1) Hören Sie und ordnen Sie die Dialoge den Zeichnungen zu.

Dialog ☐

Dialog ☐

Dialog ☐

2) Hören Sie noch einmal und ergänzen Sie die Tabelle.

Person	Problem?	Seit wann?	Wer/Was hilft?
Sabine	*Kopfschmerzen*	*seit einer Woche*	
Fatma			
Lukas			*Eisbeutel*

Zu **6 Was sagen die Personen im Wartezimmer? Schreiben Sie.**

1. Ich habe Rückenschmerzen.

Zu **7 Ein Porträt. Lesen Sie und ergänzen Sie die Sätze auf Seite 102.**

Mein Name ist Parastoo Mahdavikia. Ich bin seit zehn Jahren in Berlin-Wedding Allgemeinärztin. In meiner Praxis arbeiten drei Sprechstundenhilfen und zwei Assistentinnen. Wir haben viele Patienten und das Wartezimmer ist immer voll. Ich arbeite in einem Ärztehaus. Dort gibt es noch einen Orthopäden, einen Hals-Nasen-Ohren-Arzt, zwei Zahnärztinnen und eine Kinderärztin.

Alle arbeiten sehr viel. Wir haben nicht viel Zeit für die Patienten, aber die Arbeit macht Spaß. Wir sind hier in einem Bezirk mit vielen Nationalitäten. Deshalb hat meine Sprechstundenhilfe Birgit jetzt Russisch gelernt. Ich spreche Persisch und Englisch. Die anderen Sprechstundenhilfen kommen aus der Türkei. Trotzdem ist es manchmal schwer mit der Kommunikation – nicht alle haben nur Husten, Fieber oder Halsschmerzen. Aber wir reden mit Händen und Füßen und manchmal ist es auch lustig. Letzte Woche ist eine Frau mit Rückenschmerzen gekommen. Sie hat gesagt: „Frau Doktor, ich glaube, ich habe eine Schweinshaxe." Auf Deutsch heißt es „Hexenschuss" und sie hat das Wort irgendwann gelernt, das Wort aber wieder vergessen. Es war sehr lustig.

Frau Mahdavikia ist ______________________[1]. Sie hat eine ______________________[2] in Berlin. In ihrer Praxis arbeiten ______________________[3] Personen. Es kommen viele ______________________[4]. Die Praxis ist in einem ______________________[5].
Parastoo Mahdavikia und ihre Sprechstundenhilfe sprechen zusammen ______________________[6] Sprachen. Und bei einem „Hexenschuss" hat man ______________________[7].

Prüfungsvorbereitung

Lesen Sie das Schild. Wo finden Sie wen? Kreuzen Sie an.

	DAS BERLINER ÄRZTEHAUS Pankstraße 14
3. Stock	**Praktische Ärztin | Allgemeinmedizin** Dr. med. Parastoo Mahdavikia
	Hals-, Nasen,- Ohrenarzt Dr. med. Olaf Andreß
2. Stock	**Zahnärzte** Dr. dent. Claudia Breuer | Mitja Ramonov Gemeinschaftspraxis
1. Stock	**Kinderärztin** Dr. med Burcu Killiç
	Orthopädische Praxis Chiropraktiker Dr. med. Klaus Wollenberger
EG	**Einhorn-Apotheke**

1.
Sie haben Ohrenschmerzen. Wohin gehen Sie?
a) ☐ 3. Stock
b) ☐ 2. Stock
c) ☐ EG

2.
Ihre Tochter hat seit zwei Tagen Fieber.
a) ☐ 1. Stock
b) ☐ 2. Stock
c) ☐ anderes Stockwerk

3.
Sie haben Zahnschmerzen.
a) ☐ 3. Stock
b) ☐ 2. Stock
c) ☐ 1. Stock

4.
Sie wollen Medikamente kaufen.
a) ☐ 3. Stock
b) ☐ 1. Stock
c) ☐ EG

5.
Ihr Fuß ist dick.
a) ☐ EG
b) ☐ 1. Stock
c) ☐ anderes Stockwerk

6.
Sie haben seit einer Woche Bauchschmerzen.
a) ☐ 3. Stock
b) ☐ 1. Stock
c) ☐ anderes Stockwerk

Zu **9** **Karaoke. Hören Sie Rolle 1 und sprechen Sie Rolle 2.**

25

Rolle 1: ...
Rolle 2: Ich hätte gerne einen Termin.
Rolle 1: ...
Rolle 2: Am Nachmittag.
Rolle 1: ...
Rolle 2: Geht es auch etwas später?
Rolle 1: ...
Rolle 2: Das ist besser. Danke. Auf Wiederhören.

Zu 10 David ist krank.
Welche Wörter hören Sie? Kreuzen Sie an.

26

- [ ] Hausarzt
- [ ] Pass
- [ ] Versicherungskarte
- [ ] Überweisung
- [ ] Führerschein
- [ ] Kreditkarte
- [ ] Krankenkasse
- [ ] Praxisgebühr

Zu 11 Bei der Ärztin.
1) Lesen Sie und ergänzen Sie die Buchstaben. 49

Ärztin: Guten Mo __ __ __ __, Herr Miller. Na, was fe __ __ __ Ihnen?

Tom: Mein Ko __ __ tut weh, meine Au __ __ __ sind ganz ro __ und ich habe Schn __ __ __ __ __. Vielleicht eine Er __ __ __ __ __ __ __?

Ärztin: Mal schauen, ma __ __ __ __ Sie bitte den Mu __ __ auf. Ja, der Hals si __ __ __ gut aus. Danke. Gut. Jetzt machen Sie bitte den Ob __ __ __ __ __ __ __ __ frei. Atmen Sie ti __ __ ein und aus ... Nein, eine Erkältung ha __ __ __ Sie nicht. Wie la __ __ __ haben Sie die Pr __ __ __ __ __ __ schon?

Tom: Seit zwei Wo __ __ __ __. Zuerst war es nicht so schl __ __ __, aber jetzt ...

Ärztin: Vie __ __ __ __ __ __ __ ist es eine Al __ __ __ __ __ __. Wir müssen einen Te __ __ machen. Bitte ne __ __ __ __ Sie noch einen Mo __ __ __ __ im Wartezimmer Platz.

2) Was soll Tom machen?

Oberkörper: *Er soll den Oberkörper frei machen.*

1. Atmen: __________
2. Mund: __________
3. Test: __________
4. Wartezimmer: __________

3) Was machen Ärzte, was machen Patienten? Ordnen Sie.

Fieber haben • Husten haben • im Wartezimmer Platz nehmen • fragen, wie es geht • eine Krankmeldung schreiben • ein Rezept schreiben • zur Apotheke gehen

Ärzte	*Patienten*
	Fieber haben

Zu 14 Probleme und Lösungen.

1) Was passt zusammen? Verbinden Sie.

Problem	*Lösung*
1. Ich habe Kopfschmerzen.	a. das Fenster aufmachen
2. Ich bin immer müde.	b. nicht so viel Kaffee trinken
3. Ich muss beim Arzt lange warten.	c. eine Tablette nehmen
4. Ich komme oft zu spät.	d. viel Gemüse essen, keine Cola trinken
5. Es ist heiß hier.	e. früher ins Bett gehen
6. Ich bin zu dick.	f. früher aufstehen
7. Ich bin oft nervös.	g. einen Termin machen

2) Schreiben Sie zu 1) Sätze wie im Beispiel.

1. Nimm eine Tablette.

Zu 15 Ein Kind ist krank!

1) Was tun Sie? Ergänzen Sie die Verben.

1. Fieber ________________
2. Tee ________________
3. zur Apotheke ________________
4. Wadenwickel ________________
5. zum Arzt ________________
6. ein Lied ________________

2) Was sagt die Großmutter? Schreiben sie zu 1) Sätze wie im Beispiel.

Dein Kind ist krank? Dann miss Fieber.

Zu 17 Dreimal *e*.

1) Aber wie spricht man das *e*? Hören Sie und sprechen Sie nach.

27

– Nehmen Sie bitte im Wartezimmer Platz.
– Bleiben Sie im Bett und trinken Sie Tee.
– Haben Sie das Rezept für die Medikamente?

2) Ist das e geschlossen [eː] oder offen [ɛ]? Ordnen Sie die Wörter in die Tabelle.

nehmen • Bett • Tee • Rezept • Rezept • Medikamente • Medikamente

e geschlossen	*e offen*
nehmen	*Bett*

Lernwortschatz: Gesundheit

die Körperteile

das Körperteil
der Kopf und das Herz
am Kopf: zwei Augen, eine Nase, ein Mund, zwei Ohren, 32 Zähne, ein Hals
das Auge und das Ohr
der Zahn
der Rücken und der Po (= hinten)
der Bauch (= vorne)
der Arm – die Hand – der Finger
das Bein – das Knie – der Fuß – der Zeh
zwei Füße, zehn Zehen; zwei Hände, zehn Finger
die Haut: Das ist gut für die Haut.

In der Arztpraxis

der Hausarzt – die Zahnärztin
die Praxis: Praxis Dr. Seeger, was kann ich für Sie tun?
die Sprechstundenhilfe: Die Sprechstundenhilfen machen Termine.
die Versicherungskarte: Ihre Versicherungskarte, bitte!
die Überweisung: Ich brauche eine Überweisung zum Augenarzt.
bezahlen: Wie viel muss ich bezahlen?
die Praxisgebühr – 10 Euro, bitte.
die Quittung: Bekomme ich eine Quittung?
die Krankmeldung: Brauchen Sie eine Krankmeldung?
abgeben: Ich habe die Krankmeldung in der Schule abgegeben.
das Wartezimmer: Bitte nehmen Sie im Wartezimmer Platz.

Tipp

So ist Lernen gesund und einfach:
- *Vor dem Schlafen lernen.*
- *Am Morgen wiederholen.*
- *Und am Tag immer wieder ein paar Minuten üben.*

Im Arztzimmer

Was fehlt Ihnen?
wehtun: Mein Rücken tut weh.
der Schmerz: Haben Sie Schmerzen?
Ich habe Kopfschmerzen und Ohrenschmerzen (Zahn-, Hals-, Bauch-, Rücken-, Herzschmerzen ...)
schlecht: Mir ist schlecht. (= Mir geht es nicht gut.)
schwanger: Sind Sie vielleicht schwanger?
gebrochen: Mein Bein ist gebrochen.
die Grippe: Sie haben eine Grippe.
die Erkältung: der Schnupfen und der Husten
aufmachen: Machen Sie bitte den Mund auf.
einatmen und ausatmen: Atmen Sie bitte tief ein und aus.
schlimm = nicht gut
aussehen: Du siehst schlimm aus!
krank ≠ gesund
zu Hause bleiben: Ich soll zu Hause bleiben.

Allergien

allergisch sein: Ich bin allergisch gegen Hunde und Katzen.
der Test: Wir müssen einen Test machen.
die Nuss: Vorsicht! Ich habe eine Allergie gegen Nüsse.

In der Apotheke

die Apotheke: Ich gehe zur Apotheke.
das Rezept: Hier, ich habe ein Rezept vom Arzt bekommen.
die Tablette: Nehmen Sie jeden Tag zwei Tabletten.
Gute Besserung!

Zum Abschied

der Abschied
Auf Wiederhören = Auf Wiedersehen am Telefon

Zu **2** **Was finden Sie positiv (+), was negativ (–)? Ordnen Sie zu.**

alt • cool • freundlich • fröhlich • gefährlich • grau • interessant • kalt • langweilig • laut • ruhig • schrecklich • traurig • perfekt • praktisch

+	–

Zu **3** 1) **Was passiert hier? Ergänzen Sie.**

bellen • feiern • kochen • Krach machen • singen • streiten • stinken • rauchen • nicht „Guten Tag" sagen

1. Der Mann oben ______________________ .
2. Die Eltern ______________________ .
3. Der Abfall ______________________ .
4. Der Hund ______________________ .
5. Die Kinder ______________________ .
6. Die Leute ______________________ und ______________________ .

2) **Wer denkt was? Schreiben Sie Sätze mit den Adjektiven aus Übung 2.**

Die Kinder denken: „Der Ball ist cool."
Der Hund denkt: „Die Leute sind gefährlich."

28

3) **Was klingt freundlich?**
Was klingt aggressiv?
Hören Sie und kreuzen Sie an.

	freundlich	aggressiv
1.	☐	☐
2.	☐	☐
3.	☐	☐
4.	☐	☐
5.	☐	☐
6.	☐	☐

Zu **5** **Und Sie? Was finden Sie super (☺☺), was finden Sie ok (😐) und was finden Sie schrecklich (☹☹)? Ordnen Sie zu und ergänzen Sie.**

Die Nachbarn sitzen auf dem Balkon und reden.
Ein Nachbar hat einen Hund.
Eine Katze ist im Garten.
Es stinkt draußen.
Die Nachbarn streiten.
Die Nachbarn sagen nicht „Guten Tag".
Die Kinder singen.
...

☺☺	😐	☹☹

Wie heißt das Gegenteil? Ergänzen Sie.

hell ______ einfach *schwierig* ______ kalt ______

groß ______ schrecklich ______ schön ______

langweilig ______ leise ______ freundlich ______

Zu **6** 29 **1) Ist der Satz zu Ende ↘ oder kommt noch etwas →? Ein Punkt oder drei Punkte? Hören und ergänzen Sie.**

1. Die Wohnung ist sehr schön ___
2. Die Wohnung ist sehr schön ___

2) Eins, zwei, weg. Schreiben Sie den Dialog aus Aufgabe 6 in Ihr Heft. Machen Sie für jedes 3. Wort eine Lücke: Können Sie den Text vorlesen? Versuchen Sie es in drei Tagen noch einmal!

57

– Hallo, Stefan. ______ seid umgezogen, ______?
Wie ist ______ Wohnung?
– Sie ______ sehr schön,...
– ______? ...

Zu **7** 30 **Wer kennt Stefan Berger besser: die Frau oder der Mann? Hören Sie und vergleichen Sie mit dem Steckbrief.**

Stefan Berger
geboren 1960
verheiratet, keine Kinder
Beruf: Lehrer
Hobbys: Lesen, Musik hören, Freunde treffen
Lieblingstier: Fisch
Motto: Lachen ist gesund.

Zu 8 Wie sind die Nachbarn A, wie sind die Nachbarn B? Beschreiben Sie.

Die Nachbarn A sind schrecklich. Ihr Hund ...

Zu 9 1) Wann? Lesen Sie die Fragen und finden Sie die Antworten in der E-Mail von Aufgabe 9. 58

1. Wann sind Pjotr und Anja eingezogen? ____________________
2. Wann gießen sie die Blumen von Thomas und Susanne? ____________________
3. Wann haben sie auf Florian aufgepasst? ____________________

2) Und Sie? Beantworten Sie die Fragen.

1. Wo wohnen Sie?
2. Wie viele Nachbarn haben Sie?
3. Wohnen Sie gern da? Warum?
4. Wie gut kennen Sie Ihre Nachbarn?

Ich wohne in ...

3) Schreiben Sie Ihrem/Ihrer Kursleiter/in eine E-Mail oder einen Brief mit den Antworten aus 2).

Zu 10 Es klingelt bei Ihnen an der Tür. Was fragen die Nachbarn? Lesen Sie mit Vokalen.

1. ntschldgng, knntn S btte f mnn Hnd fpssn?
2. Wr fhrn wg. Knntn S vllcht mn Blmn gßn?
3. ch mch nn Slt. Hb S vllcht n Zwbl fr mch?

Zu 11 1) Was sagen die Nachbarn? Hören Sie und antworten Sie wie im Beispiel.

31

Sie grillen jeden Tag.

Nein, wir grillen nicht jeden Tag.

2) Was darf man hier nicht? Schreiben Sie Sätze.

Nicht essen! • Nicht feiern! • Nicht fotografieren! • Nicht grillen! • Nicht rauchen! • Nicht schwimmen! • Nicht singen! • Nicht telefonieren! • Nicht trinken!

1.

2.

3.

4.

5.

6.

1. Hier darf man nicht essen und nicht trinken.

3) Wo passt *nicht*, wo passt *kein*? Ergänzen Sie.

- Hier darf man ________________ Fotos machen.
- Wie bitte?
- Hier darf man ________________ fotografieren.

- Hier darf man ________________ Krach machen.
- Wie bitte?
- Hier darf man ________________ laut sein.

- Hier darf man ________________ singen.
- Wie bitte?
- Hier darf man ________________ Musik machen.

- Hier darf man ________________ Eis essen.
- Wie bitte?
- Hier darf man ________________ essen und ________________ trinken.

4) Nomen oder Verb? Ergänzen Sie die Regel.

Regel: *nicht* steht vor einem ________________

kein steht vor einem ________________

Zu **12** **Verbinden Sie je zwei Sätze und benutzen Sie *denn* oder *aber*.**

Beispiel: Die Wohnung gefällt mir, denn sie ist groß.

1. Die Wohnung gefällt mir.
– Sie ist groß.
– Sie hat (k)einen Balkon.
– Sie ist teuer.

2. Das Haus gefällt mir nicht.
– Es ist alt.
– Es ist klein.
– Es hat (k)einen Garten.

3. Ich mag meine Nachbarn.
– Sie haben drei Hunde.
– Sie sind nett.
– Sie hören laut Musik.

4. Das Bad gefällt mir.
– Es hat (k)eine Badewanne.
– Es ist dunkel.
– Es hat (k)ein Fenster.

Zu **14** 1) **Lesen Sie die Aussagen von Aufgabe 14 noch einmal. Schreiben Sie ein Porträt: Wie wohnt Familie Demirel?** 60

Familie Demirel wohnt in einem Haus. Das Haus ist …

2) **Was ist wo? Vergleichen Sie Wohnzimmer 1 und 2.**

1

2

In Wohnzimmer 1 ist der Tisch unter dem Fenster.
In Wohnzimmer 2 ist der Tisch …

Beschreiben Sie die Wohnung in Einheit 8, Aufgabe 7. 

Das Bad ist neben …
Im Wohnzimmer sind sechs Stühle, …

Zu **16** **Und Sie? Machen Sie eine Skizze von Ihrer Wohnung und beschreiben Sie sie.**

Prüfungsvorbereitung

Beim Einwohnermeldeamt.
Füllen Sie das Formular aus.

ANMELDUNG bei der Meldebehörde

Tag des Einzugs in die Wohnung
Straße (Platz, Klgv.), Hausnummer und Zusätze (z.B. auch Name des Hauptmieters),

① Name und Anschrift des Wohnungsgebers

② Familienname / Doktorgrad 1

ggf. Geburtsname

Vornamen (Rufnamen unterstreichen) ☐ männl. ☐ weibl.

Tag der Geburt | Ort der Geburt

☐ ledig ☐ Lebenspartnerschaft ☐ Lebenspartnerschaft aufgehoben ☐ verwitwet
☐ verheiratet ☐ dauernd getrennt lebend ☐ geschieden

☐ Ev.-luth. ☐ Röm.-kath. | Sonstige Religionsgemeinschaft

Staatsangehörigkeiten

☐ Personalausweis ☐ Reisepass | Tag, Jahr und Ort der Ausstellung sowie Nr.

Zu **17** **Im Treppenhaus. Wo hören Sie ein [ŋ]? Markieren Sie.**

32

a)
Puh, mein Tag war anstrengend.
Ich habe um sechs Uhr angefangen.
Jetzt habe ich Hunger und möchte gern etwas Kaltes trinken, aber mein Kühlschrank funktioniert nicht.

b)
◖ Achtung, die Katze!
▮ Oh … Danke!
◖ Entschuldigung. Sie ist noch sehr jung.

c)
◖ Ich bin krank. Ich habe eine Erkältung. Und das im Frühling!
▮ Oh, gute Besserung.

Lernwortschatz: Zusammen wohnen und leben

Im Haus

die Haustür: Hast du die Haustür zugemacht?
die Treppe und das Treppenhaus
der Stock: Ich wohne im ersten Stock.
der Mietvertrag: Ich habe den Mietvertrag unterschrieben.
einziehen: Ich bin gestern in die Wohnung eingezogen.
umziehen: Ich wohne nicht mehr hier. Ich bin umgezogen.
die Garage: Das Auto steht in der Garage.
abstellen: Darf ich mein Fahrrad hier abstellen?
dürfen: Nein, das dürfen Sie nicht.
Fahrrad fahren: Darf ich hier Fahrrad fahren?
vorsichtig: Ja, aber du musst vorsichtig sein.

Das ist laut! Das stört!

der Krach: Krach machen
streiten: Warum habt ihr gestritten?
schimpfen: Der Hausmeister hat wieder geschimpft.
schreien: Er hat laut geschrien.
schwierig ≠ einfach: Er ist schwierig.
stören: Du bist zu laut. Das stört!
unterbrechen: Entschuldigung, ich will Sie nicht unterbrechen, aber ich muss sagen ...
bellen: Der Hund bellt.
das Tier, das Haustier
hassen ≠ mögen: Ich hasse Kaugummis.
der/das Kaugummi: Kaugummi kauen
stinken: Ihh, der Abfall stinkt.
der Abfall
voll: Der Abfalleimer ist voll. Was machen wir jetzt?
die Ecke: In den Ecken steht der Abfall.
chaotisch: Hier ist es chaotisch. = Hier ist Chaos.
sauber machen = putzen: Ich muss mein Zimmer sauber machen.

Platz haben, der Platz: Wir haben keinen Platz für die Möbel!
eng: Hier es eng = Hier haben wir wenig Platz.
der Nachteil ≠ der Vorteil: Die Wohnung hat viele Nachteile: Sie ist klein, dunkel und laut.

Helfen

wegfahren: Ich fahre morgen weg. Ich brauche Hilfe.
füttern = Essen geben: Hast du die Hunde gefüttert?
aufpassen: Kannst du auf meine Katze aufpassen?
der/die Babysitter/in: Die Babysitterin hat auf unser Kind aufgepasst.
Blumen gießen: Ich habe die Blumen nicht gegossen. Kannst du sie bitte gießen?

Die Einladung

toll = super
das Glück: Ich habe Glück!
wirklich: Die Nachbarn sind wirklich nett!
nett = freundlich ≠ unfreundlich
einladen: Ich habe sie eingeladen.

Tipp

- *Nutzen Sie alle Räume zum Lernen.*
- *Schreiben Sie die Wörter und Sätze auch manchmal ohne Vokale.*

Zu **1** **Was passt zusammen? Ordnen Sie zu.**

die Stadt besichtigen • Geld ausgeben • spät aufstehen • in der Sonne liegen • schwimmen • essen gehen • fotografieren • grillen • feiern • Leute kennenlernen • lesen • viel schlafen • spazieren gehen • zelten • Boot fahren • wandern • Fahrradtouren machen • ...

Zu **2** **Die Camper. Beschreiben Sie diesen Reisetyp. Die Wörter helfen.** 13

– im Zelt schlafen
– kein Hotel brauchen
– viele Leute kennen und zusammen grillen
– viel Sport machen / Volleyball spielen
– wenig Geld ausgeben

Wir sind Camper. Wir schlafen im Zelt und ...

auf dem Campingplatz

Zu **3** **Wie reisen Sie gerne? Schreiben Sie einen Text wie im Beispiel. Die Wörter helfen.**

bequem • interessant • sportlich • ruhig • familienfreundlich • billig

Beispiel:
Ein Urlaub muss für mich ruhig sein. Ich suche ein Hotel im Internet und fliege dann direkt dorthin – dann mache ich zwei Wochen nicht viel. Ich schlafe lange, liege am Strand, esse im Hotel und besichtige ein, zwei Museen. Ich rede nicht viel, telefoniere nicht und ich lese keine E-Mails.

Zu **5** **Ergänzen Sie die passenden Fragen.**

1. Wohin ______________________________.
Am liebsten fahre ich in die Berge.

2. ______________________________.
Ich buche alles im Reisebüro.

3. ______________________________.
Am liebsten fahre ich im Sommer weg.

4. ______________________________.
Ich reise immer mit dem Auto. Das ist sehr praktisch.

Prüfungsvorbereitung.

Sprachbausteine. Was kommt in die Lücke: a, b oder c?

Hallo Thomas,

du weißt ja, ich fliege nicht gerne, ich fahre lieber __1__ dem Zug. Aber ich habe zum Geburtstag eine Reise __2__ Kreta bekommen – ein Geschenk von Carola und den Kindern.
Carola und ich sind jetzt __3__ zwei Wochen hier – in __4__ Hotel direkt am Meer. Wir gehen jeden Tag __5__ Strand spazieren. Es ist wunderbar! Leider müssen wir schon bald __6__ Hause fahren, also fliegen ...

Viele Grüße, Peter

	a)	b)	c)
1.	☐ mit	☐ in	☐ auf
2.	☐ in	☐ nach	☐ aus
3.	☐ nach	☐ vor	☐ seit
4.	☐ einem	☐ ein	☐ einer
5.	☐ unter	☐ im	☐ am
6.	☐ zu	☐ nach	☐ an

Zu **6** **Einfacher, schneller, effektiver. Lernen Sie mehrere Wörter zusammen.**

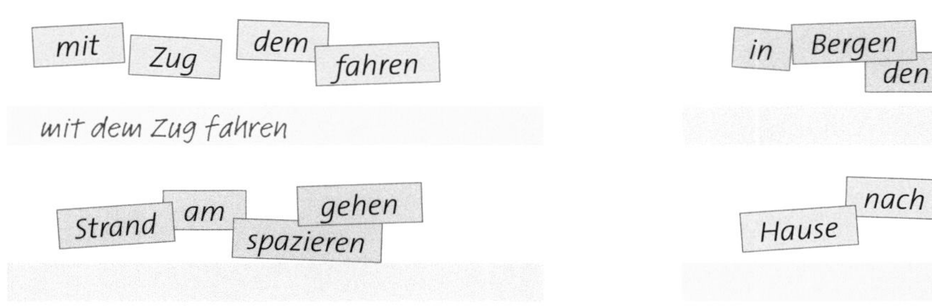

Zu **7** **Ihre Traumreise. Was ist wichtig und was ist nicht so wichtig? Ordnen Sie die Wörter zu und ergänzen Sie die Grafik.**

Museen und Theater • Sehenswürdigkeiten • Wetter • Meer • Berge • Natur • Ruhe • Zeit • schlafen • essen • Leute treffen • Sprache lernen • Sport • wandern

______________	*muss sein*	______________
______________	*sehr wichtig*	______________
______________	*wichtig*	______________
______________	*nicht so wichtig*	______________
______________	*nicht wichtig*	______________

Da stimmt etwas nicht. Was passt nicht? Streichen Sie.

Wir sind ~~nachts~~ um 13 Uhr losgefahren. Das Wetter war herrlich, die Sonne hat nie geschienen. Wir sind in die Berge gefahren. Die Landschaft und das Meer war so schön. Das Hotel war gut und billig. Es hat aber auch über 50 Euro die Nacht gekostet. Das Zimmer war sehr schön, aber etwas laut. Wir hatten Ruhe und haben viel schlecht geschlafen. Am Tag sind wir viel gewandert und abends haben wir stundenlang wenig gegessen. Das Essen war toll. Die Reise war wunderbar schrecklich.

Zu **8** **Im Reisebüro.**

33

1) Wie finden Thomas und Susanne die Angebote? Hören Sie den Dialog zweimal. Ordnen Sie die Wörter in die Tabelle.

zu teuer • zu weit weg • Hotel zu groß • zu heiß • super Idee

	Thomas	Susanne
Karibik:	______________	______________
Zypern:	______________	______________
Andalusien:	______________	______________
Kroatien:	______________	______________

34

2) Was für ein Urlaub! Hören Sie und fassen Sie zusammen.

Die Fahrt mit dem Bus war ______________.

Das Hotel war ______________ und ______________.

Das Zimmer war ______________________ und es

______________________.

Das Wetter war ______________ und ______________.

Zu **9** **Herr und Frau Sommer unterwegs in D A CH.**

35

1) Hören Sie und ergänzen Sie den Text.

______________________[1] waren drei Monate in Deutschland, Österreich und der Schweiz unterwegs – ______________________[2]! Im Mai sind wir ______________________[3] losgefahren: Dort ______________________[4] und es war kalt, aber in Freiburg war es ______________________[5] schon warm. Wir haben dort Freunde besucht, ______________________[6] und abends ______________________[7]. Von Freiburg sind wir ______________________[8]. Dort waren wir ______________________[9]. Wir hatten im Internet eine Ferienwohnung ______________________[10] gebucht und das war super. Dann sind wir ______________________[11]. Wir ______________________[12] und haben viele Menschen kennengelernt. Das war wunderschön. Im Juni sind wir ______________________[13] nach Graz gefahren und haben das Kunsthaus besichtigt. Das war sehr interessant. ______________________[14] natürlich auch – vier Tage.

2) Lesen Sie den Text. Beantworten Sie die Fragen.

1. Wo waren Herr und Frau Sommer? Machen Sie eine Liste.

   in Hamburg, ...

2. Was haben sie wo gemacht?

   In Hamburg sind sie losgefahren. In ...

Zu 10 Liebe Grüße aus Freiburg – zu schnell geschrieben. Korrigieren Sie die SMS.

Wir snid greade
in Feribrug
anegkmomen. Dsa
Wetetr ist toll. Wri
sidn ncah 3 Stnudne
Farhrad frahen ewtas
müde. Udn Hugner
hbane wri acuh.
Ghet es dri gtu?
Leibe Gürße Papa

Zu 12 Karaoke. Hören Sie Rolle 1 und sprechen Sie Rolle 2.

36

Rolle 1: ...
Rolle 2: Guten Tag. Ich möchte am Donnerstag von Frankfurt nach München fahren.
Rolle 1: ...
Rolle 2: Morgens, so um neun Uhr.
Rolle 1: ...
Rolle 2: Das ist gut. Ich brauche auch eine Rückfahrt.
Rolle 1: ...
Rolle 2: Ja, ich habe eine BahnCard 25. Und ich möchte einen Sitzplatz reservieren.
Rolle 1: ...
Rolle 2: Kann ich mit Karte zahlen?
Rolle 1: ...
Rolle 2: Vielen Dank.

Zu 13 Fahrpläne lesen. Beantworten Sie die Fragen.

1. Wann fährt der Zug nach St. Gallen?
2. Wohin fährt der Zug um 14:13 Uhr?
3. Von welchem Gleis fährt er?
4. Welcher Zug fährt nach Italien?

DEPARTS ABFAHRTEN PARTENZE

Abfahrt der Züge

						Gleis
14.03	Regionalzug	Hochdorf	Beinwil am See	Lenzburg		10
14.08	Regionalzug	Sursee	Zofingen	Olten		3
14.10	Regionalzug	Hergiswil	Alpnachstad	Sarnen	Sachseln	12
14.10	IR	Zug	Thalwil	Zürich HB	Zürich Flughafen	7
14.13	Regionalzug	Küssnacht a/R	Arth-Goldau			8
14.15	Regionalzug	Engelberg		ohne Halt bis	Hergiswil	14
14.23	EC VERDI	Arth-Goldau	Lugano	Chiasso	Milano	
14.33	Regionalzug	Wolhusen	Langnau			
14.35	GOLDENPASS PANORAMIC	Horw	Hergiswil	Meiringen	Interlaken Ost	
14.35	IR	Rotkreuz	Zug	Thalwil	Zürich HB	
14.44	IR VORALPEN EXPRESS	Küssnacht a/R	Arth-Goldau	St.Gallen	Romanshorn	

Zu 14 Eine Ansage. Was ist richtig: a, b oder c?

37

a) Der Zug nach Lugano fährt auf Gleis 3 ein. ☐
b) Der Zug nach Lugano kommt ca. 4 Minuten später. ☐
c) Der Zug nach Luzern kommt ca. 5 Minuten später. ☐

Lernwortschatz: Reisen und Ausflüge machen

Was hast du in den Ferien gemacht?

wandern: Ich bin in den Bergen gewandert.
Ski fahren: Ich bin Ski gefahren.
die Fahrradtour: Ich habe eine Fahrradtour gemacht.
besichtigen: Ich habe eine Stadt besichtigt.
der See: Ich war am Bodensee.
das Meer: Ich bin ans Meer gefahren.
der Strand: Ich habe am Strand gelesen.
faul: Ich bin in den Ferien gern faul. Ich mache nicht viel.
entspannen: Ich entspanne am Pool.
verreisen: Ich bin in diesem Jahr oft verreist.
die Postkarte: Ich habe zehn Postkarten geschrieben.
der/die Verwandte (= Teil der Familie): Ich habe meine Verwandten in München besucht.
zurückfahren: Wann bist du zurückgefahren?

Wie reist du gern?

die Reise: Ich habe schon viele Reisen gemacht.
der Norden / der Süden / der Osten / der Westen
weit weg: Australien? Das ist zu weit weg.
die Fähre: Wir sind mit der Fähre gefahren.
zelten: Wir haben am Strand gezeltet.
das Gepäck: Ich reise gern ohne Gepäck.

Ausflugsziele

die Hauptstadt: Welche Hauptstädte kennst du in Europa?
der/die Tourist/in: Gibt es in Berlin viele Touristen?
die Burg, das Schloss: Ich besichtige gern Burgen und Schlösser.
die Kirche: Der Kölner Dom ist eine Kirche.
der Eintritt: Wie viel kostet der Eintritt?
verboten # erlaubt: Fotografieren ist hier verboten.
berühmt: Der Dom ist sehr berühmt.
herrlich = sehr schön.

Eine Reise buchen

buchen: Hast du dein Ticket im Internet oder am Schalter gebucht?
schicken: Das Reisebüro schickt die Tickets per Post.
bequem: Das ist sehr bequem.
der Sitzplatz: einen Sitzplatz reservieren

Am Hauptbahnhof

abfahren: Der Zug ist pünktlich abgefahren.
das Gleis: Der Zug ist von Gleis 4 abgefahren.
halten: Dann hat der Zug plötzlich gehalten.
weiterfahren. Erst nach 30 Minuten ist der Zug weitergefahren.
der Fahrplan: Das steht nicht im Fahrplan.
die Verspätung: Hat der Zug Verspätung?
peinlich: Eine Stunde zu spät, das ist peinlich.
umsteigen: Ich bin in Zürich umgestiegen.
die Hinfahrt / die Rückfahrt: Ich fahre hin und zurück.

Tipp

Ferien sind schön. Was man mag, lernt man gern. Machen Sie ein Wörternetz zu „Ferien" und hören Sie dabei Ihre Lieblingsreisemusik.

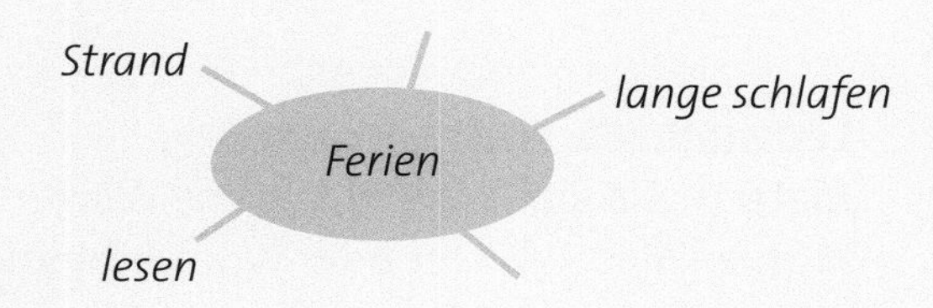

Lernen an Stationen

Runde 1: Einpacken.

Für jede Station haben Sie 10 Minuten Zeit. Sammeln Sie Ihre Ergebnisse in einer „Wiederholungskiste".

Lernstation 1: Was wissen Sie über diesen Mann?

**a) Blättern Sie auf Seite 35.
Ergänzen Sie die Satzanfänge.**

Er heißt ...
Er kommt aus ...
Er ist ...
Er wohnt ...
Er möchte ...
Er hat ...
Im Moment ...
Sein ...

b) Schreiben Sie mindestens zwei Sätze ohne Vokale auf je eine Karteikarte.

Lernstation 2: Liedtext-Lücken

Blättern Sie auf Seite 56. Welche Wörter finden Sie besonders schön, lang oder schwer? Wählen Sie 15 Wörter oder Wortverbindungen und schreiben Sie sie auf Karten. 56

Schon fertig? Zwischenstation A: Gedichtvariation

Variieren Sie die Wörter in Rot und schreiben Sie ein neues Gedicht.

In Fürth oder wo?

Hat Ramón oder wer?

Seine Neffen oder wen?

Gesucht oder was?

Lernstation 3: Fotos raten.

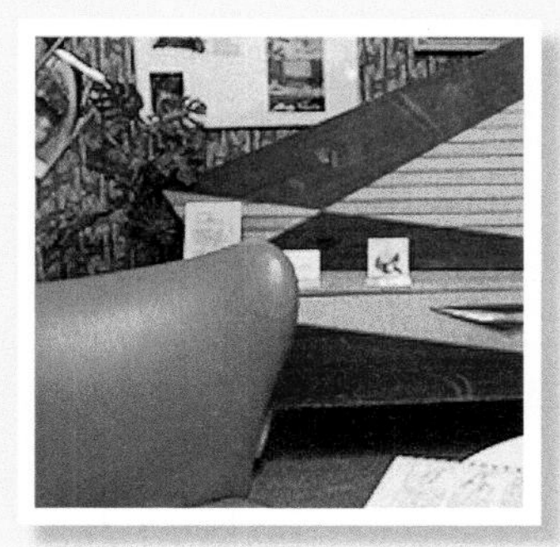

a) Erinnern Sie sich? Beantworten Sie zu jedem Foto die Fragen.

1. Auf welcher Seite ist das Foto?
2. Welche Farben sind auf dem Foto?
3. Was kann man auf dem Foto sehen?
4. Welche Wörter haben Sie hier gelernt?

b) Welches Bild im Kursbuch finden Sie besonders schön, hässlich, langweilig oder lustig? Wählen Sie ein Bild aus und notieren Sie die Seite.

Zwischenstation B: Meine Zungenbrecher.

Welche Sätze auf Deutsch sind für Sie schwer zu sprechen? Notieren Sie drei Sätze.

Lernstation 4: Wie haben Sie mit *Ja genau!* gearbeitet?
Malen Sie Ihre Hand und schreiben Sie an die Finger: *Einheit*, *Seite*, *Aufgabe*, *welcher Text*, *welcher Satz* oder *welches Wort*?

Das war wichtig: ____________________

____

Das habe ich schon gewusst: ____________________

Das war schwierig: ____________________

Das war super: ____________________

Das war zu wenig / zu kurz: ____________________

Runde 2: Auspacken.

Arbeiten Sie mit der Kiste in kleinen Gruppen.

Station 1: Lesen Sie die Sätze auf den Karteikarten.
Station 2: Verteilen Sie die Karten auf einem Tisch. Hören Sie das Lied (Track 42). Gehen Sie um den Tisch herum. Wenn Sie ein Wort hören und es auf der Karte sehen, nehmen Sie die Karte! Wer die meisten Karten hat, hat gewonnen!
Station 3: Beschreiben Sie die Bilder. Beantworten Sie zu jedem Bild die Frage: Und was passiert danach?
Station 4: Hängen Sie Ihre Hände im Kursraum auf.

Zwischenstation A: Lesen Sie die Texte laut im Kurs.
Zwischenstation B: Sprechen Sie die Sätze in der Gruppe: Jede/r sagt nur ein Wort. Klingt der Satz wie ein Satz?

11 Partnerspiel

Sie sind A. Sie sind am City-Hotel. Fragen Sie Ihre Partnerin/Ihren Partner.

Entschuldigung, wo ist das Café Müller?
das Hotel Plaza?
der Supermarkt?
das Krankenhaus?
die Post?
die Fahrschule?

B beschreibt den Weg. A notiert das Ziel in den Plan.

Gehen Sie zuerst geradeaus/nach links/nach rechts.
Gehen Sie weiter bis zur Kreuzung/bis zur Ampel/bis zur ...straße.
Die erste/zweite/ ... Straße links/rechts.
Das erste/zweite Haus auf der linken/rechten Seite /
neben dem/der ... ist ...

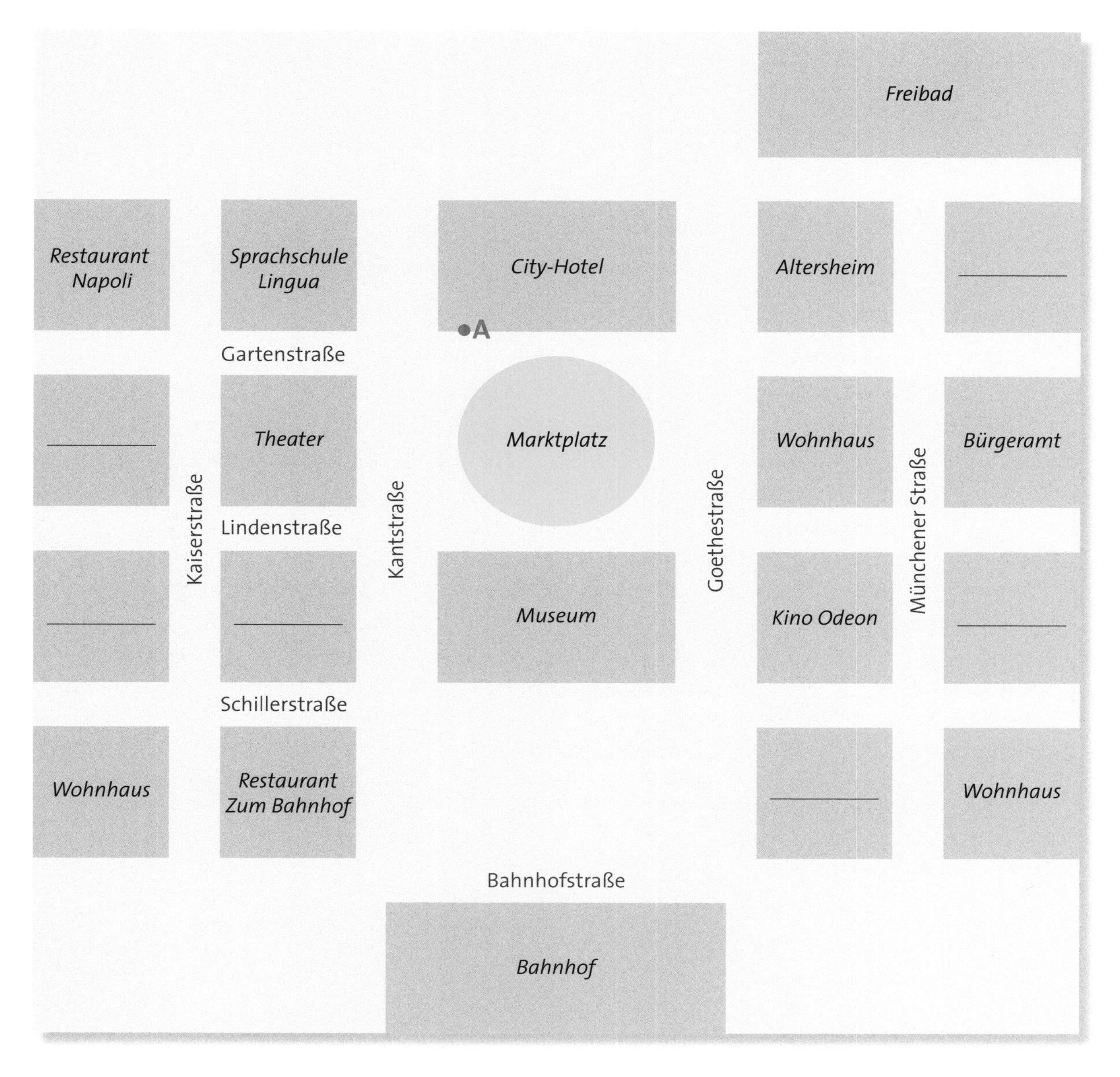

11 Partnerspiel

Sie sind B. Sie sind am Bahnhof. Fragen Sie Ihre Partnerin/Ihren Partner.

Entschuldigung, wo ist das Restaurant Napoli?
die Sprachschule?
das Kino Odeon?
das Altersheim?
das Bürgeramt?
das Freibad?

A beschreibt den Weg. B notiert das Ziel in den Plan.

Gehen Sie zuerst geradeaus/nach links/nach rechts.
Gehen Sie weiter bis zur Kreuzung/bis zur Ampel/bis zur ...straße.
Die erste/zweite/ ... Straße links/rechts.
Nach ungefähr 100 Metern/neben dem/der ... ist ...
auf der linken/rechten Seite.

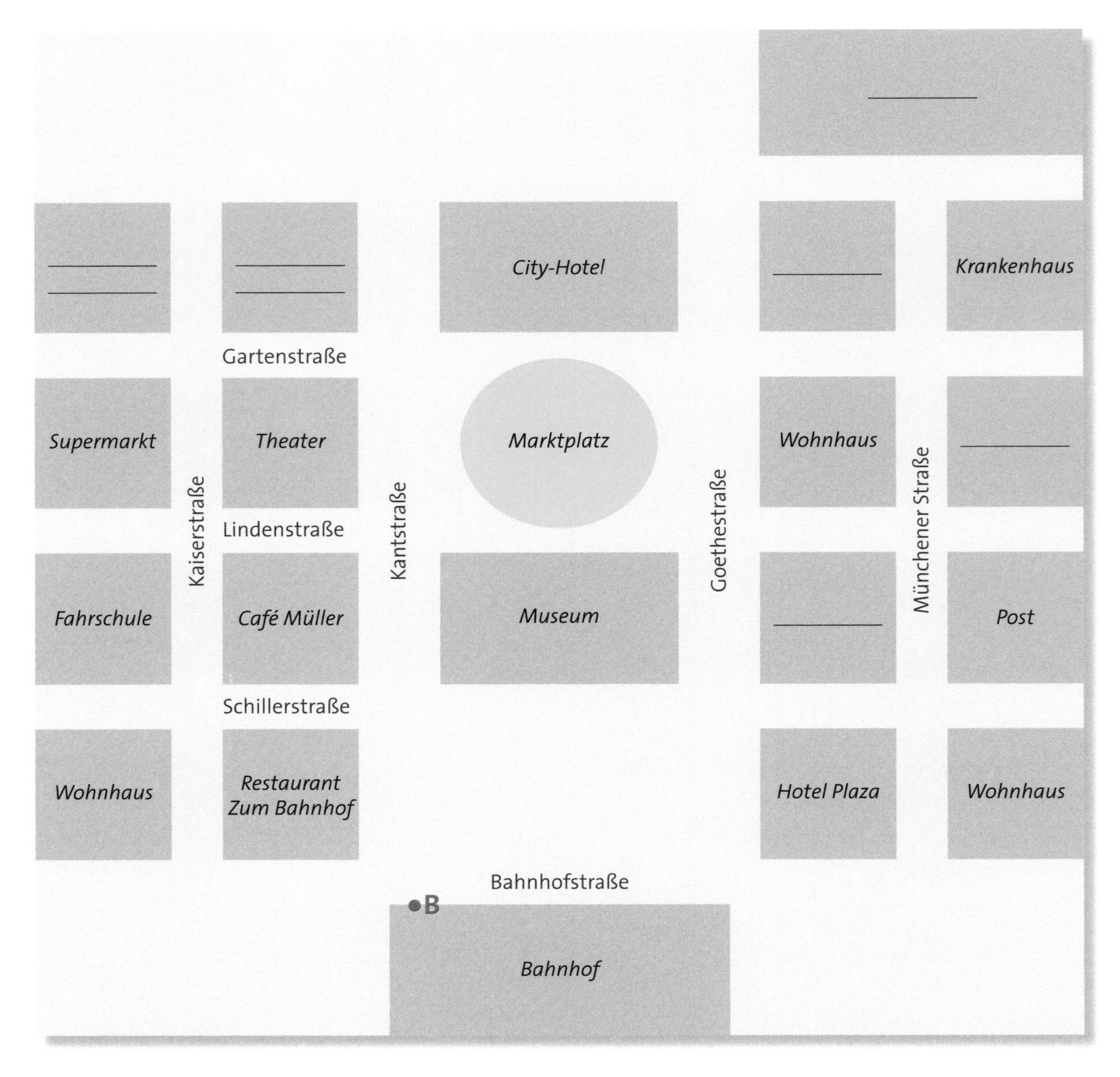

Modelltest Start Deutsch 1

Wenn Sie die Bände 1 und 2 von *Ja genau!* durchgearbeitet haben, können Sie mit der Prüfung „Start Deutsch 1“ nachweisen, dass Sie sich auf einfache Weise auf Deutsch verständigen können und dass Sie die Niveaustufe A1 des Gemeinsamen europäischen Referenzrahmens erreicht haben. Der Test hat vier Teile: Hören, Lesen, Schreiben und Sprechen.

Hören

Teil 1

Was ist richtig? Kreuzen Sie an: a, b oder c. Sie hören jeden Text zweimal.

53 1. Wohin gehen der Mann und die Frau?

a) ☐ Ins Freibad. b) ☐ In den Park. c) ☐ In den Zoo.

54 2. Um wie viel Uhr muss Natascha morgen aufstehen?

a) ☐ Um 5 Uhr. b) ☐ Um halb 6 Uhr. c) ☐ Um 7 Uhr.

55 3. Was kauft die Frau?

a) ☐ Eine Jacke. b) ☐ Einen Pullover. c) ☐ Eine Hose.

56 4. Wo war Frau Krüger im letzten Jahr?

a) ☐ In den Bergen. b) ☐ Am Meer. c) ☐ Bei ihren Verwandten.

57 5. Was bringt Julia mit?

a) ☐ Obst. b) ☐ Kuchen. c) ☐ Brot.

58 6. Was hat Michael?

a) ☐ Er hat Kopfschmerzen. b) ☐ Er hat Fieber. c) ☐ Er hat Bauchschmerzen.

Teil 2
Kreuzen Sie an: richtig oder falsch? Sie hören jeden Text einmal.

59 7. Fahrgäste zum Ostbahnhof müssen am Zoo umsteigen. RICHTIG FALSCH

60 8. Das Möbelhaus hat bis 20 Uhr geöffnet. RICHTIG FALSCH

61 9. Der Zug kommt in einer halben Stunde. RICHTIG FALSCH

62 10. Frau Berger soll zur Information kommen. RICHTIG FALSCH

Teil 3
Was ist richtig? Kreuzen Sie an: a, b oder c. Sie hören jeden Text zweimal.

63 11. Wann ist die Praxis geschlossen?

a) ☐ Am Mittwochvormittag.
b) ☐ Am Mittwochnachmittag.
c) ☐ Am Freitagnachmittag.

64 12. Wie ist die Telefonnummer der Volkshochschule?

a) ☐ 069 212 45 67
b) ☐ 069 212 54 67
c) ☐ 069 212 45 76

65 13. Wann kommt Herr Burger wieder ins Büro?

a) ☐ Er weiß es noch nicht genau.
b) ☐ Morgen.
c) ☐ Nächste Woche.

66 14. Wann müssen die Freunde am Kino sein?

a) ☐ Um 18 Uhr.
b) ☐ Um 19.30 Uhr.
c) ☐ Um 20.00 Uhr.

67 15. Wann kann Herr Schmidt den Computer abholen?

a) ☐ Am Montag.
b) ☐ Am Dienstag.
c) ☐ Am Donnerstag.

LESEN

Teil 1
Lesen Sie die beiden Texte. Sind die Sätze 1 bis 5 richtig oder falsch? Kreuzen Sie an.

Berlin, 5. Juni 2010

Liebe Nachbarn,

wie Sie vielleicht wissen, wohne ich seit dem 1. Juni hier im Haus, im zweiten Stock. Ich möchte Sie gern kennenlernen und mache am Samstag, den 27. Juni, eine Party.
Die Party beginnt um 20 Uhr. Sie können gern auch Freunde mitbringen. Es gibt Salat und wir grillen. Bitte bringen Sie Getränke mit. Und auch Musik, dann können wir tanzen. Vielleicht können wir auch im Garten feiern. Können Sie kommen? Dann rufen Sie mich bitte an. Meine Telefonnummer ist 0160 351 6870.
Ich freue mich, Sie alle kennenzulernen.

Bis bald
Ihre Claudia Schmidt

Von: Jan Hufschmidt
An: Heinz Bauer
Betreff: Termin am Dienstag

Lieber Herr Bauer,

vielen Dank für Ihre Mail. Ich habe unseren Termin morgen um 15 Uhr in Stuttgart nicht vergessen. Es gibt nur ein kleines Problem. Ich muss Herrn Lehmann von der Firma Schulz & Partner morgen Mittag noch besuchen.

Ich kann dann erst zwischen 16.30 Uhr und 17.00 Uhr in Stuttgart sein.

Ist das für Sie okay? Schicken Sie mir bitte eine kurze E-Mail oder wir telefonieren.

Herzliche Grüße
Jan Hufschmidt

1. Claudia zieht am 27. Juni in den 2. Stock.
   RICHTIG FALSCH

2. Die Nachbarn sollen Getränke mitbringen.
   RICHTIG FALSCH

3. Herr Hufschmidt ist in Stuttgart.
   RICHTIG FALSCH

4. Er kann Herrn Bauer nicht um 15 Uhr treffen.
   RICHTIG FALSCH

5. Herr Hufschmidt wartet auf eine Antwort von Herrn Bauer.
   RICHTIG FALSCH

Teil 2

Lesen Sie die Texte und die Aufgaben 6 bis 10. Welche Internet-Adresse suchen Sie auf? Kreuzen Sie an: a oder b.

6. Sie möchten wissen: Wie ist das Wetter morgen in Köln? Wo finden Sie die Information?

www.bonn.de
- Tourismus und Kultur
- Sport und Freizeit
- Kino
- Feste draußen – bei schönem Wetter

www.dwd.de
- Wetter + Warnungen
- Klima + Umwelt
- Presse
- Wir über uns

a) ☐ www.bonn.de b) ☐ www.dwd.de

7. Sie sind in Berlin und möchten einen Freund in Spandau besuchen. Wo finden Sie die U-Bahn-Verbindung?

www.bvg.de
- Berliner Verkehrsbetriebe
- Fahrplanauskunft
- Tickets und Tarife
- Meine BVG

www.berlin.de
- Bürgerservice
- Die Hauptstadt
- Tourismus und Hotels
- Kultur und Ticket

a) ☐ www.bvg.de b) ☐ www.berlin.de

8. Sie brauchen ein Fahrrad. Sie möchten nicht so viel Geld ausgeben. Wo suchen Sie?

www.bikercenter.de
- verkaufe billige Motorräder, Sonderangebote
- große Motorrad-Fahrradtaschen, für nur 30 Euro das Stück

www.fahrradladen.de
- Fahrräder, alt + neu
- Reparaturservice
- Zubehör

a) ☐ www.bikercenter.de b) ☐ www.fahrradladen.de

9. Sie möchten in Österreich wandern gehen. Wo finden Sie Informationen?

www.austria.at
- Urlaub in Österreich
- Winterurlaub
- Hotels und Pensionen

www.wandern.at
- Outdoor-Ausrüstung
- Zelte für jedes Klima
- Wanderschuhe

a) ☐ www.austria.at b) ☐ www.wandern.at

10. Sie möchten eine Pizza bestellen. Wo machen Sie das?

www.piccollo.de
- Pizza-Bring-Dienst
- Unsere Karte: über 15 Pizzas im Angebot
- Bestellung per E-Mail oder telefonisch: 069 8554732

www.bei-luigi.de
- Italienische Spezialitäten in gehobener Atmosphäre, 3-Gang-Menü für 60 €,
- Raum für Ihre Familien- oder Firmenfeier, bis zu 40 Personen, Reservierung: Tel. 0171 822 34 65

a) ☐ www.piccollo.de b) ☐ www.bei-luigi.de

Teil 3
Lesen Sie die Texte und die Aufgaben 11 bis 15. Kreuzen Sie an. Richtig oder falsch?

11. *An einem Restaurant:*
Am Mittwochabend können Sie bis 23 Uhr im Garten sitzen.
RICHTIG FALSCH

Essen und Trinken im Garten
täglich bis 22 Uhr,
freitags und samstags
bis 23 Uhr.

Das Restaurant schließt
um 24 Uhr.

12. *An einer Haltestelle:*
Heute fährt die Straßenbahn nur zum Hauptbahnhof.
RICHTIG FALSCH

Die Straßenbahn Linie 12 fährt heute nur bis zum Hauptbahnhof. Zur Weiterfahrt nach Höchst nehmen Sie bitte die Straßenbahn Linie 10.

13. *In einem Museum:*
Sie dürfen hier keine Fotos machen.
RICHTIG FALSCH

FOTOGRAFIEREN VERBOTEN

14. *An einer Haustür:*
Sie müssen Ihr Fahrrad mit in die Wohnung nehmen.
RICHTIG FALSCH

Bitte keine Fahrräder im Treppenhaus abstellen. Bringen Sie Ihre Fahrräder bitte in den Fahrradraum.

15. *Vor einer Zahnarztpraxis:*
Die Praxis ist mittwochs geöffnet.
RICHTIG FALSCH

ZAHNARZTPRAXIS
DR. KOHL

Sprechzeiten:
Montag bis Mittwoch: 9–18 Uhr
Donnerstag: 9–19.30 Uhr
Freitag: 9–13 Uhr

Schreiben

Teil 1
Ihr spanischer Freund, Juan Rodríguez, spricht kein Deutsch. Er möchte einen Deutschkurs an der Volkshochschule machen. Im Kursprogramm finden Sie folgenden Kurs für ihn:

Deutsch 1 – Anfänger
Kursnummer: 4021-40
Mo + Di + Do + Fr 9.00–12.00 Uhr
€ 210,–

Helfen Sie ihm und füllen Sie das Formular aus.

Juan wohnt in Frankfurt, in der Berger Straße 44. Die Postleitzahl ist 60385.
In Spanien hat er als Koch gearbeitet. Er ist nicht verheiratet und hat keine Kinder.

ANMELDUNG

Kursnummer:	______
Kurs:	______
Familienname:	______
Vorname:	______
Straße, Hausnummer:	______
Postleitzahl, Wohnort:	______
Telefon:	069/45 88 325
Beruf:	______
Familienstand:	______
Staatsangehörigkeit:	spanisch

Teil 2
Ihr Sohn Sascha ist krank. Schreiben Sie eine Entschuldigung an die Lehrerin Frau Meißner.

– Was hat Sascha?
– Waren Sie beim Arzt?
– Wann kann er wieder zur Schule kommen?

Schreiben Sie zu jedem Punkt ein bis zwei Sätze (ca. 30 Wörter). Schreiben Sie auch eine Anrede und einen Schluss.

Sprechen

Teil 1
Sich vorstellen. Bitte erzählen Sie etwas über Ihre Person.

Name? • Alter? • Land? • Wohnort? • Sprachen? • Beruf? • Hobby?

Teil 2
Um Informationen bitten und Informationen geben.

Teil 3
Bitten formulieren und darauf reagieren.

Grammatik kompakt

Verben im Präsens

Regelmäßige Verben

Infinitiv		**lachen**
Singular	ich	lache
	du	lachst
	er/sie/es	lacht
Plural	wir	lachen
	ihr	lacht
	sie/Sie	lachen

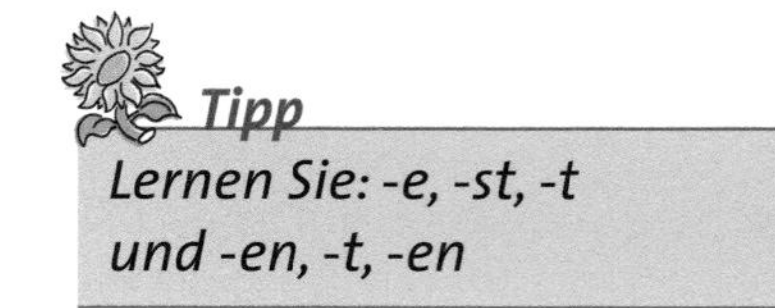

Tipp
Lernen Sie: -e, -st, -t
und -en, -t, -en

So funktionieren sehr viele Verben und auch alle Verben auf -ieren – zum Beispiel telefonieren.

Nur ein bisschen anders:

1. du arbeitest, er/sie/es arbeitet → mit „e“
   bei Infinitiv auf -ten (wie bei **antworten**, **arbeiten**, **bedeuten**)
2. du heißt, du putzt, du vergisst → ohne „s“
   bei Infinitiv auf -ßen, -ssen, -zen (wie bei **heißen**, **putzen**, **vergessen**, **vermissen**)

So kann man es leichter aussprechen!

Verben mit Vokalwechsel

Infinitiv		**sprechen e → i**	**lesen e → ie**	**fahren a → ä**
Singular	ich	spreche	lese	fahre
	du	sprichst	liest	fährst
	er/sie/es	spricht	liest	fährt
Plural	wir	sprechen	lesen	fahren
	ihr	sprecht	lest	fahrt
	sie/Sie	sprechen	lesen	fahren

essen e → i
ich esse, du isst

geben e → i
ich gebe, du gibst

helfen e → i
ich helfe, du hilfst

sehen e → ie
ich sehe, du siehst

laufen a → ä
ich laufe, du läufst

raten a → ä
ich rate, du rätst

schlafen a → ä
ich schlafe, du schläfst

waschen a → ä
ich wasche, du wäschst

schla|fen schläfst, schlief, geschlafen (itr.; hat); **1.** *sich im Zustand des Schlafes befinden:* im B…

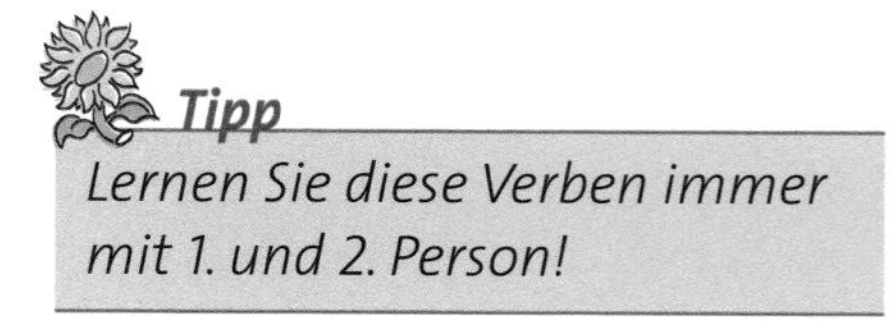

Tipp
Lernen Sie diese Verben immer
mit 1. und 2. Person!

Unregelmäßige Verben

Infinitiv		**sein**	**haben**	**mögen**	**nehmen**	**wissen**
Singular	ich	bin	habe	mag	nehme	weiß
	du	bist	hast	magst	nimmst	weißt
	er/sie/es	ist	hat	mag	nimmt	weiß
Plural	wir	sind	haben	mögen	nehmen	wissen
	ihr	seid	habt	mögt	nehmt	wisst
	sie/Sie	sind	haben	mögen	nehmen	wissen

- Ich möchte einen Kaffee trinken. Nimmst du auch einen?
- Ich weiß noch nicht. Ich mag heute keinen Kaffee.

Modalverben

Infinitiv		**können**	**müssen**	**möchten**	**wollen**	**dürfen**	**sollen**
Singular	ich	kann	muss	möchte	will	darf	soll
	du	kannst	musst	möchtest	willst	darfst	sollst
	er/sie/es	kann	muss	möchte	will	darf	soll
Plural	wir	können	müssen	möchten	wollen	dürfen	sollen
	ihr	könnt	müsst	möchtet	wollt	dürft	sollt
	sie/Sie	können	müssen	möchten	wollen	dürfen	sollen

Ich bin krank.	Ich	**muss**	im Bett	bleiben.
	Ich	**darf**	nicht	aufstehen.
	Ich	**soll**	viel Tee	trinken..
Ich habe frei.	Ich	**kann**	im Bett	bleiben.
	Ich	**will**	heute nicht	aufstehen.
	Ich	**möchte**	im Bett	frühstücken.

Trennbare Verben

Ich muss nicht abwaschen.	Mein Mann	wäscht	gern	ab.
Ich muss um sechs Uhr aufstehen.	Und wann	stehst	du	auf?
Wir müssen heute einkaufen.	Was	kaufst	du	ein?
Musst du immer fernsehen?	Du	siehst	zu viel	fern.

Imperativ

		du-Form	*Sie*-Form
lachen	~~du~~ lach~~st~~	Lach doch mal!	Lachen Sie doch mal!
sprechen	~~du~~ sprich~~st~~	Sprich leise!	Sprechen Sie leise!
essen	~~du~~ iss~~t~~	Iss viel Gemüse!	Essen Sie viel Gemüse!
aufstehen	~~du~~ steh~~st~~ auf	Steh bitte auf!	Stehen Sie bitte auf!

Aber: fahren (du fährst) – Fahr langsam!
schlafen (du schläfst) – Schlaf gut!

So geht's:
Sie gehen zur Ampel.
Gehen Sie zur Ampel.

Verben in der Vergangenheit

sein und *haben* im Präteritum

Infinitiv		**sein**	**haben**
Singular	ich	war	hatte
	du	warst	hattest
	er/sie/es	war	hatte
Plural	wir	waren	hatten
	ihr	wart	hattet
	sie/Sie	waren	hatten

Tipp
sein *und* **haben** *benutzt man in der Vergangenheit fast immer im Präteritum (nicht im Perfekt).*

Ich war in Wien. Aber ich hatte wenig Zeit.

Perfekt mit *haben*

Die meisten Verben bilden das Perfekt mit **haben**.

	haben *konjugiert*		*Partizip*
Ich	habe	gestern nicht	gekocht.
Du	hast	nicht	eingekauft.
Es	hat	gestern	geregnet.
Wir	haben	im Restaurant	gegessen.
Ihr	habt	uns	gesehen.
Sie	haben	alles	fotografiert.

Perfekt mit *sein*

Manche Verben bilden das Perfekt mit **sein**.

	sein *konjugiert*		*Partizip*
Ich	bin	in die Stadt	gefahren.
Du	bist	gestern nicht	gekommen.
Sie	ist	gestern zu Fuß	gegangen.
Wir	sind	gestern früh	aufgewacht.
Ihr	seid	gestern spät	aufgestanden.
Sie	sind	gestern zu Hause	geblieben.

Tipp zum Perfekt
Das Perfekt funktioniert meistens mit **haben**.
Lernen Sie die Verben mit **sein**.

Verben mit **sein**:
- Verben der Bewegung (von A nach B) wie *fahren, gehen, ...*
- Verben der Veränderung wie *aufwachen, aufstehen,*
- die Verben *bleiben* und *sein*

Partizip
regelmäßig:
kochen – er kocht – er hat **ge**kocht
lernen – sie lernt – sie hat **ge**lernt

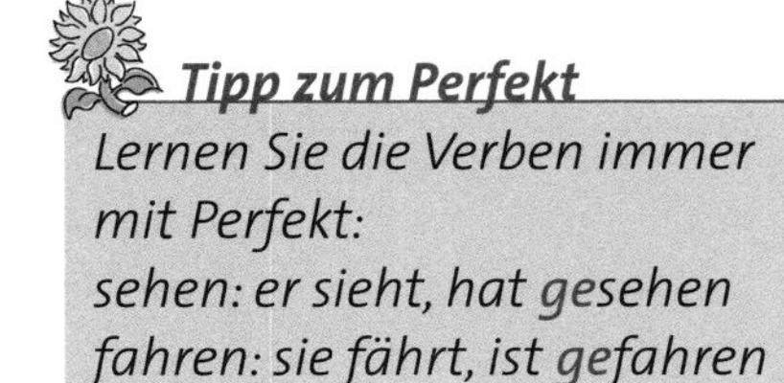
Tipp zum Perfekt
Lernen Sie die Verben immer mit Perfekt:
sehen: er sieht, hat gesehen
fahren: sie fährt, ist gefahren

regelmäßig bei trennbaren Verben:
einkaufen – er kauft ein – er hat ein**ge**kauft
aufwachen – sie wacht auf – sie ist auf**ge**wacht

von Verben auf -ieren:
telefonieren – er telefoniert – er hat **telefoniert**
fotografieren – sie fotografiert – sie hat **fotografiert**

unregelmäßig:
sehen – er sieht – er hat **gesehen**
gehen – sie geht – sie ist **gegangen**

unregelmäßig bei trennbaren Verben:
anfangen – er fängt an – er hat an**gefangen**
aufstehen – sie steht auf – sie ist auf**gestanden**

Alle unregelmäßigen Verben finden Sie in der Liste im Anhang. 171

Nomen und Artikel

Artikelwörter

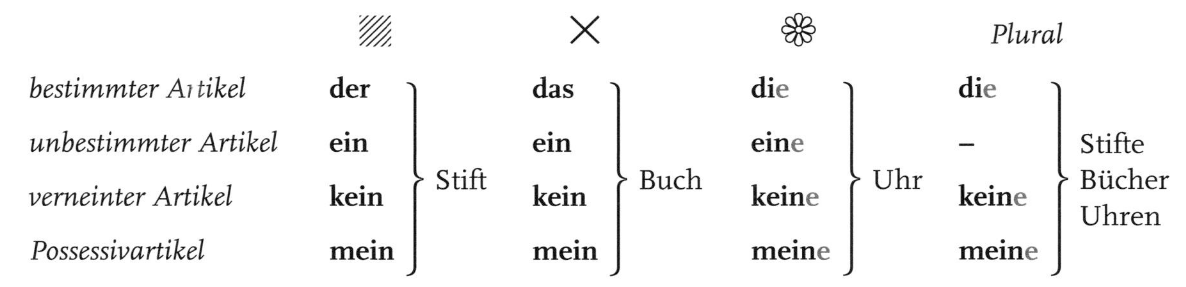

							Plural	
bestimmter Artikel	**der**	Stift	**das**	Buch	**die**	Uhr	**die**	Stifte Bücher Uhren
unbestimmter Artikel	**ein**		**ein**		**eine**		–	
verneinter Artikel	**kein**		**kein**		**keine**		**keine**	
Possessivartikel	**mein**		**mein**		**meine**		**meine**	

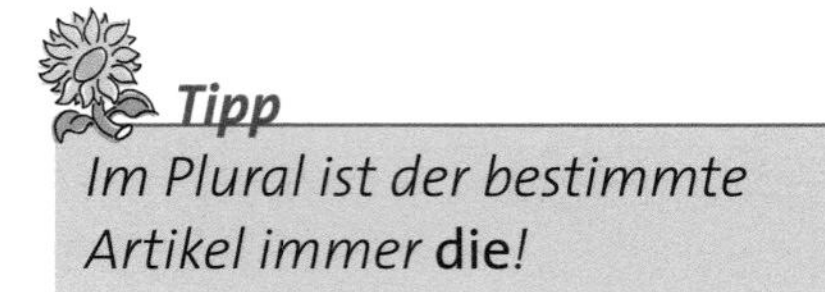

Tipp
Im Plural ist der bestimmte Artikel immer die!

Singular und Plural

die Kartoffel	**die** Kartoffeln	-(e)n
die Verkäuferin	**die** Verkäuferinnen	-nen
das Brot	**die** Brote	-e
der Kopf	**die** Köpfe	"-e
das Kind	**die** Kinder	-er
der Mann	**die** Männer	"-er
der Lehrer	**die** Lehrer	-
der Apfel	**die** Äpfel	"-
das Auto	**die** Autos	-s

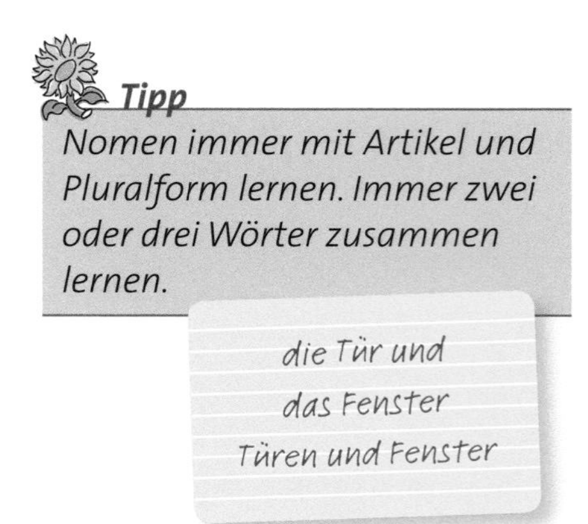

Tipp
Nomen immer mit Artikel und Pluralform lernen. Immer zwei oder drei Wörter zusammen lernen.
die Tür und
das Fenster
Türen und Fenster

Nullartikel als unbestimmter Artikel im Plural

	Singular	*Plural*
der Apfel, "-	Da ist noch ein Apfel.	Da sind noch Äpfel.
das Ei, -er	Ich brauche ein Ei.	Ich brauche Eier.
die Kirsche, -n	Ich hätte gern eine Kirsche.	Ich hätte gern Kirschen.

Nomen ohne Plural:
Ein Apfel = 1 Apfel. Es gibt aber auch Dinge, die man nicht zählen kann: Obst, Gemüse, Mehl, Milch, Reis, ... Diese Wörter haben **keinen unbestimmten** Artikel und **keinen Plural**.

Magst du lieber Reis oder Kartoffeln?

der Reis, *	Magst du Reis?
das Gemüse, *	Isst du gern Gemüse?
die Milch, *	Haben wir noch Milch?

der Artikel bei zusammengesetzten Wörtern

der Salat + die Party = die Salatparty (das heißt, auf der Party gibt es Salate)
die Party + der Salat = der Partysalat (das heißt, ein Salat extra für eine Party)

Das letzte Wort bestimmt den Artikel und die Bedeutung.

Nominativ, Akkusativ und Dativ

	der		das		die	
Nominativ						
Hier ist	**der** **ein** **kein**	Stadtplan,	**das** **ein** **kein**	Buch und	**die** **eine** **keine**	Tasche.
Akkusativ						
Sie braucht	**den** **einen** **keinen**	Stadtplan,	**das** **ein** **kein**	Buch und	**die** **eine** **keine**	Tasche.
Dativ						
Ist der Stadplan	auf **dem** auf **einem** auf **keinem**	Tisch,	auf **dem** auf **einem** auf **keinem**	Bett, oder	in **der** in **einer** in **keiner**	Tasche?

	die (Plural)	
Nominativ		
Hier sind	**die** – **keine**	Stadtpläne. Wörterbücher. Taschen.
Akkusativ		
Sie brauchen	**die** – **keine**	Stadtpläne. Wörterbücher. Taschen.
Dativ		
Ich spiele mit Ich arbeite seit Ich gehe zu	**den** – **keinen**	Kindern. Wochen. Ärzten.

Tipp
Nomen im Dativ Plural
haben immer ein n *am Ende:*
die Wochen ➨ ***seit Wochen***
die Kinder ➨ ***mit den Kindern***

Possessivartikel im Nominativ

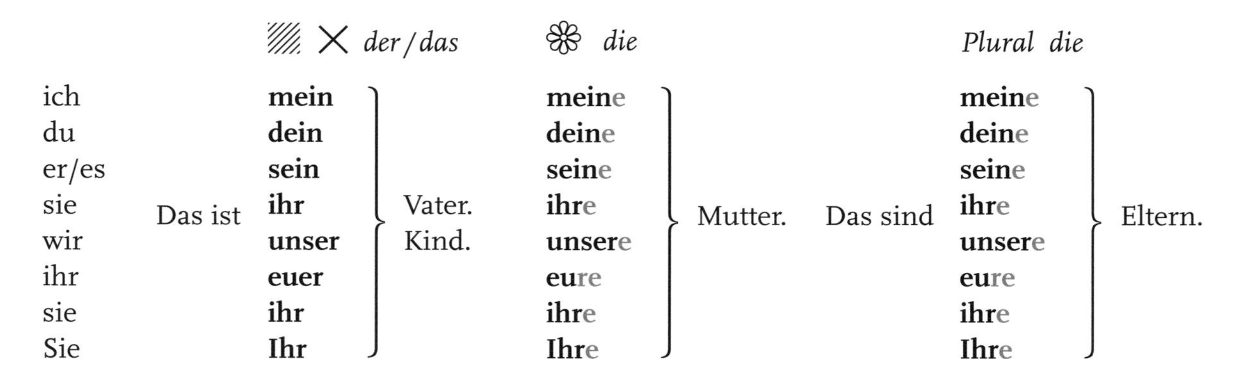

		der/das		*die*			*Plural die*	
ich	Das ist	**mein**	Vater. Kind.	**mein**e	Mutter.	Das sind	**mein**e	Eltern.
du		**dein**		**dein**e			**dein**e	
er/es		**sein**		**sein**e			**sein**e	
sie		**ihr**		**ihr**e			**ihr**e	
wir		**unser**		**unser**e			**unser**e	
ihr		**euer**		**eur**e			**eur**e	
sie		**ihr**		**ihr**e			**ihr**e	
Sie		**Ihr**		**Ihr**e			**Ihr**e	

Tipp

Bei **der** *und* **das** *ist der Possessivartikel im Nominativ gleich:* **mein, dein** *etc.*
Auch Plural und **die** *im Singular ist gleich:* **meine, deine** *etc.*

Possessivartikel im Akkusativ

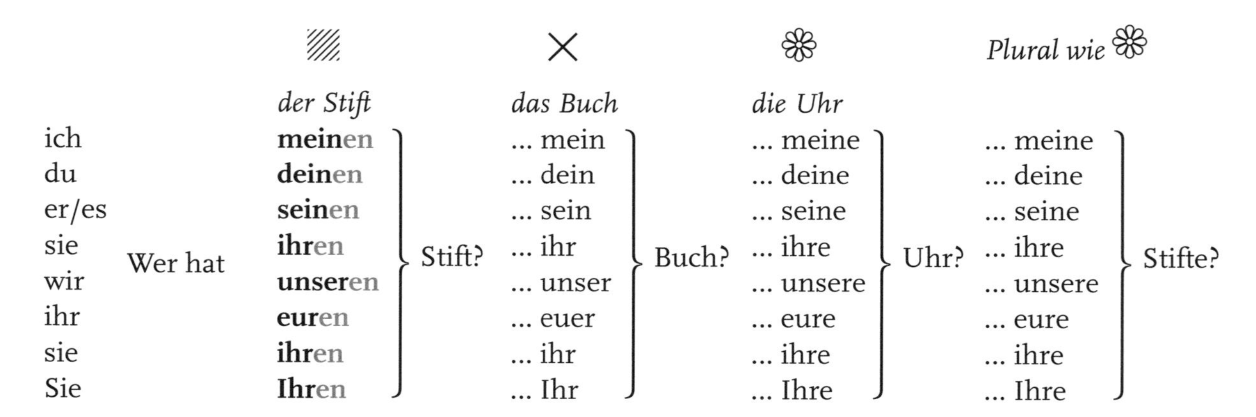

		der Stift		*das Buch*		*die Uhr*		*Plural wie die*	
ich	Wer hat	**mein**en	Stift?	... mein	Buch?	... meine	Uhr?	... meine	Stifte?
du		**dein**en		... dein		... deine		... deine	
er/es		**sein**en		... sein		... seine		... seine	
sie		**ihr**en		... ihr		... ihre		... ihre	
wir		**unser**en		... unser		... unsere		... unsere	
ihr		**eur**en		... euer		... eure		... eure	
sie		**ihr**en		... ihr		... ihre		... ihre	
Sie		**Ihr**en		... Ihr		... Ihre		... Ihre	

Possessivartikel im Dativ

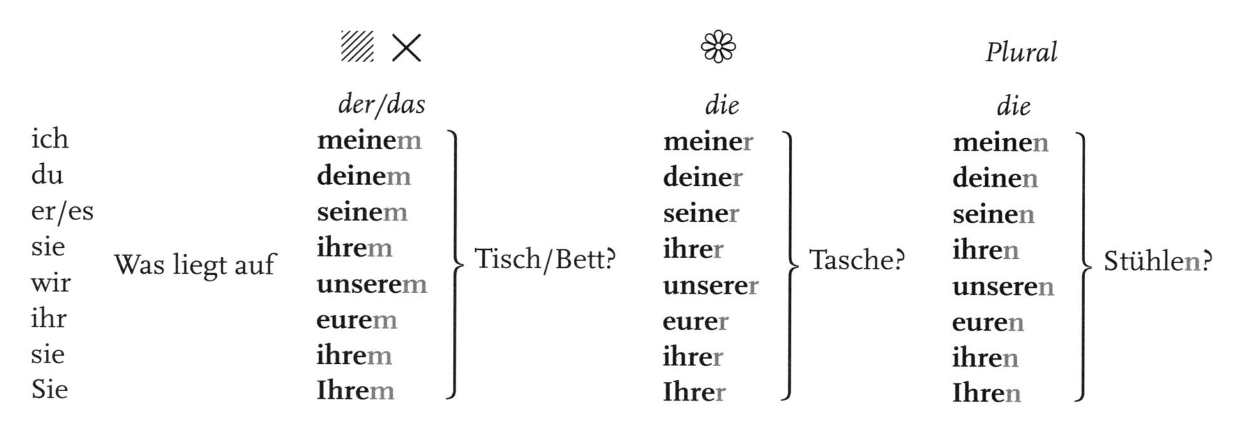

		der/das		*die*		*Plural die*	
ich	Was liegt auf	**mein**em	Tisch/Bett?	**mein**er	Tasche?	**mein**en	Stühlen?
du		**dein**em		**dein**er		**dein**en	
er/es		**sein**em		**sein**er		**sein**en	
sie		**ihr**em		**ihr**er		**ihr**en	
wir		**unser**em		**unser**er		**unser**en	
ihr		**eur**em		**eur**er		**eur**en	
sie		**ihr**em		**ihr**er		**ihr**en	
Sie		**Ihr**em		**Ihr**er		**Ihr**en	

Pronomen

Demonstrativ-Pronomen

Der Tisch ist schön. – Nein, der gefällt mir nicht. *Er* ist zu klein.

Das Zimmer ist schön. – Nein, das gefällt mir nicht. *Es* ist zu dunkel.

Die Vase ist schön. – Nein, die gefällt mir nicht. *Sie* ist zu groß.

Pronomen im Akkusativ

Brauchst du den Schlüssel?	Nein, ich brauche **ihn** nicht.
Brauchen Sie das Fahrrad?	Ja, ich brauche **es**.
Brauchst du die Tasche?	Nein, ich brauche **sie** nicht.

(ich)	Magst du	**mich?**	(wir)	Magst du	**uns?**
(du)	Ich mag	**dich.**	(ihr)	Wir mögen	**euch.**
(er)	Sie mag	**ihn.**	(sie/Sie)	Ich mag	**sie/Sie.**
(es)	Wir mögen	**es.**			
(sie)	Er mag	**sie.**			

Indefinitpronomen

alles – etwas – nichts

Hast du **etwas** gekauft? Nein, ich habe **nichts** gekauft.
Hast du **alles** gefunden? Nein, es fehlt noch **etwas**.

wenig – viel

Ich habe **wenig** Zeit, aber **viel** Geld.
Ich trinke meinen Kaffee mit **wenig** Zucker, aber mit **viel** Milch.

man

Wie sagt **man** das?
Wo kann **man** das kaufen?
Das macht **man** nicht!

Wer ist „man"?

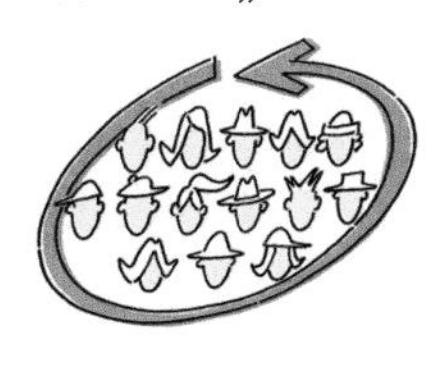

Das darf man nicht!
Ja, man *darf das nicht, aber* ich *darf das!*

Präpositionen

Städte und Länder

Bei Städte- und Ländernamen **ohne Artikel**:
Wo wohnst du? – In Deutschland. In Köln.
Woher kommst du? – Aus Griechenland. Aus Athen.

Bei Ländernamen **mit Artikel**:
die Schweiz/die Ukraine/die Türkei/...:
Ich wohne **in der** Schweiz. / Ich komme **aus der** Ukraine.

der Iran/der Sudan/...: Ich lebe **im** Iran. Ich komme **aus dem** Sudan.

Ort – Wo? (+ Dativ)

Wo ist die Maus?

			Plural
der Tisch	das Bett	die Badewanne	die Stühle
Auf **dem**[1] Tisch?	Unter **dem** Bett?	In **der** Badewanne?	Hinter **den** Stühlen?
Unter **dem** Tisch?	**Im** Bett?	Neben **der** Badewanne?	Zwischen **den** Stühlen?

1 auf + dem = am (A)

in + dem = im

Zeit

im + Jahreszeit oder Monat

Im Sommer fahre ich oft Fahrrad.
Im August habe ich frei.

am + Datum, Wochentag oder Teil des Tages (Morgen, Mittag, Nachmittag, Abend)

Am 1. Mai
Am Samstag
Am Wochenende
Am Abend
} arbeite ich nicht.

um + Uhrzeit

Um 16 Uhr.

von ... bis + Monat, Wochentag oder Uhrzeit

Ich bin **von** Januar **bis** März in Hongkong.
Ich bin **von** Montag **bis** Mittwoch in Hamburg.
Ich arbeite **von** 9 **bis** 17 Uhr.

vom ... bis + Ordnungszahl

Ich bin **vom** 3. **bis** 5. August in Hamburg.

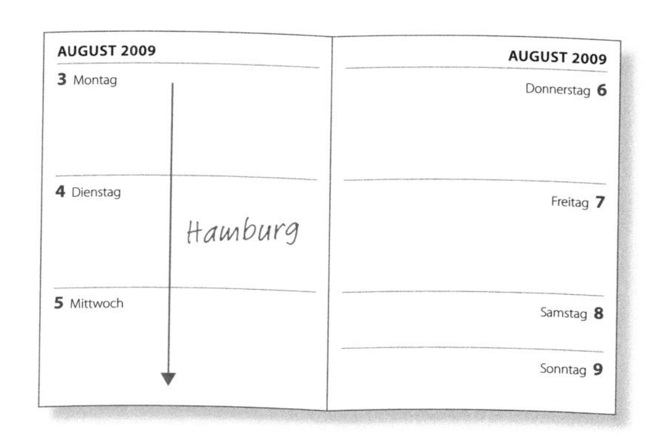

seit

Ich wohne **seit** drei Jahren in Deutschland. / Ich arbeite **seit** einer Woche in Bonn.
Ich habe **seit** gestern/Montag einen Hund.

Präpositionen mit Dativ

Nach diesen Präpositionen steht immer der Dativ: *nach, aus, bei, mit, seit, von, zu* 39

Nach dem Mittagessen habe ich Urs angerufen.
Er kommt **aus der** Schweiz.
Er arbeitet jetzt **bei einer** Firma in München.
Er wohnt **mit einem** Freund zusammen.
Ich kenne ihn **seit einem** Monat.
Er erzählt viel **von seinem** Hobby – Fotografieren.
Er kommt **zu meiner** Geburtstagsparty!

bei + dem = beim
von + dem = vom
zu + dem = zum
zu + der = zur

Ich war gestern **beim** Arzt.
Vom Arzt bin ich dann **zum** Supermarkt gegangen.
Danach bin ich **zur** Post gegangen.

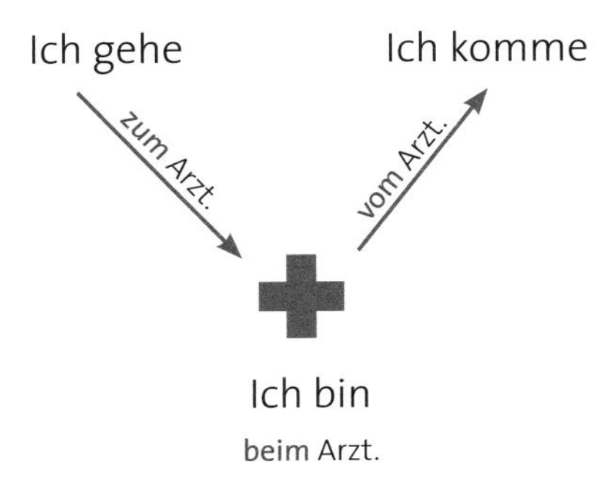

Der Satz

Aussagesätze

Maria	telefoniert.		
Sie	spricht	Deutsch.	
Ich	bin	müde.	
Meine Tochter	braucht	einen Computer.	
Heute abend	kochen	wir Spaghetti.	
Danach	spielen	wir Karten.	
Ich	stehe	nicht früh	auf.
Du	kannst	auch im Bett	bleiben.
Wir	haben	heute viel	gearbeitet.

W-Fragen

Wer	weiß	das?	
Wie	heißen	Sie?	
Woher	kommen	Sie?	
Was	machst	du hier?	
Wo	kaufst	du ein?	
Wann	kannst	du	kommen?
Wann	bist	du gestern	aufgestanden?

Ja-/Nein-Fragen

	Lernst	du Deutsch?	
	Können	Sie das bitte	wiederholen?
	Hast	du alles	verstanden?

Imperativsätze 132

	Trink	deinen Tee!	
	Iss	bitte langsam!	
	Sieh	nicht so viel	fern!
	Mach	den Computer	aus!
	Bleiben Sie	heute zu Hause.	
	Nehmen Sie	die Tabletten.	
	Schlafen Sie	viel.	

Es im Satz

◀ Wie viel Uhr ist **es**?
▮ **Es** ist 9 Uhr.

◀ Wie geht **es** Ihnen?
▮ Nicht gut. **Es** regnet.

Verneinung im Satz

nicht

nicht + Adjektiv
Ich bin **nicht traurig**! Ich bin lustig!

nicht + Verb
Haben Sie das Schild **nicht gesehen**? Sie dürfen hier **nicht fotografieren**!

kein

	kein + Nomen
Ich möchte ein Foto machen.	Nein, Sie dürfen hier **kein Foto** machen!
Haben Sie Zeit?	Nein, ich habe **keine Zeit**!

Steigerung im Satz

Tim mag **gern** Schokoladeneis.
Aber er mag **lieber** Zitroneneis **als** Schokoladeneis.
Und **am liebsten** Vanilleeis.

☺ gern
☺☺ lieber (als)
☺☺☺ am liebsten

Satzverbindungen: *und – aber – denn*

Ich muss heute Vormittag arbeiten **und** ich habe heute Nachmittag einen Arzttermin.
Heute habe ich keine Zeit, **aber** morgen habe ich frei!
Morgen schlafe ich lange, **denn** ich muss nicht arbeiten.

Phonetik kompakt

Satzmelodie

Ich heiße Ismi Kasa. ↘ (Aussagesatz)
Kommen Sie aus Bonn? ↗ (Fragesatz)
Ich komme aus der Türkei, aber ... → (bei 3 Punkten)

Wortakzent

In jedem Wort ist eine Silbe besonders betont.

Ich lerne Chinesisch und habe ein Wörterbuch gekauft.

Bei zusammengesetzten Wörtern liegt die Betonung immer auf dem ersten Wort:
die Küchenlampe, die Salatparty, die Salatpartygäste

Vokale

Kurze und lange Vokale

lang: Fährst du viel Auto? Nein, ich gehe lieber zu Fuß.

kurz: Ich bin im Tennis die Nummer 1, aber sonst ...

Es gibt dreimal e:

1. Wie g[eː]ht's? 2. Nicht schl[ɛ]cht. 3. Ich bin nur müd[ə].

[eː] geschlossen [ɛ] offen [ə] am Ende

Es gibt drei Umlaute: *ä, ö, ü*.

ein Apfel – zwei Äpfel
ein Wort – zwei Wörter
ein Buch – zwei Bücher

ei
„Eins, zwei drei“: Das „ei“ spricht man wie „a + i“.

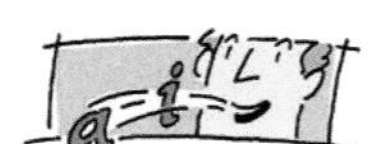

Konsonanten

h
Heute ist es heiß.

-r
Am Silbenende spricht man kein „r“. Man spricht ein schwaches a: [ɐ].

Der Hausmeister arbeitet bis vier Uhr.

ch
Der Ich-Laut [ç] und der Ach-Laut [x].

Ich-Laut:
Pst! Flüstern Sie ein *j*!

Ach-Laut:
Wie laut schnarchen!

Nach *a, o, u* und *au* spricht man den Ach-Laut.
Nach allen anderen Vokalen spricht man den Ich-Laut.

f* oder *v
Man schreibt *f* oder *v*, aber man hört immer [f].

Die Fahrprüfung war nicht einfach. In der Stadt war viel Verkehr.

***ng* [ŋ] und *nk* [ŋk]**
Bei *ng* [ŋ] hört man kein „g“!

Die Wohnung ist dunkel und stinkt. – Danke! – Entschuldigung.

Tipp
So sprechen Sie [ŋ]:
Sprechen Sie ein „n“ und ziehen Sie die Zunge zurück.

Hörtexte

Hier finden Sie alle Hörtexte, die nicht oder nicht vollständig im Buch abgedruckt sind.

Kursbuch-CD

8 Wohnen und leben

3 a)

◂ Guck mal, hier! Einfamilienhaus mit Garten und Terrasse, fünf Zimmer, Einbauküche, zwei Bäder, Gäste-WC, ruhig, 1200 Euro plus Nebenkosten, drei Monatsmieten Kaution.
▮ Zu teuer!
◂ Oder das: Zwei-Zimmer-Wohnung, 50 Quadratmeter, 7. Obergeschoss, Balkon, Einbauküche, 520 Euro plus Nebenkosten.
▮ Zu klein!
◂ Oder hier: Vier Zimmer, Küche, Bad, 120 Quadratmeter, Altbau, Erdgeschoss, 750 Euro plus Nebenkosten.
▮ Das klingt gut! Da rufe ich an!

14 a)

◂ Mama, wo ist mein Ball?
▮ Unter dem Tisch.
◂ Mama, wo ist mein Handy?
▮ Auf dem Boden, neben der Pflanze.
◂ Mama, wo ist meine Kette?
▮ Auf dem Boden, hinter dem Regal.
◂ Mama, wo ist meine Tasche?
▮ Auf dem Bett.
◂ Mama, wo ist mein Heft?
▮ Im Regal.
◂ Mama, wo ist meine Uhr?
▮ Auf dem Tisch, vor dem Computer.
◂ Mama, wo bist du?
▮ Auf der Toilette.

17

◂ Ich brauche einen Teller.
▮ Die Teller sind im Schrank oben rechts.
◂ Ich brauche ein Glas.
▮ Die Gläser sind im Schrank oben links.
◂ Ich brauche ein Messer.
▮ Die Messer sind in der Schublade links.
◂ Ich brauche eine Gabel.
▮ Die Gabeln sind neben den Messern.
◂ Ich brauche einen Löffel.
▮ Ahhhhhhhh. Mach die Augen auf!

9 Arbeitsplätze

12 b)

◖ Guten Tag, DAL-Zeitarbeit, meine Name ist Schmalfuß. Was kann ich für Sie tun?
▮ Hallo, hier spricht Pjotr Kowalski. Ich habe Ihre Anzeige in der Zeitung gesehen. Sie suchen einen Fahrer.
◖ Ja, das ist richtig. Die Stelle ist noch frei.
▮ Was muss ich als Fahrer machen?
◖ Sie transportieren Brot von einer Großbäckerei zu Geschäften. Das heißt: Sie müssen morgens sehr früh anfangen.
▮ Sehr früh? Um wie viel Uhr?
◖ Um drei Uhr nachts. Ist das ein Problem?
▮ Nein, das ist kein Problem.
◖ Wunderbar. Dann kommen Sie doch zu uns. Wir können dann alles besprechen. Heute um 15 Uhr?
▮ Ja, das geht. Muss ich etwas mitbringen?
◖ Wir brauchen Ihren Pass, Ihren Führerschein und Ihre Lohnsteuerkarte.
▮ Okay. Dann bis um drei.

10 Einkaufen

1

◖ Haben wir noch Mehl?
▮ Ja, aber nur noch wenig.
◖ Wie viel?
▮ Hm, vielleicht eine Tasse.
◖ Das ist zu wenig. Und haben wir noch Käse?
▮ Ja, wir haben noch Käse.
◖ Viel oder wenig?
▮ Viel. Wir haben drei Sorten.

6

Dialog 1
◖ Kann ich Ihnen helfen?
▮ Ja. Hefe. Ich suche Hefe.
◖ Hefe finden Sie im Kühlregal. Da vorne rechts.
▮ Danke.

Dialog 2
◖ Entschuldigung, wo finde ich hier Mehl?
▮ Mehl? Zweiter Gang links.
◖ Ja, okay. Vielen Dank.

Dialog 3
◖ Entschuldigung, wo gibt es hier denn Kaffee?
▮ Hier vorne links.
◖ Danke.

7 a)

Unser Preisknüller: Costa-Rica-Kaffee, die 500-Gramm-Packung für nur 3 Euro 59. Italia-Nudeln, verschiedene Sorten, die 500-Gramm-Packung für nur 99 Cent. Pizza à la Mamma, Spinat oder Schinken-Peperoni, für nur 2 Euro 99. In unserem Kühlregal: Dänische Butter, 250 Gramm für nur 79 Cent.

8 a)

dich, euch – Ich frage dich. Ich frage euch.
Milch – Wo finde ich Milch?
Küche – Wo ist die Küche?
rechts – links oder rechts?
nicht – Das weiß ich nicht.

b)

brauchen – Wir brauchen einen Kuchen.
kochen – Was kochen wir morgen?
machen – Wir machen Spaghetti und kaufen einen Kuchen.

9

- Was kann ich für Sie tun?
- Ich hätte gern eine Portion Pommes und eine Bratwurst.
- Die Pommes groß, mittel oder klein?
- Klein, bitte.
- Kommt auf die Pommes was drauf? Ketchup? Majonäse? Zigeunersauce?
- Ketchup, bitte.
- Und die Bratwurst?
- Bitte mit Senf, ohne Brötchen.
- Alles klar. Das macht dann zusammen drei Euro.

14 c)

Entschuldigung, wo finde ich hier die Toiletten?
In der ersten Etage.
Vielen Dank.

Kann ich die Jacke mal anprobieren?
Welche Größe brauchen Sie?
Größe 42.
Hier, bitte. Das ist Ihre Größe.

Kann ich Ihnen helfen?
Ja, ich suche einen Pullover für meinen Sohn.
Bitte, Pullover sind hier vorne rechts.
Was kostet der Pullover?
59,90 Euro.
Was?! So teuer?

Und: Passt die Jacke?
Ja, sie passt.

11 Stadt und Verkehr

2

Ramón braucht einen EU-Führerschein. Er fährt mit dem Fahrrad bis zum Bürgeramt und nimmt dort die U-Bahn-Linie 1. Am Hauptbahnhof steigt er aus. Gegenüber ist der Marktplatz und da, rechts ist auch die Post. Er geht an der Post vorbei und nach ca. 50 Metern ist er bei der Fahrschule.

5

◖ *Ramón:* Entschuldigung, wie komme ich zur Schillerstraße?
▮ *Mann:* Das ist nicht weit. Gehen Sie hier geradeaus, bis zur Ampel. Da gehen Sie rechts. Die zweite Kreuzung ist die Schillerstraße.
◖ *Ramón:* Also erst geradeaus bis zur Ampel, dann rechts bis zur zweiten Kreuzung?
▮ *Mann:* Ja genau!
◖ *Ramón:* Vielen Dank.

14

Ramón: Hi Peter. Es hat geklappt. Ich kann jetzt endlich in Deutschland Auto fahren. Die Prüfung war gar nicht schwer!
Peter: Super. Herzlichen Glückwunsch. Warum hat es so lange gedauert?
Ramón: Man muss ein Formular ausfüllen und braucht ganz viele Papiere: eine Übersetzung vom Führerschein, man muss die Augen ... wie heißt das?
Peter: Man muss einen Sehtest machen?
Ramón: Ja genau und man muss auch die Anmeldung von der Fahrschule zeigen und und und ... Ich war dreimal auf dem Amt. Dann war alles gut. Aber egal. Jetzt habe ich ihn! Fahren wir am Samstag zum Schwimmen?
Peter: Super Idee.

15 b)

Viel Spaß bei der Prüfung. – Fahren Sie bitte zum Bahnhof. – Heute ist nicht viel Verkehr. – Vielleicht ist die Prüfung zu einfach für Sie? – Sie fahren sehr gut. – Herzlichen Glückwunsch!

12 Gesundheit

10

◖ Guten Morgen, was kann ich für Sie tun?
▮ Tom Miller ist mein Name. Ich habe um acht Uhr einen Termin bei Dr. Seeger.
◖ Ihre Versicherungskarte, bitte. Haben Sie eine Überweisung oder bezahlen Sie zehn Euro?
▮ Nein, ich habe keine Überweisung. Hier sind die zehn Euro.
◖ Danke. Hier, Ihre Quittung. Gehen Sie bitte noch einen Moment ins Wartezimmer?
▮ Muss ich noch lange warten?
◖ Nein, Sie sind der Nächste.

16 a)

1.
Wie geht es dir?
Ich habe kaum geschlafen. Dieser Husten ist wirklich schlimm.
Trink doch einen Thymiantee. Der hilft immer bei Husten.

2.
Was ist los? Geht's dir nicht gut?
Ich habe Kopfschmerzen.
Oh, das tut mir leid. Meine Frau hat auch oft Kopfschmerzen. Sie trinkt dann immer einen Kaffee mit Zitrone. Das schmeckt nicht, aber es hilft.

3.
Mama, Lukas ist krank. Das Fieber ist sehr hoch, schon fast 39 Grad. Sind Wadenwickel wirklich richtig?
Ja, mein Kind. Kleinkinder haben oft Fieber. Wechsle die Wickel alle fünf Minuten und geh morgen früh zum Kinderarzt.

14 Reisen in D A CH

14
In wenigen Minuten erreichen wir den Bahnhof von Minden. Sie haben Anschluss an den ICE nach Hannover von Gleis 21 um 17:45 Uhr und an die Regionalbahn nach Herford von Gleis 3 um 17:50 Uhr. Bitte achten Sie auch auf die Lautsprecheransagen am Bahnhof. Wir verabschieden uns von allen Fahrgästen, die in Minden aus- oder umsteigen, und bedanken uns für Ihre Reise mit der Deutschen Bahn. Wir wünschen Ihnen einen guten Tag.

Lerner-CD: Hörtexte der Übungen

Übungen 8

Zu Aufgabe 2
2)

Das klingt gut: Drei-Zimmer-Wohnung, 75 Quadratmeter, drittes Obergeschoss, mit Balkon, Miete: 650 Euro plus 80 Euro Nebenkosten.

Zu Aufgabe 5
Prüfungstraining

Hörtext 1: Hallo, Herr Berger? Hier spricht Kaiser von der Wohnungsbaugesellschaft. Sie haben angerufen und interessieren sich für die 3-Zimmer-Wohnung? Sie ist noch frei und heute, um 15 Uhr, ist ein Besichtigungstermin. Die Wohnung ist in der Mainzer Straße 32. Bei Interesse kommen Sie doch einfach vorbei.
Hörtext 2: Hallo, Herr Berger? Sie hatten noch Fragen zur Wohnung? Ja, die Wohnung hat einen Balkon, aber er ist sehr klein, nur 2 m^2. Die Miete kostet 550 Euro kalt, dann kommen noch ca. 60 Euro Nebenkosten dazu. Rufen Sie mich zurück?

Zu Aufgabe 12
1)

Verkäufer: Guten Tag. Kann ich Ihnen helfen?
Maria: Ja, vielleicht. Ich suche ein Geschenk für meine Freundin. Sie ist umgezogen.
Verkäufer: Haben Sie schon eine Idee?
Maria: Nein, das ist ja mein Problem!
Verkäufer: Wie gefällt Ihnen denn die Vase hier?
Maria: Hm. Ich weiß nicht.
Verkäufer: Oder die Gläser hier?
Maria: Oh, nein.
Verkäufer: Oder der Spiegel vielleicht?
Maria: Ja. Hmm. Ach ja.
Verkäufer: Oder wie gefällt Ihnen die Kette hier?
Maria: Hmm.
Verkäufer: Oder die Uhr.
Maria: Wow. Die ist toll. Die nehme ich.
Verkäufer: Sehr gern.

Zu Aufgabe 13

- Gefällt Ihnen das Sofa?
- Gefallen Ihnen die Handtücher?
- Gefällt Ihnen der Teppich?
- Gefallen Ihnen die Taschen?
- Gefällt Ihnen die Vase?
- Gefallen Ihnen die Gläser?

Zu Aufgabe 14
2)

In der Mitte ist eine Uhr. Das Sofa ist links neben der Uhr. Der Fernseher ist rechts auf einem Tisch. Hinter dem Tisch ist eine Pflanze. Neben dem Fernseher, rechts im Bild ist ein Stuhl. Vor dem Sofa steht ein Tisch. Auf dem Tisch ist eine Tasse und eine Zeitung.

Übungen 9

Zu Aufgabe 2
1)

Puh, das war ein Tag. Heute habe ich zehn Stunden gearbeitet. Ich bin um drei Uhr aufgestanden und habe die Zeitungen ausgetragen. Um sechs Uhr war ich fertig. Danach habe ich Semmeln gekauft und dann habe ich mit meiner Frau gefrühstückt. Um acht Uhr bin ich mit den Hunden spazieren gegangen – zwei Stunden lang. Nach dem Mittagessen in meinem Lieblingsrestaurant habe ich fünf Stunden im Garten gearbeitet. Jetzt bin ich wirklich müde. Und wie war dein Tag?

Zu Aufgabe 11

Ich habe nicht studiert. / Ich habe als Krankenpflegerin gearbeitet. / Ich habe in einem Krankenhaus gearbeitet. / Ich habe ein Jahr Deutsch gelernt. / Ich bin vor drei Jahren ausgewandert. / Ich habe ein Jahr in Frankreich gelebt. / Ich habe nun alles gesagt.

Zu Aufgabe 16
2)

Lieber Peter,
im November fahre ich nach China. Ich besuche meinen Bruder. Er lebt dort mit seiner Frau und seinen Kindern. Das Klima ist da im Winter sehr gut. Nicht so kalt wie in Europa. Aber ich bin ein bisschen nervös.
Viele Grüße, Jan

Übungen 10

Zu Aufgabe 1

Pavel: Möchtest du einen Tee?
Maria: Ja, gern.
Pavel: Mit Milch?
Maria: Ja, bitte mit Milch. Mit viel Milch.
Pavel: Zucker?
Maria: Ja, auch Zucker, aber nur wenig. Und du? Wie trinkst du deinen Tee?
Pavel: Mit Zitrone und Zucker.
Maria: Viel oder wenig?
Pavel: Viel Zitrone, wenig Zucker.

Zu Aufgabe 2
2)

Pavel: Haben wir alles?
Maria: Ich glaube schon. Mal schauen. Hier steht: Milch, Eier, Spaghetti, Apfelsaft, Mehl, Zucker, Reis, Schokolade, Kekse, Öl und Joghurt. Und ... haben wir etwas vergessen?
Pavel: Ja. Ich hole es.

Zu Aufgabe 6
2) Prüfungstraining. Kreuzen Sie an: richtig oder falsch? Sie hören jeden Text einmal.

1. Sehr geehrte Kunden: Besuchen Sie auch unser Restaurant im 4. Obergeschoss.
2. Der kleine Tobias sucht seine Mutter. Er wartet an der Information im Erdgeschoss.
3. Sehr geehrte Kunden: Wir schließen in 15 Minuten.

Zu Aufgabe 8
1)

◖ Was machst du gerade?
▮ Ich bin in der Küche und koche. Das heißt: Ich möchte kochen. Im Moment suche ich.
◖ Ach, was suchst du denn?
▮ Reis. Ich brauche Reis.

2)

- Hallo, Mama. Ich möchte Apfelkuchen backen, aber ich habe kein Rezept. Ich habe schon überall in der Küche gesucht.
- Apfelkuchen? Das ist ganz einfach. Du brauchst Mehl und Milch und auch ein Päckchen Backpulver. Hast du noch Vanillinzucker?

Zu Aufgabe 16
2)

Haben wir alles?

Hoffentlich habe ich nichts vergessen.
Oh, nein, ich habe etwas vergessen!

Entschuldigung, ich möchte etwas umtauschen.

- Wie bitte?! Haben Sie etwas gesagt?
- Nein, ich habe nichts gesagt.

- Ist das alles?
- Ja, das ist schon alles.

- Sag mal, ist das alles?
- Ja, das ist alles.

Übungen 11

Zu Aufgabe 2
1)

Zur Post? / Zum Marktplatz? / Zum Museum? / Zum Flughafen? / Zum Kino? / Zum Krankenhaus?

Zu Aufgabe 3

Pavel fährt heute mit dem Auto. Er möchte seinen Freund zum Bahnhof bringen. Er fährt bis zum Krankenhaus und biegt an der Kreuzung nach rechts ab. Er fragt einen Mann: „Wo ist der Bahnhof?“ Der Mann lacht und antwortet: „Mit dem Fahrrad ist es gleich dort drüben an der Ampel, aber mit dem Auto müssen Sie zurückfahren. Das hier ist eine Einbahnstraße.“

Zu Aufgabe 9

- Entschuldigung. Wo bin ich hier?
- Das ist die Schwabachstraße.
- Wie komme ich von hier zum Marmarisplatz?
- Gehen Sie hier weiter geradeaus bis zur Kreuzung. Dann gehen Sie links in die Jahnstraße und dann die dritte Straße rechts. Dann geradeaus bis zur Isaak-Loewi-Straße. Dort links rein, dann weiter geradeaus und Sie kommen zum Marmarisplatz.
- Vielen Dank.

Zu Aufgabe 12

1)

- Spreche ich mit dem Einwohnermeldeamt?
- Ja, was kann ich für Sie tun?
- Ich brauche einen Bewohner-Parkausweis. Wo bekomme ich den?
- Den Ausweis bekommen Sie hier bei uns. Bringen Sie Ihren Personalausweis und Ihren Fahrzeugschein mit.
- Muss ich ein Formular ausfüllen?
- Ja. Sie können das Formular auch im Internet ausfüllen und es dann ausdrucken.
- Gut. Und wo finde ich Sie genau?
- Unser Amt ist auf dem Marktplatz. Die Adresse ist Am Markt 3, im zweiten Stock. Ziehen Sie bitte am Eingang eine Wartenummer.
- Herzlichen Dank. Auf Wiederhören.

Übungen 12

Zu Aufgabe 4

Dialog 1:
- Hallo Sabine, wie geht es dir?
- Nicht so gut. Ich gehe gerade zum Arzt. Ich habe seit einer Woche Kopfschmerzen.
- Du Arme, gute Besserung.
- Danke.

Dialog 2:
- Guten Morgen, Herr Işbek. Wie geht es Ihnen?
- Gut, danke, aber meine Frau Fatma hat Halsschmerzen. Ich gehe gerade zur Apotheke und hole Tabletten. Hoffentlich ist es keine Grippe.
- Seit wann hat sie das?
- Seit gestern.

Dialog 3:
- Was ist los, Lukas?
- Mein Bein tut weh und ist dick. Ich habe heute Nachmittag Fußball gespielt.
- Wo ist deine Mama?
- Sie holt einen Eisbeutel.

Zu Aufgabe 10

David: Fatma, wie war das noch mal in Deutschland? Was brauche ich beim Arzt?
Fatma: Zuerst musst du eine Versicherungskarte haben. Die bekommst du bei einer Krankenkasse.
David: Da habe ich mich schon angemeldet. Die Karte habe ich.
Fatma: Zu welchem Arzt willst du denn gehen?
David: Zum Hals-Nasen-Ohrenarzt. Ich habe Ohrenschmerzen.
Fatma: Okay, dann brauchst du eine Überweisung vom Hausarzt.
David: Kann ich da zu deinem Arzt gehen? Ist das ein Hausarzt?
Fatma: Ja. Dort musst du 10 Euro Praxisgebühr bezahlen und der Arzt muss dich untersuchen.
David: Also erst 10 Euro, dann Überweisung – richtig?
Fatma: Genau.

Zu Aufgabe 16
1)

– Nehmen Sie bitte im Wartezimmer Platz.
– Bleiben Sie im Bett und trinken Sie Tee.
– Haben Sie das Rezept für die Medikamente?

Übungen 13

Zu Aufgabe 3
3)

1. Können Sie bitte leise sein.
2. Können Sie bitte leise sein?
3. Ihr Abfall stinkt.
4. Ihr Abfall stinkt.
5. Warum steht das Fahrrad hier?
6. Warum steht das Fahrrad hier?

Zu Aufgabe 7

Frau: Wie findest du den neuen Nachbarn?
Mann: Du meinst Herrn Berger?
Frau: Ja genau. Ich glaube, er ist nicht zufrieden.
Mann: Ja, er schimpft viel. Ich glaube, er mag keine Kinder. Hat er Kinder?
Frau: Nein. Aber er ist verheiratet. Seine Frau ist sehr nett.
Mann: Er ist nachmittags immer zu Hause. Ich glaube, er hat keine Arbeit.
Frau: Doch! Er ist Lehrer. Er arbeitet nachmittags zu Hause.
Mann: Gestern hat er geschimpft: Die Musik ist zu laut.
Frau: Aber er hört selbst gern Musik. Das hat seine Frau gesagt.
Mann: Er hasst Tiere.
Frau: Nein, das glaube ich nicht. Er hat Fische. Aber er mag keine Hunde.
Mann: Was glaubst du: Kann er lachen?
Frau: Ich weiß nicht.

Zu Aufgabe 11
Sie streiten im Treppenhaus. / Sie singen im Garten. / Sie rauchen auf dem Balkon. / Sie lachen im Treppenhaus. / Sie feiern am Wochenende.

Übungen 14

Zu Aufgabe 8

1)

Thomas: Guten Tag, wir suchen eine billige Reise im Juli. Was können Sie uns anbieten?
RB: Im Moment haben wir ein Superangebot: zwei Wochen Karibik in einem Traumhotel für nur 1200 Euro inklusive Flug.
Thomas: Was meinst du, Susanne?
Susanne: Das ist doch viel zu teuer und auch zu weit weg.
RB: Sie wollen in Europa bleiben – kein Problem. Zypern hat Traumstrände und super Preise. Schauen Sie zum Beispiel dieses Hotel.
Thomas: Oh nein, das Hotel ist viel zu groß.
RB: In Andalusien gibt es ein Hotel, das heißt: La chiquita – die Kleine. Das ist ein Familienhotel direkt am Meer. Interessiert Sie das?
Susanne: Wie sind die Temperaturen dort im Juli?
RB: Es ist schön warm – etwa 35 Grad.
Susanne: Puh, das ist viel zu heiß.
RB: Dann haben wir auch noch Kroatien im Angebot. Das ist in der Nähe, familiär und nicht so heiß.
Thomas: Das ist doch eine super Idee. Fahren wir nach Kroatien. Das ist wirklich ganz in der Nähe.

2)

- Hallo, Frau Missmut, wie war Ihr Urlaub?
- Schrecklich. Wir sind mit dem Bus gefahren und es hat furchtbar lange gedauert. Das war sehr anstrengend. Das Hotel war laut und viel zu groß. Der Fahrstuhl war kaputt und das Zimmer war im fünften Stock. Und es war hässlich.
- Und wie war das Wetter?
- Viel zu heiß und zu trocken. Da fahre ich nicht noch einmal hin.

Zu Aufgabe 9

Meine Frau und ich waren drei Monate in Deutschland, Österreich und der Schweiz unterwegs – mit dem Fahrrad! Im Mai sind wir in Hamburg losgefahren: Dort hat es geregnet und es war kalt, aber in Freiburg war es eine Woche später schon warm. Wir haben dort Freunde besucht, die Stadt besichtigt und abends gut gegessen. Von Freiburg sind wir in die Schweiz gefahren. Dort waren wir zwei Wochen. Wir hatten im Internet eine Ferienwohnung in den Bergen gebucht und das war super. Dann sind wir zum Bodensee gefahren. Wir sind viel gewandert und haben viele Menschen kennengelernt. Das war wunderschön. Im Juni sind wir mit dem Zug nach Graz gefahren und haben das Kunsthaus besichtigt. Das war sehr interessant. In Wien waren wir natürlich auch – vier Tage.

Zu Aufgabe 14

Sehr geehrte Fahrgäste, wir bitten um Ihre Aufmerksamkeit. Der EC nach Milano über Arth-Goldau, Lugano und Chiasso, planmäßige Abfahrt um 14:23 Uhr wird mit circa vier Minuten Verspätung eintreffen. Wir bitten um Ihr Verständnis.

Alphabetische Wörterliste

Die alphabetische Liste enthält den Wortschatz der Einheiten und der Übungen.
Namen, Zahlen und grammatische Begriffe sind in der Liste nicht enthalten.
Wörter in *kursiv* müssen Sie nicht lernen.

Ein · oder ein – unter dem Wort zeigt den Wortakzent:
ạ = kurzer Vokal   a̲ = langer Vokal

Nationale Varietäten. Die deutsche Standardsprache ist u. a. in Deutschland (D), in Österreich (A) und in der Schweiz (CH) zu Hause. Aber manche Wörter benutzt man nicht in allen Ländern. Beispiel: *Tü̲te* (D), *die*, *-e*: nur in Deutschland; *Sạckerl* (A), *das*, -: in Österreich; *Sạck* (CH), *der*, "-e: in der Schweiz.

Nach den Nomen finden Sie immer den Artikel und die Pluralform.
Zum Beispiel: Buch, das, "-er = das Buch, die Bücher
" = Umlaut im Plural
* = Es gibt dieses Wort nur im Singular.

Die Zahlen geben an, wo das Wort zum ersten Mal vorkommt (z. B. 7/6 bedeutet Einheit 7, Aufgabe 6 oder Ü7/14 Übungsteil der Einheit 7, Übung zu 14).

A

ạb 3/15a
a̲bends 3/15a
a̲ber (1) 1/2a
a̲ber (2) 4/1
Ạbfahrt, die, -en 11/4
Ạbfall, der, "-e 13/3b
ạbgeben, gibt ạb, ạbgegeben 12/0
ạbholen, holt ạb, ạbgeholt 7/3
Ạbkürzung, die, -en 8/2
Ạblauf, der, "-e 7/7
Ạbschied, der, -e 12/19a
ạbstellen, stellt ạb, ạbgestellt 13/11a
Ạbwasch (A), die, -en Ü8/14
ạbwaschen, wäscht ạb, ạbgewaschen 7/6
Ạch,... 2/19a
Ạchtung! 7/13
Adrẹsse, die, -n 3/2
Ạde̲! (CH) 1/2c
Ạfrika, das, * 3/20
aggressi̲v 11/Extra
Ahạ! 1/2a
Airbag, der, -s 10/Extra
Aktio̲n, die, -en 6/24a
Aktivitä̲t, die, -en 6/3
Ạlkohol, der, -e 10/17b
alkoho̲lfrei 10/17
alkoho̲lisch 10/17
alle̲in 3/21c
alle̲ine 7/6
Allergi̲e, die, -n 12/11a
allẹrgisch 12/11b
ạlles 1/11
Alles Gu̲te! 0/2a
Ạlpen, die, nur Pl. 14/9
Alphabe̲t, das, -e 0/3
alphabe̲tisch 3/1
ạls 7/6
ạlso 2/19a
ạlt 3/0
Ạltbau, der, -ten 8/1
Altenpfle̲ger/in (D, A), der/die, -/-nen 7/6
Ạlter, das, - 3/1
Ạltersheim, das, -e 9/3
Ạltpapiertonne, die, -n 13/6
ạm 7/3
Ạmpel, die, -n 11/4
Ạmt, das, "-er 11/12
ạn 2/4b
ạnders 6/6
Anfang (am Anfang), der, "-e 1/7
ạnfangen, fängt ạn, ạngefangen 7/6
Ạngebot (im Angebot sein), das, -e 4/16c
ạnkommen, kommt ạn, ist ạngekommen Ü7/8
ạnkreuzen: kreuzt ạn, ạngekreuzt. 0/1
ạnmachen, macht ạn, ạngemacht 7/6
ạnmelden, meldet ạn, ạngemeldet 11/0
ạnprobieren, probiert ạn, ạnprobiert 10/14b
ạnrufen, ruft ạn, ạngerufen 7/10a
Ạnsage, die, -n 14/14
ạnsehen, sieht ạn, ạngesehen 1/14
ạnstrengend 5/5
Ạntwort, die, -en 2/19b
ạntworten 1/15
Ạnzeige, die, -n 3/15a
ạnziehen, zieht ạn, ạngezogen 7/6
Ạnzug, der, "-e 10/13

Apartment, das, -s 8/2
Apfel, der, "- 4/1
Apfelsaft, der, "-e 10/2a
Apotheke, die, -n 12/0
Apotheker/in, der/die, -/-nen 12/Extra
April, der, -e (Pl. selten) 6/0
arabisch 1/2b
Arbeit, die, -en 3/23
arbeiten 3/15a
Arbeitsplatz, der, "-e, 9/0
Arbeitssuche, die, -n 9/12
Arbeitszeit, die, -en 9/2a
Architektur, die, -en 14/17c
Arm, der, -e 12/1a
Arzt/Ärztin, der/die, "-e/-nen 5/19
Arztzimmer, das, - 12/19a
Ast, der, "-e 7/15a
äthiopisch 1/2b
Aubergine (D, CH), die, -n 4/1
auch 1/2a
auf, 8/5
Auf Wiederhören. 12/9b
Auf Wiedersehen. 0/2
Aufgabe, die, -en 0/4
aufgehen, geht auf, ist aufgegangen 3/Extra
aufgeräumt 10/3
aufgeregt (sein) 7/12b
aufhängen, hängt auf, aufgehängt 12/18
aufhören, hört auf, aufgehört 7/6
aufmachen, macht auf, aufgemacht 12/11a
aufpassen, passt auf, aufgepasst 13/9
aufregend 7/3
aufstehen, steht auf, ist aufgestanden 7/1
aufwachen, wacht auf, ist aufgewacht 7/10a
Auge, das, -n 12/1b
Augenarzt, der, "-e 12/7
Augenfarbe, die, -n 3/2
August (im August), der, -e (Pl. selten) 5/12
aus 1/1
ausatmen, atmet aus, ausgeatmet 12/11a
Ausbildung, die, -en 9/8
ausdrucken, druckt aus, ausgedruckt Ü11/12
Ausflugsziel, das, -e 14/8
ausfüllen, füllt aus, ausgefüllt 11/12b
Ausgabe, die, -n (meist Pl.) 10/Extra
ausgeben, gibt aus, ausgegeben 10/17a
Auslieferung, die, -en 9/13a
Aussage, die, -n 9/2b
aussehen, sieht aus, ausgesehen 12/11a
außerdem 12/11b
Aussicht, die, -en 14/8a
Ausstellung, die, -en 6/24b
austragen, trägt aus, ausgetragen 9/5
auswählen, wählt aus, ausgewählt 11/6
auswandern, wandert aus, ist ausgewandert 9/8
Ausweis, der, -e 12/0
ausziehen, zieht aus, ist ausgezogen 13/Extra
Auto, das, -s 1/9
Autobahn, die, -en 8/5
Autobahnauffahrt, die, -en 11/4
Automat, der, -en 11/7a
automatisch 3/Extra
Autor/in, der/die, -en/-nen 14/9

B

Babysitter/in, der/die, -/-nen 13/13
backen, backt, gebacken 6/3
Bäckerei, die, -en 9/3
Backpulver, das, * 10/4b
Bad, das, "-er 7/2
Badegelegenheit, die, -en 7/Extra
baden 7/15a
Badewanne, die, -n 8/7
Bahn, die, -en 3/0
BahnCard (D), die, -s 3/12
Bahnhof, der, "-e, 11/0
Bahnschalter, der, -, 14/5
bald 7/3
Balkon, der, -e/-s 8/2
Ball, der, "-e 2/1
Banane, die, -n 4/4a
Bar, die, -s 0/3
Bauch, der, "-e 12/1b
Bauchschmerz, der, -en (meist Pl.) 12/6
bauen 6/3
Beamer, der, - 2/0
beantworten 3/3
Bedeutung, die, -en 8/18
beeilen: Beeil dich! 12/Extra
beginnen, beginnt, begonnen 5/23c
Begrüßung, die, -en 12/19a
bei 4/10b
beide 1/18
Bein, das, -e 12/1b
Beispiel, das, -e 1/16
bekannt 11/16a
Bekannte, der/die, -n 7/Extra
bekommen, bekommt, bekommen 4/4a
bellen 13/3b
benutzen 11/10b
Benutzer/in, der/die, -/nen 14/15b
bequem 14/5
Beratung, die, -en 7/17a
bereisen 14/Extra
Berg, der, -e 14/0
berichten 9/15a
Beruf, der, -e 7/6
beruflich 9/6
berühmt 14/8a
beschreiben, beschreibt, beschrieben 9/5
besichtigen 14/2a

besonderer, besondere, besonderes 11/16a
besonders 14/5
Besprechungstermin, der, -e 7/6
besser, am besten 7/Extra
bestimmen 8/18
Besuch, der, -e 6/7a
besuchen 5/1
betont 8/18
Betonung, die, -en 1/3
Betriebskosten (A), _die, nur Pl._ 8/6
Bett, das, -en 2/0
bewölkt (es ist bewölkt) 6/5
bezahlen 12/0
Bezahlung, die, -en 3/15a
Bibliothek, die, -en 9/3
Bidet, das, -s 13/Extra
Bier, das, * 10/6
bieten, bietet, geboten 14/8a
Bild, das, -er 9/0
bilden: Gruppen bilden 9/19b
Bildung, die, * 10/17
billig 4/3
bis 3/15a
bis später 8/5
bisschen: ein bisschen 11/4
bitte 2/2
Bitte schön. 4/4a
blättern 3/14
blau 6/7a
bleiben, bleibt, ist geblieben 5/16b
Bleistift, der, -e 2/1
Blitz, der, -e 4/2
blitzen (es blitzt) 6/4
blockieren 14/15b
blühen 12/11b
Blume, die, -n 6/3
Blumen gießen, Blumen gegossen 13/9
Bluse, die, -n 10/13
Bodyguard, der, -s 9/Extra
böse 11/Extra
Boot, das, -e 3/0
Bratwurst, die, "-e 10/9a
brauchen 3/11
braun 8/9
Braut, die, "-e 5/23
Bräutigam, der, -e 5/23
Brezel, die, -n 4/12
Brille, die, -n 5/9
bringen, bringt, gebracht 9/2a
Brite/in, der/die, -n/-nen 7/Extra
Broschüre, die, -n 12/11b
Brot, das, -e 4/10
Brötchen (D), das, - 4/11
Brotsorte, die, -n 4/10a
Bruder, der, "- 5/1
Buch, das, "-er 2/4a
buchen 14/5
Buchstabe, der, -n 1/3
buchstabieren 1/8
bügeln 3/15a
Bürgeramt, das, "-er 11/0
Bürgerbüro, das, -s 7/17a
Büro, das, -s 5/22
Burg, die, -en 14/0
Bus, der, -se 11/7
Busunternehmen, das, - 11/Extra
Butter, die, * Ü3/10

C

Café, das, -s 7/14a
Call-Center, das, - 3/15a
Camping, das, * 0/3
Campingplatz, der, "-e 8/Extra
CD, die, -s 2/1
CD-Player, der, - 2/0
Cent, der, -s od. - 10/7
Chance, die, -n 0/3
Chaos, das, * 8/14
chaotisch 13/3b
Chef/in, der/die, -s/-nen 9/8
Chiffre, die, -n 3/15a
Chinese/-in, der/die, -n/-nen 4/Extra
Chinesisch, das, * 1/16
Chips, die, nur Pl. 10/2a
circa (Abk.: ca.) 7/Extra
Coiffeur/Coiffeuse (CH), der/die, -e/-n 9/5
Coiffeursalon (CH), der, -s 3/15a
Cola, die (D), das (A, CH), -s 10/2a
Comic, der, -s 5/19
Computer, der, - 0/3
cool 5/23b
Cousin/e, der/die, -s/-n 5/1
Croissant, das, -s 4/12
Currysoße, die, -n 10/9a
Currywurst, die, "-e 10/9a

D

da 4/11
da sein, ist da, ist da gewesen 5/5
Damentoilette, die, -n 14/15a
damit 6/Extra
danach 7/3
Danke. 1/2c
dann 4/13b
darum 9/8
das 1/1
Das geht nicht. 1/Extra
Datum, das, Daten 7/12
dauern 7/3
dazwischen 6/Extra
denken, denkt, gedacht 4/13b
Denkmal, das, "-er 11/16a
denn 4/4a
der 2/11
Deutsch, das, * 0/3
deutsch 3/Extra
Deutsche, der/die, -n 4/10a
Deutschkurs, der, -e 2/1
Dezember, der, - (Pl. selten) 6/1
Dialog, der, -e 1/2
Diät, die, -en 3/Extra
dick 3/17
die 2/11
Dienstag, der, -e 6/1
dieser, dieses, diese 3/0

diktieren 8/20a
Ding, das, -e 2/1
diskutieren 14/8c
doch 1/Extra
Doktor, der, -en/Doktorin, die, -nen 0/3
Dokument, das, -e 0/3
Dom, der, -e 11/1
Donner, der, - 6/Extra
donnern (es donnert) 6/4
Donnerstag, der, -e 6/1
dort 5/1
draußen 6/7a
drücken 11/7a
Drucker, der, - 4/1
du 1/1
dunkel 6/0
dunkelblau 8/10
dünn 3/17
durch 11/Extra
durchfahren, fährt durch, ist durchgefahren 14/15a
dürfen, darf, gedurft 13/11a
Dusche, die, -n, 8/7
duschen 7/1
DVD, die, -s 0/3

E

E-Mail, die (D, CH) / das (A), -s 2/16
Echo, das, -s 3/19b
Ecke, die, -n 13/1
egal: Das ist egal. 12/9b
Ei, das, -er 10/2a
ein, ein, eine 2/0
einatmen, atmet ein, eingeatmet 12/11a
Einbahnstraße, die, -n 1/Extra
Einbauküche, die, -n 8/1
einfach 2/11
einige 5/5
Einkauf, der, "-e 4/16c
einkaufen, kauft ein, eingekauft 4/12
Einkaufscenter, das, - 11/5
Einkaufsliste, die, -n 4/16b
einladen, lädt ein, eingeladen 13/6
*Einlass, der, ** 14/8a
einmal 5/1
einrichten, richtet ein, eingerichtet 8/9
Einsatz, der, "-e 9/Extra
einschlafen, schläft ein, ist eingeschlafen 2/Extra
einsetzen, setzt ein, eingesetzt 12/Extra
einsteigen, steigt ein, ist eingestiegen 11/4
einstellen, stellt ein, eingestellt 2/Extra
einteilen, teilt ein, eingeteilt 9/2a
Eintritt, der, * 14/8a
Einwohner/in, der/die, -/-nen 4/10a
Einwohnerdienste (CH), *die, nur Pl.* 13/9
Einwohnermeldeamt, das, "-er 13/9
Einzelfahrkarte, die, -n 11/7a
einziehen, zieht ein, ist eingezogen 13/9
einzig 9/Extra
Eis (D, A), das, * 2/6
Eiscafé (D), das, -s 7/13
Eisenbahnmuseum, das, -museen 7/12b
Elefant, der, -en 11/Extra
Elefantenhaus, das, "-er 14/8a
elektronisch 10/Extra
Eltern, die, nur Pl. 5/1
Ende (am Ende), das, -n 6/7e
endlich 7/15a
Energie, die, -n 10/Extra
eng 13/17
Englisch, das, * 3/18a
englisch 3/23
Enkelkind, das, -er 5/5
entfernt (entfernt sein) 6/Extra
entschuldigen 5/17
Entschuldigung, die, -en 5/16
entspannen 14/2a
er 1/18a
Erdbeere, die, -n 4/1
Erdgeschoss (EG), das, -e 8/2
erfolgreich 3/18a
ergänzen 1/4
Ergebnis, das, Ergebnisse 10/17c
Erinnerung, die, -en 14/Extra
Erkältung, die, -en 5/16
erlaubt sein 14/8a
erleben 14/Extra
ersetzen 12/0
erst 7/10a
erzählen 7/11
es 2/11
Espresso, der, -s Ü4/11.2
Essen, das, * 0/4
essen, isst, gegessen 4/10a
Essig, der, * 10/2a
Esslöffel (EL), der, - 10/4b
etwas 2/19a
etwas (ein bisschen) 4/13b
*EU (Europäische Union), die, ** 10/Extra
Euro, der, -s 4/4a
*Europa, das, ** Ü4/7
Europäer/in, der/die, -/-nen 7/Extra
europäisch 14/9
Exkursion, die, -en 14/17
exotisch 13/3b
experimentieren 14/8a

F

Fähigkeit, die, -en 3/15a
Fahrausweis (CH), der, -e 3/6
Fähre, die, -n 14/8a
fahren, fährt, ist gefahren 3/0
Fahrer/in, der/die, -/-nen 9/13a
Fahrgast, der, "-e 11/Extra
Fahrkarte, die, -n 11/7a
Fahrkartenautomat, der, -en 11/7a
Fahrplan, der, "-e 14/13
Fahrprüfung, die, -en 11/12c

Fahrrad, das, "-er 3/15a
Fahrradtour, die, -en 14/0
Fahrschule, die, -n 11/0
Fahrstunde, die, -n 11/5
Fahrzeug, das, -e 11/Extra
falsch 3/4
Familie, die, -n 3/23
Familienstand, der, * 3/2
Fan, der, -s 9/2a
Farbe, die, -n 8/9
Fassade, die, *-n* 14/8a
fast 11/16a
faul 14/2a
Fazit, das, -e 6/24a
Februar, der, -e (Pl. selten) 6/1
fehlen 8/3a
Fehlen, das, * 5/17
Feier, die, -n 5/23c
Feierabend, der, -e 7/0
feiern 5/1
Feld, das, -er 6/Extra
Fenster, das, - 2/1
Fensterputzer/in, der/die, -/-nen 9/Extra
Ferien, die, nur Pl. 7/13
Fernfahrt, die, -en 9/13a
Fernsehen, das, * 3/4
fernsehen, sieht fern, ferngesehen 5/22
Fernseher, der, - 2/0
fertig (fertig sein) 6/20
Fertigprodukt, das, -e 10/17b
Fest, das, -e 5/1
Festanstellung, die, -en 9/13a
Feuerwehr, die, * 9/Extra
Fieber, das, * 5/16
Film, der, -e 3/0
Filterkaffee, der, -s 8/18
finden, findet, gefunden 4/4a
Finger, der, - 12/1b
Firma, die, Firmen 9/8
Fisch, der, -e 10/2a
Fischer/in, der/die, -/-nen 9/Extra
Fischereimeister/in, der/die, -/-nen 9/Extra
fit 12/13a
Flasche, die, -n 10/3
Fleisch, das, * 10/11
flexibel 3/15a
Flexibilität, die, * 3/15a
fliegen, fliegt, ist geflogen Ü11/7
Flohmarkt, der, "-e 4/0
Flugticket, das, -s 3/8a
Flugzeug, das, -e Ü11/7
Flur (D), der, -e 8/7
flüstern 10/8a
Form, die, -en 6/7e
Formular, das, -e 11/12a
Fossilienmuseum, das, -museen 11/16a
Foto, das, -s 1/14
Fotoapparat, der, -e 4/2
fotografieren 1/4
Frage, die, -n 1/23a
fragen 1/8
Fragen stellen 14/5
Fragezeichen, das, - 1/4
Franken (CH), der, - 12/0
Franzose/Französin, der/die, -n/-nen 7/Extra
Frau, die, -en 1/2a
Frauenarzt, der, "-e 12/7
frei (frei haben) 5/22
frei machen 12/0
Freibad, das, "-er 7/13
Freiheit, die, -en 8/Extra
Freitag, der, -e 6/1
Freizeit, die, * 7/15a
freuen (sich) 7/12b
Freund/in, der/die, -e/-nen 3/11
freundlich 3/15a
Frisör/in (D, A), der/die, -e/-nen 9/2a
Frisörsalon (D, A), der, -s 3/15a
froh 8/19c
fröhlich 5/23b
früh 7/1
früher 9/8
Frühling, der, -e 6/20
Frühschicht, die, -en 9/13a
Frühstück, das, -e 4/12
frühstücken 7/1
fühlen 4/9
Führerschein (D, A), der, -e 3/6
Führung, die, -en 7/17a
funktionieren 4/3
für 3/15a
Fuß, der, "-e 12/1b
Fußball * 5/1
Fußballspieler/in, der/die, -/-nen 5/1
füttern 13/10a

G

Gabel, die, -n 8/17
Gang (A, CH), der, "-e 8/7
ganz 2/11
ganzer, ganzes, ganze 6/7a
gar nicht 8/13
Garage, die, -n 13/14a
Garten, der, "- 8/1
Gärtner/in, der/die, -/-nen 9/5
Gas, das, -e 10/17
Gäste-WC, das, -[s] 8/1
Gaststätte, die, -n 10/Extra
geben, gibt, gegeben 4/0
geboren (geboren am) 3/3
Geborgenheit, die, * 5/0
gebrochen (sein) 12/6
Geburtsort, der, -e 3/2
Geburtstag, der, -e 3/2
Geburtstagskind, das, -er 5/5
Gedicht, das, -e 4/9
Gefahr, die, -en 9/Extra
gefährlich 6/22
gefallen: es gefällt mir, hat mir gefallen 8/12
Gefühl, das, -e 8/Extra
gegen 7/Extra
Gegensprechanlage, die, -n 1/Extra
Gegenstand, der, "-e 9/6
gehen, geht, ist gegangen 4/16e
gelb 8/9

Geld, das, -er 3/15a
Geldstrafe, die, -n 11/Extra
Gemeinde, die, -n 11/Extra
Gemeindeamt (A), das, "-er 11/0
Gemeindekanzlei (CH), die, -en 11/0
Gemüse, das, - 4/1
genau 8/19c
Genie, das, -s 0/3
geöffnet: es ist geöffnet 7/13
Gepäck, das, * 14/9
geradeaus 11/6
Germ (A), *der,* * 10/4b
gern 1/18a
gern, lieber, am liebsten 10/9
Geschäft, das, -e 4/10a
Geschenk, das, -e 13/Extra
Geschichte, die, -n 9/2a
geschieden (sein) 3/2
Geschlecht, das, -er 3/2
geschlossen: es ist geschlossen 7/13
Geschwister, die, nur Pl. 5/1
gesondert 7/13
gestern 6/7
gesund 4/Extra
Gesundheit, die, * 12/0
Getränk, das, -e 10/17
Gewitter, das, 6/4
Gitarre, die, -n 0/3
Glace (CH), *die/das,-,-s* 2/6
Glas, das, "-er 4/1
Glaskuppel, die, -n 14/8a
glauben 2/2
gleich 7/10a
Gleis, das, -e 14/14
Glossar, das, -e 9/Extra
Glück haben, das, * 13/9
Grad, das, -e 6/11
Grafik, die, -en 10/17a
Gramm (Abk.: g), das, - 4/4a
gratis 7/Extra
grau, 8/9
Grieche/-in, der/die, -n/-nen 7/Extra
griechisch 1/2b
grillen (D, A) 6/3
grillieren (CH) 6/3
Grippe, die, -n 12/6
groß 3/1
Großbäckerei, die, -en 4/10a
Größe, die, -n 3/1
Großeltern, die, nur Pl. 5/1
Großkunden-Betreuer/in, der/die, -/-nen 9/Extra
Großvater/-mutter, der/die, "-/"- 5/4b
grüßen 14/Extra
Grüezi. (CH) 1/2c
grün 6/0
Gruppe, die, -n 0/3
Gruß, der, "-e Ü2/16
Grüß Gott. (DSüd, A) 0/2a
Guetzli (CH), *das, -* 6/3
gültig 11/0
gut 1/2c
Gute Besserung! 5/16b
Gute Nacht! 1/2c
Guten Abend. 1/2c
Guten Appetit! 4/16f
Guten Morgen. 1/2c
Guten Tag. 0/2
Gymnastik, die, - 2/13

H

Haar, das, -e 7/3
Haarausfall, der, * 12/Extra
Haarfarbe, die, -n 3/2
haben 2/4b
halb 6/13
halber, halbes, halbe 4/4a
halbtags 7/6
Halbtax (CH), das, - 3/12
Hallo! 0/2
Hals, der, "-e 12/1b
Hals-Nasen-Ohren-Arzt, der, "-e 12/7
halten, hält, gehalten 14/15b
Haltestelle, die, -n 11/7a
Hamburger, der, - 0/3
handwerklich 3/15a
Hand, die, "-e, 12/1b
Handschuh, der, -e 10/13
Handtuch, das, "-er 8/9
Handy, das, -s 2/1
hassen 13/3b
hässlich Ü4/3.3
häufig (der häufigste Name), am häufigsten 1/Extra
Haube (A), die, -n, 10/13
Hauptbahnhof, der, "-e 14/15b
Hauptstadt, die, "-e 14/9
Haus, das, "-er 5/8a
Hausarzt, der, "-e 12/0
Hausboot, das, -e 8/Extra
Haushalt, der, -e 7/6
Hausmeister/in, der/die, -/-nen 9/5
Hausmittel, das, - 12/15
Hausnummer, die, -n 3/2
Haustier, das, -e 3/0
Haustür, die, -en 13/13
Hauswart (CH), der 9/5
Haut, die, "-e 12/13a
Hebamme, die, -n 9/Extra
Hefe (D, CH), *die,* * 10/4a
Heft, das, -e 2/1
heilen 6/Extra
heilig 13/Extra
Heimat, die, * 6/7a
heiraten 7/16c
heiß 6/0
heißen, heißt, geheißen 0/1
Heizungsableser/in, der/die, -/-nen 13/13
Heizungskosten, die, nur Pl. 8/6
helfen, hilft, geholfen 3/15a
hell 6/0
hellblau 8/10
Hemd, das, -en 10/13
Herbst, der, -e 6/2
Herd, der, -e 8/0
Herr, der, -en 1/14
herrlich 14/5
herumdrehen, dreht herum, herumgedreht 12/Extra
Herz, das, -en 12/13a
Herzlichen Glückwunsch! 8/7
Heu, das, * 7/15a

Heuschnupfen, der, * 6/3
heute 4/4a
hier 1/9
Highlight, das, -s 14/8a
Hilfe, die, -n 3/15a
Himmel, der, - 6/7a
Hinfahrt, die, -en 14/12b
hinten 5/5
hinter 8/14b
hintereinander 6/Extra
Hobby, das, -s 5/Extra
hoch: wie hoch? 8/5
Hochhaus, das, "-er 14/8a
Hochzeit, die, -en 5/23
höflich 4/15
holen 10/4a
Holzhaus, das, "-er 8/Extra
hören 0
Horrornachbar/in, der/die, -n/-nen 13/6
Hose, die, -n 10/13
Hotel, das, -s 3/14
Hund, der, -e 3/12
Hundesitter/in, der/die, -/-nen 9/5
Hunger, der, * 7/15a
hupen 11/Extra
Husten, der, - 12/5

I

*ICE (Intercity-Express), der, ** 14/12b
ICE-Lokführer, der, - 14/15b
ich 0/1
ideal 12/13a
Idee, die, -n 9/8
Identitätskarte (CH), *die, -n* 3/12
ihr 2/16
im 2/1
Imbiss, der, -e 14/17b
immer 3/15a
immer noch 7/10a
in 1/2a
Informatiker/in, der/die, -/-nen 9/8
Information, die, -en 3/5
Informationsbüro, das, -s 11/0
Inklusivmiete (A), *die, -n* 8/6
Insel, die, -n 8/Extra
insgesamt 8/6
intelligent 3/18a
interessant 1/2b
interessieren 7/17a
international 0/3
Internet, das, * 8/6
Interrail-Ticket, das, -s 14/9
Interview, das, -s 1/23a
Italiener/in, der/die, -/-nen 6/8

J

ja 1/14
Ja, klar! 2/2
Jacke, die, -n 10/13
Jägersoße, die, -n 10/9a
Jahr, das, -e 3/0
Jahreszeit, die, -en 6/0
Januar, der, -e (Pl. selten) 6/0
Japaner/in, der/die, -/-nen 14/9
Japanisch, das, * 3/18a
Jeans, die, - 10/13
jeder, jedes, jede 2/Extra
jetzt 4/13b
Job, der, -s 3/15
joggen 1/18a
Joghurt, der, -[s] 10/2a
Journalist/in, der/die, -en/-nen 12/Extra
Jüdische Museum, das, Museen 11/16a
Juli, der, -s (mst. Sg.) 6/0
jung 3/17
Junge, der, -n 3/Extra
Juni, der, -s (Pl. selten) 6/1
Jupe (CH), der, -n 10/13

K

Kaffee (D) / Kaffee (A, CH), der, -s 3/0
*Kaffeefilter, der, -,*8/18
*Kakaopulver, das, ** 10/4b
Kalender, der, - 7/14a
kalt 6/0
Kaltmiete (D), *die, -n* 8/6
kaputt (kaputt sein) 6/7a
Karte, die, -n 14/8a
Karte (EC-Karte/Kreditkarte), die, -n 10/14a
Karteikarte, die, -n 9/19c
Kartoffel, die, -n 4/1
Karton, der, -s 11/17a
Käse, der, * 10/1
Kassa (A), die, Kassen 10/14a
Kassabon (A), der, -s 10/15a
Kasse (D, CH), die, -n 10/14a
Kassenbon (D, CH,), der, -s 10/15a
Kastanie, die, -n 6/3
Kasten (A), der, "- Ü2
Katze, die, -n 12/11c
kaufen 4/2
Kaufhaus (D, A), das, "-er 10/13
Kaufmann/-frau, der/die ", -er/-en 7/6
Kaugummi kauen, das, -s,13/18b
Kaution, die, -en 8/2
kein, kein, keine 2/6
Keks (D), der, -e Ü10/2
Kellner/in, der/die, -/-nen 9/0
kennen, kennt, gekannt 1/24
kennenlernen, lernt kennen, kennengelernt 5/23c
Ketchup, der od. das, * 10/2a
Kette, die, -n 4/1
Kfz-Mechatroniker, der, - 9/2a
Kilo(gramm) (Abk.: kg), das, -s 4/4a
Kilometer, der, - 0/3
Kind, das, -er 3/0
Kinderarzt, der, "-e, 12/7
Kindergarten, der, "- 7/2
Kinderzimmer, das, - 8/7

Kino, das, -s 7/17
Kirche, die, -n 14/0
Kirsche, die, -n 4/1
Kiwi, die, -s 4/1
Klasse, die, -n 3/15a
Klavier, das, -e 12/Extra
kleben 9/20b
Kleid, das, -er 4/1
Kleidung, die, * 10/13
klein 3/17
Klima, das, -s 7/Extra
klingen, klingt, geklungen 8/3b
klingeln 1/13
Knall, der, -e 6/7a
Knie, das, - 12/1b
Knoblauch, der, * 4/1
*Knoblauchquark, der, ** 4/13b
Koch/Köchin, der/die, "-e/-nen 9/0
kochen 1/18a
Kollege/-in, der/die, -n/-nen 7/6
komisch 13/Extra
Komma, das, -s u. -ta 10/17a
kommen, kommt, ist gekommen 1/1
Komponist/in, der/die, -en/-nen 3/Extra
können, kann, gekonnt 2/2
Kontakt (haben), der, -e 9/17a
kontrollieren 10/Extra
Konzert, das, -e 7/17a
Kopf, der, "-e 4/10a
Kopfschmerz, der, -en (meist Pl.) 12/5
Korbmacher, der, - 14/Extra
Körper, der, - 10/Extra
Körperteil, der, -e 12/2
korrigieren 12/11b
kosten 4/3
Kosten, die, nur Pl. 8/6
kostenlos 7/Extra
Krach, der, * 13/3b
Kraftfahrer/in, der/die, -/-nen 9/13a
krank (krank sein) 5/16
Krankenhaus (D, A), das, "-er 9/2a
Krankenpfleger/in, der/die, -/-nen 9/2a
Krankheit, die, -en 9/Extra
Krankmeldung, die, -en 12/10
Krawatte, die, -n 10/13
Kreditkarte, die, -n 3/11
Kreuz, das, -e 2/12
Kreuzung, die, -en 11/4
Küche, die, -n 8/7
Kuchen, der, - 4/12
Kugel (Eis), die, -n 10/10
Kühlschrank, der, "-e 2/0
kulinarisch 14/Extra
Kultur, die, -en 10/17
Kunde/Kundin, der/die, -n/-nen 9/2a
kurios 14/15
Kurs, der, -e 0/2b
kursiv 11/16
Kursraum, der, "-e 2/22a
Kurve, die, -n 11/Extra
kurz 3/20b
kurz nach/vor 6/13
Kurzstrecke, die, -n 11/7a

L

lachen 1/18a
*Lächeln, das, ** 11/7a
Lampe, die, -n Ü4/8.3
Land, das, "-er 1/1
Landschaft, die, -en 14/5
lang 3/20a
lange 9/8
langsam 2/4
langweilig 6/0
laufen, läuft, ist gelaufen 5/21
Laugenstange, die, -n 4/12
Laut, der, -e 10/8a
laut 5/0
leben 4/10b
Leben, das, - 6/23
Lebenslauf, der, "-e 9/8
Lebensmittel, das, - 9/13a
lecker (D) 4/13b
ledig (ledig sein) 3/2
Lehrer/in, der/die, -/-nen 0/1
leider 5/1
leidtun: Tut mir leid. 10/6
leise 1/2c
lernen 1/14
lesen, liest, gelesen 0
letzter, letztes, letzte 5/7
Leute, die, nur Pl. 6/7a
Licht, das, -er 6/23
lieb 5/12
Liebe Grüße Ü4/P
lieben 8/Extra
Lieber/Liebe ... Ü4/P
Lieblingswort, das, "-er 0/4
Lied, das, -er 8/19
liegen, liegt, hat gelegen (D)/ ist gelegen (A, CH) 11/16a
Liniennetz, das, -e 11/Extra
links 5/5
Liste, die, -n 5/7d
Liter, der, - 10/3
Literatur, die, -en 0/3
Löffel, der, - 8/17
Lohnsteuerkarte, die, -n 9/12a
los müssen, muss los 7/3
losgehen, geht los, ist losgegangen 9/14
Lösung, die, -en Ü3/4
Lotterie, die, -n 2/Extra
*Luft, die, ** 11/Extra
lustig 5/23b

M

machen 1/9
Mädchen, das, - 9/Extra
Mädchen für alles, das, - 7/6
Magistrat (A), das, -e 11/0
Mai, der, -e (Pl. selten) 6/1
mailen 8/6
Majonäse, die, -n 10/9a
mal 3/18
malen 1/18a
Maler/in, der/die, -/-nen 9/0

Mama, die, -s 14/12b
man 2/4a
manche 9/Extra
manchmal 9/20c
Mann, der, "-er 2/4
Mantel, der, "- 10/13
Märchen, das, - 14/17c
markieren U2
Markt, der, "-e 4/0
Marktplatz, der, "-e 11/0
Marktschreier/in, der/die, -/-nen 4/4b
Marktstand, der, "-e 4/5a
Marmelade (D, A), die, -n, 0/3
März, der, -e (Pl. selten) 6/1
Marzipan, das, * 14/Extra
Maschine, die, -n Ü7/5
Maschinenbauingenieur/in, der/die, -e/-nen 9/8
Material, das, Materialien 11/0
Mathematik, Mathematik (A) *die,* * 0/3
Maus, die, "-e Ü8/14
maximal 11/12c
Medikament, das, -e 5/19
Meer, das, -e 14/2a
Mehl, das, -e 4/10a
mehr 4/4a
mein, mein, meine 0/4
meisten 1/Extra
Melanzani (A), *die, Melanzane* 4/1
Meldeamt (A), *das, "-er* 13/9
Melodie, die, -n 1/24
Melone, die, -n 4/1
Mensch, der, -en 3/15a
Mensch ärgere dich nicht (Spiel) 7/6
merkwürdig 6/Extra
Messebau, der, * 3/15a
messen, misst, gemessen 5/19
Messer, das, - 8/17
Meter, der, - 3/3
Miete, die, -n 8/1
Mietshaus, das, "-er 9/5
Mietvertrag, der, "-e 13/9
Migrant/in, der/die, -en/nen 7/17a
Milch, die, * 10/2a
Million, die, -en 4/10a
mindestens 12/13a
Mineralwasser, das, * 10/2a
Minute, die, -n 7/3
mischen 12/19b
mit 7/12
Mitarbeiter/in, der/die, -/-nen 3/15a
mitbringen, bringt mit, mitgebracht 9/0
mitkommen, kommt mit, ist mitgekommen 10/4a
mitlesen, liest mit, mitgelesen 1/2c
mitmachen, macht mit, mitgemacht 12/3
mitnehmen, nimmt mit, mitgenommen 9/14
Mittag, der, -e 9/5
Mittagessen, das, - 7/6
mittags 7/5
Mitte (in der Mitte), die, -n (Pl. selten) 5/7
mittel 10/9a
Mittel, das, - 12/Extra
Mitternacht, die, "-e 7/Extra
Mittwoch, der, -e 6/1
Möbel, die, nur Pl. 8/Extra
möbliert (möbl.) 8/1
möchten, möchte, gemocht 4/13b
Moderator/in, der/die, -en/-nen 9/1
Modus T9, *der,* * 2/Extra
mögen, mag, gemocht 1/18a
möglich 12/Extra
Möglichkeit, die, -en 6/17
Moment: im Moment, der, -e 9/6
Monat, der, -e 6/1
Mond, der, -e 2/Extra
Montag, der, -e 6/1
morgen 5/16b
Morgen, der, - 7/0
morgens 3/15a
Motorrad, das, "-er 3/15a
MP3-Player, der, - 10/Extra
müde 3/16
multiplizieren 6/Extra
Müllmann/-frau (D), *der/die, "-er/-en* 9/Extra
Mund, der, "-er 12/1b
Museum, das, Museen 9/3
Musik, die, -en 0/3
Musiker/in, der/die, -/-nen 12/4
müssen, muss, gemusst 5/12
Mutter, die, "- 5/1
Muttersprache, die, -n 3/18a
Mütze (D, CH), die, -n 10/13

N

nach (1) 5/12
nach (2) 6/13
Nachbar/in, der/die, -n/-nen 3/7
nachfragen, fragt nach, nachgefragt 6/10
Nachmittag, der, -e 7/3
nachmittags 7/15a
Nachname, der, -n 1/8
nachsprechen, spricht nach, nachgesprochen 1/7
Nacht, die, "-e 6/Extra
Nachtarbeiter/in, der/die, -/-nen 7/Extra
Nachteil, der, -e 13/14b
Nachtisch (D), *der, -e* Ü7/5
nachts 7/10a
nah (nah sein) 6/Extra
Nähe: in der Nähe, die, * 9/8
Name, der, -n 1/1
nämlich 1/Extra
Nase, die, -n 12/1b
nass 6/0
Natur, die, * 8/Extra
natürlich 2/4b
Navigationsgerät, das, -e 10/Extra
neben 8/14b

nebenan 4/13b
Nebenkosten (D, CH), die, nur Pl. 8/2
Neffe, der, -n 5/4b
nehmen, nimmt, genommen 4/3
nein 1/2b
nennen, nennt, genannt 11/16a
nerven 5/12
nervös 5/23b
nett 9/2
neu Ü4/3.3
nicht 1/18a
nicht mehr 7/6
Nicht wahr? 3/Extra
Nichte, die, -n 5/1
nichts 10/16
nie 11/4
noch 4/4a
noch einmal 1/5
noch lange 2/21
noch nicht 5/5
Norden, der, * 14/0
normal 10/Extra
notieren 1/12
Notiz, die, -en 9/11a
November, der, - (Pl. selten) 6/1
Nudel (D, A), die, -n 10/7
Nummer, die, -n 3/18a
Nuss, die, "-e 12/11b
nur 4/4a
nutzen 10/Extra

O

Obergeschoss (OG), das, -e 8/2
Oberkörper, der, - 12/0
Obst (D, A), das, * 4/1
Obstkorb, der, "-e 10/3
oder 1/4
öffentlich 11/Extra
offiziell 6/15
Öffnungszeiten, die, nur Pl. 7/13
oft 5/1
oh je 11/12c
ohne 8/6
Ohr, das, -en 12/1b
okay 2/4
Oktober, der, - (mst. Sg.) 6/0
Öl, das, * 10/2a
Oldtimer, der, - 9/2a
Olivenöl, das, -e 12/13a
Onkel, der, - 5/1
Oma, die, -s/-s 7/12b
Omelett, das, -s 10/5
Omelette (CH), *die, -n* 10/5
online (sein) 14/12b
Oper, die, -n 7/17a
optimal 12/13a
Orange, die, -n 4/Extra
Orchester, das, - 0/3
ordentlich 13/Extra
ordnen 2/7
organisieren 3/15a
Orientierung, die, -en 11/0
Ort, der, -e 3/2
Osten, der, * 14/0
Österreicher/in, der/die, -/-nen 4/10a
*Ostsee, die, ** 14/8a
Overheadprojektor, der, - 2/0

P

paar (ein paar) 8/5
Paar, das, -e 4/5b
Päckchen, das, - 10/4a
Packung, die, -en 4/4a
Paket, das, -e 9/15b
*Pantomime, die, ** 9/7
Papa, der, -s 3/Extra
Papierkorb, der, "-e 2/1
Papierstreifen, der, - 12/19b
Paprika, der/die, - 4/16c
Paradeiser (A), der, - 4/1
Parcours, der, - 11/17
Park, der, -s 11/0
Partner/in, der/die, -/-nen 4/16d
Party, die, -s 4/11
Pass, der, "-e 3/1
passen 2/3
Passfoto, das, -s 11/12a
passieren 1/Extra
Patient/in, der/die, -en/-nen 9/2a
peinlich 14/15b
per (Post) 14/12b
perfekt 3/18a
*Persisch, das, ** 12/8
Person, die, -en 1/2a
Personalausweis (D, A), der, -e 3/12
Personalchef/in, der/die, -s/-nen 9/Extra
Pfanne (CH), *die, -n* 4/1
Pfeffersoße, die, -n 10/9a
Pfirsich, der, -e 4/Extra
Pflanze, die, -n 2/0
pflanzen 6/3
*Pflege, die, ** 10/17
Pförtner/in, der/die, -/-nen 9/Extra
Pfund (D, CH), das, -e, 4/4a
Pianist/in, der/die, -en/-nen 12/Extra
Pilz, der, -e 4/1
Pizza, die, -s u. Pizzen 10/2a
Pizzeria, die, -s/Pizzerien 7/Extra
Plakat, das, -e 10/17d
Plan, der, "-e 7/17b
planen 4/16c
Platz, der, "-e 11/12c
Platz haben 13/14a
Platz nehmen 11/12c
Plätzchen (D), das, - 6/3
plötzlich 6/7a
plus Ü1/14
Po, der, -s 12/1b
*Politik, die, ** 0/3
Politiker/in, der/die, -/-nen 9/Extra
*Polizei, die, ** 9/Extra
Polizist/in, der/die, -en/-nen 9/0
Pollenallergie, die, -n 12/11b

Polnisch, das, * 13/9
Pommes frites, die, nur Pl. 10/9a
Pool, der, -s 14/2a
Portion, die, -en 10/9a
Porträt, das, -s 9/19c
Post, die, * 11/2
Poster, das, - 2/1
Postkarte, die, -n 14/0
Postleitzahl (Abk.: PLZ), die, -en 3/2
praktisch 13/14a
präsentieren 7/17d
Praxis, die, Praxen 12/8
Preis, der, -e 4/11
Prinzip, das, -ien 6/Extra
pro 3/15a
Problem, das, -e 5/12
produzieren 9/17a
Professor, der, -en/Professorin, die, -nen 0/3
Programm, das, -e 7/17a
Prospekt, der od. das, -e 10/0
protestieren 13/Extra
Prozent, das, -e 10/17a
Prüfung, die, -en 11/12c
Puderzucker, der, * 10/4b
Pullover, der, - 4/1
Punkt, der, -e 1/4
pünktlich 3/15a
putzen 3/15a
Putzhilfe, die, -n 3/15a
Putzmann/-frau, der/die, "-er/-en 9/Extra
Pyramide, die, -n 0/3

Q

Quadratmeter (m^2), der, - 8/2
Quittung, die, -en 12/10
Quiz-Show, die, -s 3/4
Quizmaster/in, der/die, -/-nen Ü3/4

R

Rabatt, der, -e 4/3
Radiergummi, der, -s 2/1
Radio, das, -s 0/3
Radiomoderator/in, der/die, -en/-nen 7/Extra
Rasen mähen, der, - 13/Extra
Rastplatz, der, "-e 14/15b
Rat, der, * 6/Extra
raten, rät, geraten 1/8
Rathaus, das, "-er 11/0
Ratschlag, der, "-e 12/13a
Rätsel, das, - 8/Extra
rauchen 1/19
Raum, der, "-e 2/0
raus 6/24a
recherchieren 14/17b
Recht haben 12/11b
rechts 5/5
reden 9/2a
Regal, das, -e 8/0
Regel, die, -n 11/12c
Regen, der, - 2/12
Regenschirm, der, -e 6/7a
regnen (es regnet) 6/4
Regionalbahn (RB), die, -en 14/14
Regional-Express (RE), der, * 14/12b
Reihe, die, -n 3/1
Reinigung, die, -en 8/6
Reis, der, * 10/2a
Reise, die, -n 14/0
Reisebericht, der, -e 14/9
Reiseblog, das od. der, -s 14/9
Reisebüro, das, -s 14/5
Reisebus, der, Reisebusse 14/5
reisen, reist, ist gereist 3/0
Reisetipp, der, -s 14/8a
Reisetyp, der, -en 14/2
Reisevorbereitung, die, -en 3/8a
Reparatur, die, -en 9/5
reparieren 3/15a
reservieren 14/12b
respektieren 3/Extra
Restaurant, das, -s 5/5
Rezept, das, -e 4/16a
Rezeption, die, -en 0/3
Rhabarbermarmelade, die, -n 4/Extra
richtig 1/13
riechen, riecht, gerochen 4/9
Riesenrad, das, "-er 14/8a
riskieren 9/Extra
Rock (D, A), der, "-e 10/13
Rollenkarte, die, -n 5/23a
Rose, die, -n Ü7/9
rot, 8/5
Rücken, der, - 12/1b
Rückfahrt, die, -en 14/12b
Rucksack, der, "-e Ü2/1
rückwärts 1/10
rudern 12/13a
Ruhe, die, * 5/0
ruhig 8/1
rund um ... 4/Extra
Rundfunkmuseum, das, -museen 11/16a
Rundum-Blick, der, * 14/8a
russisch 1/2b

S

Sache, die, -n 8/5
Sack (CH), *der, "-e* 4/4a
Sackerl (A), das, - 4/4
Sag mal, ... 2/4a
sagen 1/1
Salat, der, -e 4/1
Salatkopf, der, "-e 4/5a
Salz, das, * Ü3/10
Salzstange, die, -n 12/15b
sammeln 0/4
Sammlung, die, -en 4/16b
Samstag, der, -e 6/1
sauber (machen) 13/6
Sauce (A, CH), *die, -n* 10/9a
Sauerrahm (A), *der,* * 10/4b
Saure Sahne (D, CH), *die,* * 10/4a
Satz, der, "-e 3/8a
sauer (sauer sein) 5/12
Schal, der, -s 10/13
Schale, die, -n 4/4a

Schalter, der, - 14/13b
Schatten, der, - 14/Extra
schauen 10/14a
scheinen, scheint, geschienen 6/5b
Scherzfrage, die, -n 6/Extra
schieben, schiebt, geschoben 1/9
schicken 14/12b
Schiene, die, -n 11/Extra
Schild, das, -er 1/Extra
schimpfen 13/3b
Schinken, der, - 10/4a
schlafen, schläft, geschlafen 7/3
Schlafzimmer, das, - 8/5
schlecht: Mir ist schlecht. 12/1a
Schließfach, das, "-er 14/9
schlimm 12/11a
Schlitten (Schlitten fahren), der, - 6/3
Schloss, das, "-er 14/0
Schluss (zum Schluss), der, "-e 7/Extra
Schlüssel, der, - 3/8a
Schmerz, der, -en (meist Pl.) 12/1
schminken 14/15a
Schnee, der, * 6/12
schneien (es schneit) 6/5a
schnell 3/15a
Schnitzel, das, - 14/Extra
Schnupfen, der, - 12/5
Schokolade, die, -n 10/2a
schon 4/13b
schön 3/18a
Schon fertig? 1/2c
schon mal 3/18
Schrank (D, CH), der, "-e 2/0
schrecklich 5/12
schreiben, schreibt, geschrieben 0
Schreibtisch, der, -e 8/0
schreien, schreit, geschrien 13/0
Schrippe (DBerlin), die, -n 4/11
Schritt, der, -e 1/2c
Schublade, die, -n 8/17
Schuh, der, -e 5/8a
Schule, die, -n 3/23
Schulweg, der, -e 11/7b
*Schutz, der, ** 14/Extra
schwach 9/16b
Schwamm, der, "-e 2/1
schwanger 12/7
schwarz 8/9
Schwebebahn, die, -en 11/Extra
schweben 11/Extra
Schweizer/in, der/die, -/-nen 4/10a
Schwester, die, -n 5/1
schwierig 13/3b
schwimmen, schwimmt, ist geschwommen 1/18a
schwül 6/5b
See, der, -n 14/1
Seebad, das, "-er 7/Extra
sehen, sieht, gesehen 3/10
Sehenswürdigkeit, die, -en 11/16a
sehr 2/16
sein, ist, ist gewesen 2/16
seit 5/1
Seite, die, -n 1/5
Sekretariat, das, -e 5/16
Sekretär/in, der/die, -e/-nen 9/Extra
Sekunde, die, -n 0/3
selbst 12/Extra
selten 5/1
Semmel (DSüd, A), *die, -n* 4/11
Senf, der, * 10/2a
Senior, der, -en/Seniorin, die, -nen 3/15a
September, der, - (Pl. selten) 6/1
Servus. (A) 1/2c
shoppen 10/14
Sicherheit, die, -en 9/17a
sie 1/18a
Silbe, die, -n 8/18
singen, singt, gesungen 1/18a
sitzen, sitzt, hat (D)/ist (DSüd, A, CH) gesessen 5/5
Sitzplatz, der, "-e, 14/12b
Ski fahren 14/0
Skizze, die, -n 5/Extra
*Small Talk, der, ** 3/Extra
SMS, die, - 3/23
so 3/15a
so ... wie 7/15a
so viel, so viele 4/10b
Socke, die, -n 10/13
Sofa, das, -s 8/9
sofort 6/7a
sogar 11/Extra
Sohn, der, "-e 3/3
sollen, soll, gesollt 12/11b
Sommer, der, - 6/2
Sonderangebot, das, -e, 10/7
Sonne, die, -n 2/12
sonnig (es ist sonnig) 6/5b
Sonntag, der, -e 6/1
Sonstiges 7/17a
sortieren 12/19c
Soße (D), *die, -n* 10/9a
Sozialwohnung, die, -en 8/Extra
Spaghetti, die, nur Pl. 10/2a
Spanier/in, der/die, -/-nen 7/Extra
Spanisch, das, * 1/16
Spaß, der, "-e 5/0
spät 6/13
spazieren gehen, geht spazieren, ist spazieren gegangen 6/7a
Spiegel, der, - 2/0
Spiel, das, -e 2/1
spielen 2/21
Spital (A, CH), das, "-er 9/3
Sport (Sport machen), der, * 3/0
sportlich 3/15a
Sprache, die, -n 3/18a
Sprachschule, die, -n 1/8

sprechen, spricht, gesprochen U2
Sprechstundenhilfe, die, -n 12/Ü12/7
Sprichwort, das, "-er 6/Extra
Spülbecken (D, CH), das, - Ü8/14
Spüle (D), die, -n Ü8/14
Staatsangehörigkeit, die, -en 3/2
Stadion, das, Stadien 11/0
Stadt, die, "-e 0/4
Städteporträt, das, -s 11/16
Stadtkanzlei (CH), die, -en 11/0
Stadtplan, der, "-e 3/8a
stark 6/4
Statistik, die, -en 9/Extra
staunen 12/Extra
Steak, das, -s 0/3
Steckbrief, der, -e 3/7
stehen, steht, hat (D)/ist (DSüd, A, CH) gestanden 2/20b
Stift, der, -e 2/7
stinken, stinkt, gestunken 13/3b
Stirn, die, -en 9/20b
Stock (im ersten Stock), der, * 13/0
stolz 5/21
stoppen 2/Extra
stören 13/18
Strand, der, "-e 14/0
Strandkorb, der, "-e 14/Extra
Straße, die, -n 3/2
Strecke, die, -n 14/15b
Streifen, der, - 12/19c
streiten, streitet, gestritten 13/3b
Stress, der, * 4/13b
Strophe, die, -n 8/19c
Stück, das, -e 4/4a
studieren 3/0
Studio, das, -s 7/Extra
Studium, das, * 9/8
Stuhl, der, "-e 2/0
Stunde (Abk.: Std.), die, -n 3/15a
Stundenkilometer (km/h), der, - 11/Extra
stürmen (es stürmt) 6/5b
suchen 2/12
Süden, der, * 14/2a
Südeuropäer/in, der/die, -/-nen 7/Extra
summen 8/19a
super 3/18a
Supermarkt, der, "-e 9/3
Suppe, die, -n 0/3
Süden, der, 14/0
süß 5/5
Symbol, das, -e 0/3

T

T-Shirt, das, -s 10/13
Tabakwaren, die, nur Pl. 10/17
Tabelle, die, -n 1/17
Tablette, die, -n 12/5
Tabu, das, -s 0/3
Tafel, die, -n 2/0
Tag, der, -e 6/1
*Tag der offenen Tür, der, ** 7/17a
Tagesablauf, der, "-e 7/15b
täglich 7/13
Tankwart, der, -e 9/Extra
tanzen Ü9/11
Tante, die, -n 5/1
Tanzlehrer/in, der/die, -/-nen 10/Extra
Tasche, die, -n 2/1
Taste, die, -n 2/Extra
Tauchlehrer/in, der/die, -/-nen 9/8
Taxi, das, -s 0/3
Taxifahrer/in, der/die, -/-nen 9/2a
Team, das, -s 9/15b
Technik, die, - 0/3
Technikmuseum, das, -museen 14/8a
Tee, der, -s 5/19
Teenager, der, - 14/15b
Teigware (CH), die, -n (meist Pl.) 10/7
Teilnehmer/in, der/die, -/-nen 2/16
Teilzeit, die, * 9/6
Telefon, das, -e 3/23
Telefongespräch, das, -e 14/4
telefonieren 3/15a
Telefonnummer, die, -n 1/12
Teller, der, - 8/17
Temperatur, die, -en 0/3
Tennis, das, * 3/18a
Tennisspieler/in, der/die, -/-nen 12/4
Teppich, der, -e 8/9
Termin, der, -e 7/10a
Terminvereinbarung, die, -en 9/13a
Terrasse, die, -n 8/1
Test, der, -s 12/11a
teuer 4/1
Theater, das, - 7/14c
Thema, das, Themen 0/3
*Thunfisch, der, ** Ü10/9
Thymiantee, der, -s 12/15b
Ticket, das, -s 0/3
tief (atmen) 12/11a
Tier, das, -e 13/3b
Tipp, der, -s 1/7
Tisch, der, -e 2/0
Titel, der, - 6/24a
Tochter, die, "- 3/3
Toilette, die, -n 8/7
toll 13/3b
Tomate, die, -n 4/1
Tonne (Abk.: t), die, -n, 4/10a
Topf (D, A), der, "-e 4/1
tot (tot sein) 5/1
Tote, der/die, -n 6/Extra
Tour, die, -en 5/13
Tourismusbüro, das, -s 11/16c
Tourist, der, -en 14/8a
tragen, trägt, getragen 10/13
transportieren 11/Extra
traurig 5/23b
Traum, der, "-e 9/8
Traumjob, der, -s 9/17a

Traumwohnung, die, -en 8/6
treffen, trifft, getroffen 7/14c
trennbar 7/8
Treppe, die, -n 13/6
Treppenhaus, das, "-er 13/6
Trinken, das, * 0/4
trinken, trinkt, getrunken 3/0
trocken 6/23
Tschau. 1/2c
Tschüss. 0/2a
tun, tut, getan 9/17a
Tür, die, -en 2/1
Türkisch, das, * 1/16
türkisch 1/2b
Tüte (D), die, -n 4/4a
typisch 9/7

U

U-Bahn, die, -en 11/7a
U-Bahn-Station, die, -en 11/0
üben 4/16d
über 4/10a
überall/überall 3/18a
überholen 11/Extra
Überweisung, die, -en 12/10
Übung, die, -en 12/13a
Uhr, die, -en 2/0
Uhrzeit, die, -en 6/14
um 6/19b
Umbauarbeiten, die, nur Pl. 7/13
Umfrage, die, -n 10/17b
umgekehrt 12/19c
umhergehen, geht umher, ist umhergegangen 0/2b
ummelden 13/9
Umsatz, der, "-e 4/10a
umsteigen, steigt um, ist umgestiegen 14/12b
Umtausch, der, -e 10/15
umtauschen, tauscht um, umgetauscht 10/15a
umziehen, zieht um, ist umgezogen Ü8/12
und 0/1
... *und wie!* 6/5b
Unfall, der, "-e 9/Extra
unfreundlich 13/6
ungefähr 11/6
unglaublich 13/Extra
Universität, die, -en 0/3
unregelmäßig 7/10b
unten 4/13b
unter 3/15a
Unterricht, der, * 2/Extra
unterscheiden, unterscheidet, unterschieden Ü8/10
Unterschied, der, -e 10/Extra
unterschreiben, unterschreibt, unterschrieben 5/16b
unterstreichen, unterstreicht, unterstrichen 2/14a
untersuchen 9/19c
unterwegs 11/7
Urinprobe, die, -n 12/Extra
Urlaub (D, A), der, -e 5/22

V

Vanille, die, * 10/10
Vanillinzucker, der, * 10/4b
Varieté, das, -es 7/17a
variieren 1/2c
Vase, die, -n 4/1
Vater, der, "- 5/1
Velo (CH), das, -s 3/15a
Veranstaltung, die, -en 7/17c
verarbeiten 4/10a
verboten (sein) 14/15a
verdienen: Geld verdienen 9/17a
Verein, der, -e 3/18a
vergessen, vergisst, vergessen 5/16b
Vergleich, der, -e 10/Extra
vergleichen, vergleicht, verglichen 8/20b
verheiratet (verheiratet sein) 3/0
verkaufen 4/0
Verkäufer/in, der/die, -/-nen 4/5a
Verkaufsleiter/in, der/die, -/-nen 9/Extra
Verkehr, der, * 10/17
Verkehrsminister/in, der/die, -/-innen 11/Extra
Verkehrsmittel, das, - 11/Extra
Verleih, der, -e 7/Extra
verlieren, verliert, verloren 11/Extra
vermissen 5/1
verreisen, verreist, ist verreist 14/5
verschicken 14/15b
Versicherungskarte, die, -n 12/0
versorgen 9/5
Verspätung, die, -en 14/15a
verstehen, versteht, verstanden 1/16
Verwandte, der/die, -n 13/10b
viel 2/15
viel, viele 2/19a
Vielen Dank! 0/2a
vielleicht 2/0
Viertel vor/nach 6/13
Visitenkarte, die, -n 3/12
Vitamin C, das, * 4/Extra
Volkskunde, die, * 7/Extra
voll 13/3b
Volleyball, der, * 14/2a
Vollzeit, die, * 9/6
vom ... bis (zum) ... 7/12b
von 2/6
von ... bis ... 7/1
vor 6/13
vor allem 4/Extra
Voraussetzung, die, -en 3/15a
vorbeifahren, fährt vorbei, ist vorbeigefahren 14/15b
Vorbild, das, -er 11/Extra
vorkommen, kommt vor, ist vorgekommen 1/Extra
vormittags Ü7/14
Vorname, der, -n 1/8
vorne 5/5

Vorrat, der, "-e 10/2a
Vorsicht, die, - (meist o. Art.) 12/11b
vorsichtig 13/12
Vorsilbe, die, -n 7/8
vorstellen, stellt vor, vorgestellt 9/11b
Vorteil, der, -e 11/7a
Vorteilscard (A), die, -s 3/12
vorwärts 1/10
Vorzimmer (A), das, - 8/7

W

wach (bleiben) 13/3b
wachsen, wächst, ist gewachsen 4/Extra
Wadenwickel, der, - 12/15b
wählen 2/Extra
wahr 2/Extra
Wahrzeichen, das, - 14/8a
wandern, wandert, ist gewandert 14/0
wann 3/3
Warenhaus (CH), das, "-er 10/13
warm 6/5b
Wärme, die, * 5/0
Warmmiete (D), *die, -n* 8/6
warten 11/7a
Wartenummer, die, -n 11/12a
Wartezimmer, das, - 12/0
warum 10/15a
was 1/9
Was hätten Sie denn gerne? 4/4a
Wäsche, die, nur Pl. 13/Extra
waschen, wäscht, gewaschen 7/6
Waschmaschine, die, -n 8/1
Wasser, das, - 8/6
Wecken (DSüd), *der, -* 4/11
Wecker, der, - 9/13a
Weg, der, -e 11/5
Wegbeschreibung, die, -en 11/6
wegen 7/13
wegfahren, fährt weg, ist weggefahren 13/10b
wehtun, tut weh, wehgetan 12/1a
weil 6/Extra
Wein, der, -e 10/2a
weiß 6/22
weit weg: zu weit weg 14/8c
weit: Wie weit? 11/4
weiter, weiteres, weiterer 8/Extra
weiterfahren, fährt weiter, ist weitergefahren 14/12b
weitergehen, geht weiter, ist weitergegangen 9/12b
welcher, welches, welche 1/14
Welt, die, -en 3/18a
wen 5/14
wenig, weniger 6/21
wenn 3/Extra
wer 1/2b
Werbeprospekt, der, -e 14/5
werden, wird, ist geworden 3/13
Werkstatt, die, "-en 9/2a
Wespe, die, -n 12/11c
Westen, der, * 14/0
Wettbewerb, der, -e 2/Extra
Wetter, das, * 6/5
Wetterbericht, der, -e 14/17b
wichtig 5/0
wie 0/1
Wie bitte? 1/2a
Wie geht es dir/Ihnen? 1/2c
wie immer 7/3
wie lange 7/3
wie viel, wie viele 4/2
wieder 7/Extra
wiederholen 2/5
wiedersehen, sieht wieder, wiedergesehen 11/7a
windig (es ist windig) 6/4
Winter, der, - 6/2
wir 2/15
wirklich 13/3b
wissen, weiß, gewusst 2/15
Wissenswertes 1/Extra
wo 1/2a
Woche, die, -n 3/15a
Wochenende, das, -n 3/15a
woher 1/2b
wohin 11/2
Wohnbeihilfe (A), *die, -n* 8/Extra
Wohnberechtigungsschein (WBS), der, -e 8/Extra
wohnen 1/2a
Wohngeld (D), *das,* * 8/Extra
Wohnort, der, -e 3/2
Wohnung, die, -en 8/2
Wohnungssuche, die, -n 8/0
Wohnzimmer, das, - 8/5
wollen, will, gewollt 10/4
Wort, das, "-er 0/4
Wortakzent, der, -e 2/14
Wörterbuch, das, "-er 2/0
Wörterleine, die, -n 2/22e
Wörternetz, das, -e 6/22
Wunde, die, -n 6/Extra
wunderbar 6/7a
würfeln 11/11
Würstchen, das, - 14/Extra

Z

Zahl, die, -en 1/13
zählen 1/11
Zähne putzen 7/1
Zahnarzt/-ärztin, der/die, "-e/-nen Ü7/14
Zaziki, der, * 4/13b
zeichnen 8/20a
Zeichnung, die, -en 7/3
zeigen 2/2
Zeit, die, -en 3/15a
Zeitarbeit, die, * 9/13a
Zeitung, die, -en 3/15a
zelten 14/2a
Zentimeter (D), Zentimeter (A, CH), (Abk.: cm), der, - 3/2
zentral 8/7
Zentralheizung, die, -en 8/2
Zentrum, das, Zentren 0/3
zerschneiden, zerschneidet, zerschnitten 12/19b

Zettel, der, - 9/20a
ziehen, zieht, gezogen 11/12b
Ziel, das, -e 11/6
Zigarette, die, -n 10/17b
Zimmer, das, - 7/15a
Zirkus, der, -se 11/Extra
Zitrone, die, -n 4/1
Zoo, der, -s 7/12b
zu (klein) 8/3b
zu Fuß gehen 11/8
zu Hause 6/7a
zu Hause bleiben 12/11b
zu viel 3/Extra
zu zweit 1/2c
Zucchetti (CH), *die, -* 4/1
Zucchini (D, A), die, - 4/1
Zucker, der, - Ü3/10
zuerst 7/7
zufrieden 9/2a
Zug, der, "-e 6/19b
*Zuhause, das, ** 8/Extra
zuhören, hört zu, zugehört 11/10b
zulegen, legt zu, zugelegt 12/Extra
zumachen, macht zu, zugemacht 13/13
zum Beispiel (z. B.) 11/16a
zuordnen, ordnet zu, zugeordnet 0
zurückfahren, fährt zurück, ist zurückgefahren 14/12b
zusammen 5/0
Zusammenfassung, die, -en 9/13c
zusammenpassen, passt zusammen, zusammengepasst 12/15b
Zuschrift, die, -en 3/15a
Zusteller/in, der/die, -/-nen 3/15a
Zutat, die, -en 10/4
zuverlässig 3/15a
Zwiebel, die, -n 4/1
zwischen 3/15a

Unregelmäßige Verben

Infinitiv	Präsens	Perfekt
anfangen	er fängt an	er hat angefangen
anrufen	sie ruft an	sie hat angerufen
aufstehen	er steht auf	er ist aufgestanden
einsteigen	sie steigt ein	sie ist eingestiegen
backen	er backt	er hat gebacken
beginnen	sie beginnt	sie hat begonnen
bekommen	er bekommt	er hat bekommen
beschreiben	sie beschreibt	sie hat beschrieben
bleiben	er bleibt	er ist geblieben
bringen	sie bringt	sie hat gebracht
denken	er denkt	er hat gedacht
einladen	sie lädt ein	sie hat eingeladen
essen	er isst	er hat gegessen
fahren	sie fährt	sie ist gefahren
finden	er findet	er hat gefunden
fliegen	sie fliegt	sie ist geflogen
geben	er gibt	er hat gegeben
gehen	sie geht	sie ist gegangen
halten	er hält	er hat gehalten
helfen	sie hilft	sie hat geholfen
kennen	er kennt	er hat gekannt
kommen	sie kommt	sie ist gekommen
können	er kann	er hat gekonnt
laufen	sie läuft	sie ist gelaufen
lesen	er liest	er hat gelesen
liegen	sie liegt	sie hat gelegen (D)
		sie ist gelegen (DSüd, A, CH)
messen	er misst	er hat gemessen
nehmen	sie nimmt	sie hat genommen
riechen	er riecht	er hat gerochen
scheinen	sie scheint	sie hat geschienen
schlafen	er schläft	er hat geschlafen
schreiben	sie schreibt	sie hat geschrieben
schreien	er schreit	er hat geschrien
schwimmen	sie schwimmt	sie hat geschwommen
sehen	er sieht	er hat gesehen
sein	sie ist	sie ist gewesen
singen	er singt	er hat gesungen
sitzen	sie sitzt	sie hat gesessen (D)
		sie ist gesessen (DSüd, A, CH)
sprechen	er spricht	er hat gesprochen
stehen	sie steht	sie hat gestanden (D)
		sie ist gestanden (DSüd, A, CH)
streiten	er streitet	er hat gestritten
tragen	sie trägt	sie hat getragen
treffen	er trifft	er hat getroffen

Unregelmäßige Verben

Infinitiv	Präsens	Perfekt
trinken	sie trinkt	sie hat getrunken
tun	er tut	er hat getan
umsteigen	sie steigt um	sie ist umgestiegen
vergessen	er vergisst	er hat vergessen
vergleichen	sie vergleicht	sie hat verglichen
verlieren	er verliert	er hat verloren
verstehen	sie versteht	sie hat verstanden
waschen	er wäscht	er hat gewaschen
wissen	sie weiß	sie hat gewusst
ziehen	er zieht	er hat gezogen

Deutschland, Österreich und die Schweiz

Bildquellenverzeichnis

S. 3: © Cornelsen Verlag, Michael Miethe – S. 6: © Pixelio (RF), Hörnchen118 (a), Bernd Sterzl (c) – S. 13: © 123rf (RF), Michael Klenetsky (oben rechts); © Flickr, Creative Commons, Till Krech (unten); eBay-Logo: © eBay – S. 15: © Pixelio (RF), Rainer Sturm (b); © Deutsche Post AG, Pro Orga GmbH (d); © Wikipedia, GNU, Keitei (g); © Wikipedia, Gemeinfrei, Martink (i); © Pixelio (RF), Birgit H (j); © Wikipedia, Creative Commons, Edward (k); © Pixelio (RF), Rike (m); © Wikipedia, Creative Commons, Pavel Krok (n); © Wikipedia, GNU, Manfred Brückels (o); © Fotolia (RF), Mattmatt37 (p) – S. 16: © iStockphoto (RF), James Steidl (a), Greg Nicholas (b); © Cornelsen Verlag, Dagmar Giersberg (c) – S. 18: © Fotolia (RF), PictureArt (oben links); © iStockphoto (RF), Daniel Rodriguez (oben Mitte); © Fotolia (RF), Pathathai Chungyam (oben rechts) – S. 20: © Wikipedia, GNU, VisualBeo (oben 2. von links) – S. 23: © Cornelsen Verlag, Hugo Herold (oben); © Flickr, Creative Commons, Joachim Müller (Mitte) – S. 25: © Cornelsen Verlag, Hugo Herold (oben) – S. 27: © 123rf (RF), Paul Cowan (oben); © Wikipedia, Gemeinfrei, Thomas Högner (Mitte) – S. 28: © iStockphoto (RF), Khuong Hoang (oben); © 123rf (RF), Igor Terekhov (Mitte) – S. 29: © Flickr, Creative Commons, Wugging Gavagai (oben); © Fotolia (RF), Lucky Dragon (Mitte) – S. 31: © Cornelsen Verlag, Hugo Herold – S. 33: © WeltGewänder, Gerhard Ludwig (Mitte); © Smart textiles, Lodenfrey (unten) – S. 35: © Flickr, Creative Commons, Martin Ujlaki (U-Bhf.); © Wikimedia Commons, Creative Commons, Christian Bickel (Postamt); © Flickr, Creative Commons, Metro Centric (Bahnhof); © Pixelio (RF), Kurt Mader (Marktplatz); © Flickr, Creative Commons, Moon Soleil (Bürgeramt); © Wikipedia, GNU, Michael Sander (Kino); © Flickr, Creative Commons, Moertl (Park); © Pixelio (RF), Karin Jung (Rathaus); © Cornelsen Verlag, Hugo Herold (unten) – S. 40: © Cornelsen Verlag, Hugo Herold (a); Corel Library (c) – S. 41: © Cornelsen Verlag, Dagmar Giersberg (a); © Wikipedia, Creative Commons, Magnus Gertkemper (b); © Fotolia (RF), DeVice (c); © Wikipedia, Creative Commons, Magnus Gertkemper (d); © Wikipedia, G. Dallorto (e); © Google (g) – S. 42: © Cornelsen Verlag, Hugo Herold – S. 43: © Wikipedia, Gemeinfrei, Roman Vogler (oben Mitte); © Flickr, Creative Commons, Mr. Gears (oben rechts) – S. 45: © 123rf (RF), Gina Sanders (Mitte); © Wikipedia, Gemeinfrei, Thomas S. (Krankenversicherungskarte); © Cornelsen Verlag, © Andrea Finster (Schild: Ordination) – S. 46: © Fotolia (RF), Oliver Caenen – S. 49: © iStockphoto (RF), Nicholas Monu (oben); © 123rf (RF), Melinda Fawver (unten links); © Wikimedia Commons, GNU, Moe Epsilon (unten rechts); © Fotolia (RF), Siberia (unten Mitte) – S. 51: © Cornelsen Verlag, Hugo Herold (a); © Pixelio(RF), Pauline (b, Kaffee), Delater (b, Zitrone); © Fotolia (RF), Steffen (c, Cola), LianeM (c, Salzstangen) – S. 53: © Fotolia (RF), Ramona Heim (oben links), Lev Dolgatshjov (oben 2. von links), Ralf-Udo Thiele (oben 2. von rechts), M.arc (oben rechts) – S. 55: © Cornelsen Verlag, Hugo Herold – S. 59: © Cornelsen Verlag, Hugo Herold (unten) – S. 60: © Fotolia (RF), Monkey Business (oben); R. H. Klimmeck (Mitte a); © Wikipedia, GNU, Marc Schuelper (Mitte b); © Fotolia (RF), PANORAMO.de (Mitte c) – S. 62: © Cornelsen Verlag, Claudia Böschel – S. 63: © Fotolia (RF), Peejay (oben links), rotoGraphics (oben rechts), Oleg Kozlov (Mitte links); © Cornelsen Verlag, Hugo Herold (Mitte rechts); © Fotolia (RF), R.-Andreas Klein (unten) – S. 66: © Wikipedia, Creative Commons, Edda Praefecke (Bodensee); © Fotolia (RF), Klikk (Zelten), Alexander Rochau (Wandern, Radfahren), Elvira Schäfer (Segeln); © Wikipedia, Creative Commons, Schlampi (Kloster Reichenau) – S. 67: © Fotolia (RF), Alexander Rochau – S. 68: © Wikipedia, Gemeinfrei, Lars0001 (links 1. von oben); © Wikipedia, GNU, Michael Plasmeier (links 2. von oben); © Shotshop (RF); Petra Engeljehringer (links 3. von oben); © Kölner Zoo, Rolf Schlosser (links 4. von oben); © Wikipedia, Creative Commons, Timsdad (rechts oben); © Wikipedia, Creative Commons, Maximilian Kühn (rechts 2. von oben); © Wikipedia, Creative Commons, Andrew Bossi (rechts 3. von oben); © Wikipedia, Creative Commons, Memorino (rechts 4. von oben) – S. 69: © iStockphoto (RF), Charlotte Bassin – S. 72: © Cornelsen Verlag, Hugo Herold (oben); Claudia Böschel (unten) – S. 73: © Cornelsen Verlag, Dagmar Giersberg (oben); © Fotolia (RF), Bernd Kröger (Mitte rechts oben), ExQuisine (Mitte links oben), Blende40 (Mitte links unten), ExQuisine(Mitte rechts unten) – S. 75: © Cornelsen Verlag, Hugo Herold (2); Corel Library (3); © Wikipedia, Gemeinfrei, Saperaud (6); © Fotolia (RF), Milkovasa (7); © Flickr, Creative Commons, Joachim Müller (9); © Wikipedia, Gemeinfrei, Roman Vogler (11); © Cornelsen Verlag, Hugo Herold (13); © Wikipedia, Creative Commons, Andrew Bossi (14) – S. 79: © Cornelsen Verlag, Hugo Herold – S. 80: © Cornelsen Verlag, Andrea Finster – S. 84: © Fotolia (RF), Kzenon – S. 85: © Fotolia (RF), Mr. Nico (1.); © Flickr, Creative Commons, Gemeinde. niederhelfenschwil (2.); Flickr, Creative Commons, Magtimag (4.) – S. 88: © Cornelsen Verlag, Hugo Herold – S. 89: © Fotolia (RF), Torsten Schon – S. 90: © Shotshop (RF), Juha Tuomi (Julia), Danstar (Thomas); © Cornelsen Verlag, Hugo Herold (Rámon, Maria) – S. 91: © 123rf (RF), Yuri Shirokov (links), Kirill Kurashov (2. von links); © Pixelio (RF), Pauline (2. von rechts); © Fotolia (RF), George Bailey (rechts) – S. 92: © Fotolia (RF), Meddy Popcorn – S. 97: © Cornelsen Verlag, Nicole-Simone Abt (oben) – S. 98: © Wikipedia, GNU, Madden – S. 101: © Cornelsen Verlag, Claudia Böschel – S. 103: © Cornelsen Verlag, Hugo Herold – S. 109: © Cornelsen Verlag, Sara Hägi – S. 112: © Fotolia (RF), Henryart (oben links); Photoinsel (oben rechts); Luftbildfotograf (oben Mitte); © Cornelsen Verlag, Dagmar Giersberg (Mitte, unten links) – S. 115: © Cornelsen Verlag, Dagmar Giersberg – S. 116: © Cornelsen Verlag, Maria Funk – S. 118: © Cornelsen Verlag, Hugo Herold – S. 119: © Pixelio (RF), Hörnchen118 (oben links); © Cornelsen Verlag, Hugo Herold (oben Mitte, oben rechts); © Cornelsen Verlag, Claudia Böschel (unten links); © Cornelsen Verlag, Hugo Herold (unten Mitte); © Fotolia (RF), Klikk (unten rechts)

S. 53: © BluePlanetImages, Nagender Chhikara (Mitte) – S. 73: © Presseagentur Huppertz (unten) – S. 75: © Getty Images, Tony Anderson – S. 85: © Picture Alliance/kpa (3.), © Picture Alliance/Zentralbild, Eberhard Klöppel (5.) – S. 114: © Ullsteinbild, ExPress/ Grasser

Coverphoto: © Cornelsen Verlag, Hugo Herold

Inhalt Lerner-CD – Hörtexte für die Übungen

Ja genau!

Deutsch als Fremdsprache

Lösungen

A1

Band 2

Cornelsen

8 Wohnen und leben

1
A2 – B1 – C4 – D3

2
das Zimmer: Zi. – Zimmer, Küche, Bad: ZKB – die Wohnung: Whg. – das Apartment: Apart. – das Erdgeschoss: EG – das Obergeschoss: OG – die Monatsmiete: MM – der Quadratmeter: m^2 – der Balkon: Balk. – die Nebenkosten: NK – die Kaution: KT – die Zentralheizung: ZH – die Einbauküche: EBK – möbliert: möbl.

3
a) Anzeige 3 fehlt.
b) a4 – b1 – c2

4
Drei Personen sprechen.

6
Vorschläge:
Wie groß ist das Wohnzimmer/die Küche/das Schlafzimmer/das Bad/der Garten? – Hat die Wohnung eine Einbauküche? – Ist die Wohnung möbliert? – Wo liegt die Wohnung? – Ist sie hell/ruhig?

7
1 das Kinderzimmer – 2 die Küche –
3 das Wohnzimmer – 4 das Schlafzimmer –
5 das Bad – 7 das Gäste-WC – 8 der Balkon

12
Schau mal, gefällt dir der Teppich?
 Der Teppich? Nein, der gefällt mir nicht.
 Er ist zu teuer.
Schau mal, gefällt dir die Vase?
 Die Vase? Nein, die gefällt mir nicht.
 Sie ist zu blau.
Schau mal, gefällt die Lampe?
 Die Lampe? Nein, die gefällt mir nicht.
 Sie ist zu groß.
Schau mal, gefällt dir das Handtuch?
 Das Handtuch? Nein, das gefällt mir nicht.
 Es ist zu klein.

14
b) 1. Tisch – 2. Pflanze – 3. Bett – 4. Regal –
5. Bett – 6. Bett

16
2. Nein, ich war im Schlafzimmer / im Bett.
3. Nein, ich war im Bad / in der Badewanne.
4. Nein, ich war auf dem Balkon.
5. Nein, ich war in der Küche.

17
1. Die Gläser sind im Schrank oben links.
2. Die Messer sind in der Schublade links.
3. Die Gabeln sind neben den Messern.
4. Die Löffel sind rechts neben den Gabeln.

18
Tische: der Schreibtisch, der Wohnzimmertisch und der Küchentisch;
in der Küche: ein Küchentisch mit einer Küchentischschublade;
der Salat: der Salatkopf, das Salatrezept, die Salatparty und die Salatpartygäste

EXTRA
grün – rot – gelb – blau – grau

9 Arbeitsplätze

1
Man hört: 1 – 3 – 5 – 8

2
a) 1D – 2C – 3B – 4A
b) 1: richtig – 2: falsch – 3: richtig – 4: falsch

4
Er hat vier Berufe.

8
a) 1B – 2A – 3C
b) *Sabine, früher:* Sportlehrerin, Deutschland, *heute:* Tauchlehrerin, Thailand;
Aiman, früher: Informatiker, Aserbaidschan, *heute:* Taxifahrer, Österreich;
Ghu Hu, früher: Student, Call-Center-Mitarbeiter, China, *heute:* Koch und Restaurantchef, Deutschland

9
haben: ich habe gearbeitet, ich habe gemacht, ich habe gesucht, ich habe gefunden, ich habe studiert
sein: ich bin ausgewandert, ich bin gekommen

10

Vorschläge:

Sabine hat eine Ausbildung als Sportlehrerin gemacht. – Sabine hat in Deutschland gelebt. – Aiman hat einen Arbeitsplatz gesucht. – Aiman hat nichts gefunden. – Gou Hu hat in Shanghai studiert. – Gou Hu hat in Shanghai gearbeitet.

12

a) 1. Anzeigen **lesen** – 2. die Firma **anrufen** – 3. einen Termin **machen**

13

b) 1. Sie suchen einen Fahrer.
2. Schon ab morgen!
3. Sehr früh. Um drei Uhr.
4. Bis 12 Uhr.
5. Ich muss jeden Morgen Brot von einer Großbäckerei in die Geschäfte bringen.

c) *Vorschlag:*

Pjotr hatte einen Termin in einer Zeitarbeitsfirma. Er hat einen Job als Fahrer bekommen. Er bringt Brot in die Geschäfte. Er muss sehr früh anfangen, um drei Uhr. Er arbeitet dann bis 12 Uhr mittags. Er kann schon morgen anfangen.

14

... und Brote machen. Er muss um halb drei losgehen und seinen Führerschein mitnehmen. Er muss um drei Uhr anfangen, er muss pünktlich sein! Um 12 Uhr muss er einkaufen. Um 15 Uhr muss er die Zeitarbeitsfirma anrufen.

10 Einkaufen

1

wenig Mehl – viel Käse

2

Milch 22 und Joghurt 21
Eier 10, Butter 9 und Käse 8
Spaghetti 20 und Reis 12
Mineralwasser 3 und Cola 5
Apfelsaft 17, Wein 13
Chips 19 und Schokolade 18
Salat 4, Essig 15 und Öl 14
Ketchup 1 und Senf 2
Äpfel 7 und Bananen 6
Pizza 11, Fisch 16

3

im Schrank: die Spaghetti, der Wein, die Chips, die Schokolade, der Essig, das Öl, der Ketchup, der Senf
im Kühlschrank: die Milch, der Joghurt, die Eier, die Butter, der Käse, das Mineralwasser, die/das Cola, der Apfelsaft, die Pizza, der Fisch, der Salat
im Obstkorb: die Äpfel, die Bananen

4

a) Mehl, Hefe, Saure Sahne und Zwiebeln fehlen.

Schon fertig

1. 1 Paket Mehl, 1 Päckchen Hefe, Butter, Eier, Saure Sahne, 1 Kilo Zwiebeln und vielleicht 200 g Schinken

6

Sie suchen Hefe, Mehl und Kaffee.

7

1: 3,59 Euro – 2: Nudeln – 3: Pizza – 4: Butter – 5: 79

9

Sie isst die Pommes frites mit Ketchup und die Bratwurst mit Senf (ohne Brötchen).

10

1. Tim mag gern Schokolade und Zitrone.
2. Laura mag lieber Vanille als Zitrone.
3. Nina mag am liebsten Melone.
4. Nina mag lieber Vanille als Zitrone.

14

a) A2 – B3 – C1 – D4

b)
Kunde/Kundin
Entschuldigung, wo finde ich hier die Toiletten?
Größe 42.
Ja, sie passt.
Ja, ich suche einen Pullover für meinen Sohn.
Kann ich die Jacke mal anprobieren?
Was kostet der Pullover?
Was?! So teuer?
Vielen Dank.

Verkäufer/in
Bitte, Pullover sind hier vorne rechts.
Hier, bitte. Das ist Ihre Größe.
In der ersten Etage.
Kann ich Ihnen helfen?
Und: Passt die Jacke?
Welche Größe brauchen Sie?
59,90 Euro.
Vielen Dank.

c) *Vorschlag:*
1.
Kunde/Kundin: Entschuldigung, wo finde ich hier die Toiletten?
Verkäufer/in: In der ersten Etage.
Kunde/Kundin: Vielen Dank.

2.
Verkäufer/in: Kann ich Ihnen helfen?
Kunde/Kundin: Ja, ich suche einen Pullover für meinen Sohn.
Verkäufer/in: Bitte, Pullover sind hier vorne rechts.
Kunde/Kundin: Was kostet der Pullover?
Verkäufer/in: 59,90 Euro.
Kunde/Kundin: Was?! So teuer?

3.
Kunde/Kundin: Kann ich die Jacke mal anprobieren?
Verkäufer/in: Welche Größe brauchen Sie?
Kunde/Kundin: Größe 42.
Verkäufer/in: Hier, bitte. Das ist Ihre Größe.
Kunde/Kundin: Vielen Dank.
Verkäufer/in: Und: Passt die Jacke?
Kunde/Kundin: Ja, sie passt.

16
- Entschuldigung, ich möchte **etwas** für meine Tochter umtauschen.
- Ja, kein Problem. Was denn?
- Das hier.
- Das alles?
- Ja, ich habe drei Hosen und drei Pullover gekauft. Aber **nichts** passt. **Alles** ist viel zu groß.

11 Stadt und Verkehr

1 *Vorschläge:*
Ampel, Autobahn, Bürgeramt, Bus, Café, Flughafen, Fahrrad, Haus, Kino, Krankenhaus, Marktplatz, Park, Platz, Post, Rathaus, Stadion, Straße, U-Bahn, Zoo

2
Ramón fährt zur Fahrschule.

3
Im Auto.

Schon fertig
Vorschlag:
Gehen Sie geradeaus, an der Ampel weiter geradeaus und dann die zweite Kreuzung links in die Schillerstraße. Nach ungefähr 20 Metern ist die Sprachschule auf der rechten Seite.

7
a) die U-Bahn – das Fahrrad – das Auto – der Bus ...

10
a) „Ich lebe seit einem Jahr in Deutschland. Ich wohne **bei meiner Tante**. Ich gehe jeden Tag zum Deutschunterricht. Nach der Schule gehe ich einkaufen. **Beim Gemüsestand** kaufe ich viel Obst und Gemüse. Vom Markt ist es nicht mehr weit bis zu meiner Wohnung. **Aus dem Gemüse** koche ich mein Lieblingsessen: Minestrone! Danach esse ich zusammen mit meiner Tante und meinen zwei Neffen und erzähle **von meinem Tag**.

b) *Vgl. Grammatik kompakt, Seite 135–136*

11
⚀ Ich komme vom Supermarkt.
⚁ Ich arbeite bei der Post. / Ich gehe zur Post. / Ich komme von der Post.
⚂ Ich gehe zur Arbeit. / Ich komme von der Arbeit.
⚃ Ich fahre mit dem Fahrrad.
⚄ Ich gehe zur U-Bahn. / Ich komme von der U-Bahn. / Ich fahre mit der U-Bahn..
⚅ Ich gehe zum Arzt. / Ich komme vom Arzt.

12
a) A das Passfoto – B der Führerschein – C der Pass – D die Wartenummer – E das Formular
b) Ich muss meinen Pass und meinen Führerschein mitbringen. – Ich muss ein Passfoto machen. – Ich muss ein Formular ausfüllen.

14
Ramón war dreimal auf dem Amt.

16
a) A6 – B4 – C3 – D5 – E7 – F1

b)
1. Fürth liegt in der Nähe von Nürnberg.
2. Fürth ist über 1000 Jahre alt.
3. Fürth hat 114.000 Einwohner.
4. Das Rathaus und das Stadttheater sind sehr bekannt.
5. Die erste deutsche Eisenbahn: der Adler.
6. Es gibt ein Stadtmuseum, ein Jüdisches Museum, ein Rundfunk- und ein Fossilienmuseum.

12 Gesundheit

1
a) 1E – 2C – 3B – 4D – 5A

2
Zwei Augen und Ohren. Zwei Arme und Hände. Zwei Beine und Füße. Zwei Knie.

SCHON FERTIG
Vorschlag:
Ein Fisch hat keine Arme und keine Beine.
Er hat auch keine Hände und keine Finger.
Und er hat auch keine Füße. Er hat keine Haare.
Hat ein Fisch Ohren und eine Nase?

4
Nein, Tom Miller war noch nicht beim Arzt.

7
1D – 2E – 3A – 4B – 5C

10
Man bringt mit: die Versicherungskarte, die Überweisung, zehn Euro
Man bekommt: das Rezept, die Krankmeldung, die Überweisung

11
a) Er hat keine Erkältung. Vielleicht hat er eine Allergie.

b)
1. Tom Miller ist gegen Pollen, Äpfel und Nüsse allergisch.
2. Er soll viel Wasser trinken und kein Obst essen.
3. Er soll jeden Tag zwei Tabletten nehmen.
4. Er bekommt eine Broschüre über Allergien.

c) Er soll normal essen. Er soll die nächsten drei Tage zu Hause bleiben. Er soll jeden Tag zwei Tabletten nehmen. Er soll keinen Alkohol trinken. Er soll die Broschüre lesen.

13
b) Schlafen Sie – Nehmen Sie – Trinken Sie – Wiederholen Sie – Essen Sie – bleiben Sie – lesen Sie

14
Nimm doch eine Tablette. – **Mach** schnell einen Termin.

15
1: Wiederhol – 2: Trink – 3: Nimm – 4: Schlaf – 5: Lach

16
a)
Dialog 1: Foto D
Dialog 2: Foto B
Dialog 3: Foto A

b) 1c – 2d – 3a – 4b

13 Meine Nachbarn

3
a)

b)

Ihre Kinder machen Krach	5
und die Eltern streiten täglich.	2
Ja, ihr Abfall steht im Flur	3
Keiner sagt mal „Hallo“.	1
Warum bellt der denn so?	4
Wie sie singen und feiern:	6

4
Im Fitness-Studio.

5
schrecklich, unfreundlich, laut, chaotisch

9
Die E-Mail schreibt Thomas.
Florian ist der Sohn von Thomas.

10
a) 1C – 2A – 3B – 4D

b) *Vorschläge:*
Ich muss zum Amt. Könnten Sie / Könntest du bitte mitkommen?
Ich muss zum Arzt. Könnten Sie / Könntest du bitte auf die Kinder aufpassen?
Ich besuche Verwandte. Könnten Sie / Könntest du bitte meine Katze füttern?

11
a)

nicht + Verb	*kein + Nomen*
nicht rauchen	keine Fahrräder abstellen
nicht spielen	keinen Krach machen
nicht grillen	keine Musik machen

b)
Man darf hier keine Fahrräder abstellen.
Man darf zwischen 12 und 15 Uhr keinen Krach machen.
Man darf im Treppenhaus nicht spielen.
Man darf auf dem Balkon nicht grillen.
Man darf nach 22 Uhr keine Musik machen.

c) *Vorschläge:*
Man darf keinen Krach machen und man darf keine Musik machen.
Man darf nicht grillen und man darf nicht spielen.
Man darf keinen Krach machen und man darf nicht spielen.

12
Darf ich Fußball spielen?
Natürlich darfst du Fußball spielen, aber du darfst nichts kaputt machen.

Darf ich im Garten Fahrrad fahren?
Natürlich darfst du im Garten Fahrrad fahren, aber du musst vorsichtig/leise sein.

Darf ich mittags draußen spielen?
Natürlich darfst du mittags draußen spielen, aber du musst leise sein / du darfst nichts kaputt machen.

13
1: richtig – 2: falsch – 3: richtig – 4: falsch

14
a) Foto B

b)
Frau Demirel: Die Straße ist ruhig. Hier ist nicht viel Verkehr.
Herr Demirel: ... und die Kinder können draußen spielen. / Wir haben viele Nachbarn. Man ist hier nicht allein. / Wir haben eine Garage. Das ist praktisch.
die Tochter: Ich spiele gern im Garten. / Nebenan wohnt auch eine Familie mit Kindern.

c)
2. Sie wohnen gern hier, denn sie haben einen Garten.
3. Sie wohnen gern hier, denn sie haben viele Nachbarn.
4. Sie wohnen gern hier, denn sie sind nicht allein.
5. Sie wohnen gern hier, denn sie haben eine Garage.
6. Sie wohnen gern hier, denn sie können (im Garten) grillen.

16
1: denn – 2: aber – 3: denn – 4: denn – 5: aber

17
b) [ŋ]: Wohnung, singen – [ŋk]: stinkt, denken

18
a) 3 über andere lachen – 8 essen oder trinken – 6 Kaugummi kauen – 7 zu spät kommen – 5 nicht helfen – 2 schlafen – 4 Musik hören – 1 mit dem Handy spielen

14 Reisen in D A CH

1
1. Deutschland, Österreich, Schweiz
2. *Vorschläge:*
Man kann zelten/campen. Man kann wandern;

Sehenswürdigkeiten ansehen; Fahrrad fahren, Boot fahren / segeln, schwimmen ...

2

a) Texte 2, 3 und 8

b) *Vorschläge:*
Städte: ganz Deutschland besichtigen, in viele Museen gehen, Zug fahren
Süden/Meer: am Pool/am Strand liegen, entspannen und viel lesen, Sonne, Volleyball spielen, eine Fahrradtour machen
Natur: in die Berge gehen, wandern gehen, eine Fahrradtour machen, an einem See zelten, allein
Zu Hause/Familie: Verwandte besuchen, in den Park gehen, grillen, mit den Kindern spielen, zusammen sein

4

2. eine Umfrage/ein Interview

5

1. Frau Vogelsang fährt am liebsten in die Berge / nach Österreich / an den Bodensee.
2. Sie bekommt ihre Informationen aus dem Internet.
3. Nach Österreich reist sie mit der Bahn.

9

1. Man kann 32 Länder in Europa besuchen.
2. Das Ticket ist einen Monat gültig.
3. Jana schläft im Zug. Das ist billig.
4. In den Bahnhöfen gibt es Schließfächer für das Gepäck.

13

a)
1. Der ICE 2025 um 14:14 Uhr
2. Der Rhein-Express um 14:01 Uhr
3. Die Rhein-Wupper-Bahn um 14:08 Uhr.

b) *Vorschläge:*
- ...
- Gut, es gibt einen ICE um ... Uhr.
- Muss ich umsteigen?
- Nein./Ja, in ...
- Wann komme ich in ... an?
- Um ... Uhr.
- Ja, das ist gut. Ich möchte auch einen Sitzplatz reservieren.
- Natürlich. Haben Sie eine BahnCard?
- Nein./Ja, ich habe eine BahnCard 25/50.
- Das macht dann ... Euro.
- Bitte. Vielen Dank. Auf Wiedersehen.

14

1. falsch – 2. richtig – 3. falsch

15

b) 1. Text: C – 2. Text: D – 3. Text: A – 4. Text: B

Lösungen zu den Übungen

Übungen 8

Zu 2

1) 1. Obergeschoss – 2. Nebenkosten – 3. Apartment – 4. Quadratmeter – 5. möbliert – 6. Wohnung – 7. Erdgeschoss – 8. Kaution – 9. Zimmer – 10. Einbauküche – 11. Zentralheizung

2) 3-**Zi.-Whg.**, 75 **m²**, 3. **OG**, mit Balkon.
650 € + 80 € **NK.**

Zu 3

2) 2d – 3c – 4a – 5b – 6e toll/super/schön/zu anstrengend

Zu 5

1c – 2b

Zu 7

1) 1. Die Kinder **spielen** im Flur.
2. Der Mann **schläft** im Wohnzimmer.
3. Die Frau **telefoniert** im Badezimmer.
4. Die Familie **isst** in der Küche.

2) *Vorschläge:*
1. Ich lerne im Schlafzimmer.
2. Ich frühstücke in der Küche.
3. Ich bügle im Wohnzimmer
4. Ich telefoniere im Flur.
5. Ich sehe im Schlafzimmer fern.

Zu 8

1. Wie groß ist die Wohnung? / Wie viele Quadratmeter hat die Wohnung?
2. Wie hoch ist die Miete?
3. Wie hoch sind die Nebenkosten?
4. Wie viele Schlafzimmer hat die Wohnung?
5. Hat die Wohnung einen Balkon?
6. Liegt die Wohnung zentral?
7. Ist die Wohnung ruhig?

Zu 9

Der Teppich war zuerst im Schlafzimmer, jetzt ist er im Wohnzimmer. Der Fernseher war zuerst im Wohnzimmer, jetzt ist er im Schlafzimmer. Das Sofa war zuerst im Wohnzimmer, jetzt es im Kinderzimmer. Der Schreibtisch war zuerst im Wohnzimmer, jetzt ist er im Schlafzimmer. Die Stühle waren zuerst in der Küche, jetzt sind sie im Wohnzimmer. Das Regal war zuerst im Flur, jetzt ist es im Bad.

Zu 10

1) *Vorschläge:*

kalt	*warm*
blau	rot
grün	gelb
weiß	braun
schwarz	
grau	

2) Die Zahlen 17 und 47

3) 1. 3 Sachen – 2. 6 Sachen 3. 5 Sachen – 4. 3 Sachen
Das Kleid, die Zettel, der Pullover (im Koffer) sind grün. Die Vase, die Tasse, das Handy, der Radiergummi, das Buch (im Regal), der Stift sind rot. Die Hose, der Koffer, das Deutschbuch, der Computer, die Tasche sind blau. Der Pullover, die Lampe und der Stuhl sind gelb.

Zu 12

1) Vase – Gläser – Spiegel – Kette – Uhr

2) Die Vase gefällt ihr nicht so gut.
Die Gläser gefallen ihr gar nicht.
Der Spiegel gefällt ihr gut.
Die Kette gefällt ihr nicht so gut.
Die Uhr gefällt ihr sehr gut.

Zu 13

– Das Sofa? Nein, das gefällt mir nicht.
– Die Handtücher? Nein, die gefallen mir nicht.
– Der Teppich? Nein, der gefällt mir nicht.
– Die Taschen? Nein, die gefallen mir nicht.
– Die Vase? Nein, die gefällt mir nicht.
– Die Gläser? Nein, die gefallen mir nicht.

Zu 14

1) *links:* Eine Maus ist **im** Schrank. Eine Maus ist **unter** dem Schrank.
rechts: Eine Maus ist **auf** dem Schrank. Eine Maus ist **unter** dem Schrank.

2) Foto B passt.

3) Der Schrank steht rechts **neben dem** Kühlschrank.
Auf dem Kühlschrank steht Obst.
Der Herd steht links **neben der** Spüle.
Der Tisch steht **unter dem** Fenster.

4)
2. Um 8.30 Uhr ist er in der Tasche.
3. Um 12.30 Uhr ist er auf dem Tisch / neben dem Teller.
4. Um 14 Uhr ist er auf dem Computer.
5. Um 17.30 Uhr ist er auf dem/im Regal.
6. Um 22 Uhr ist er unter dem Bett.

Zu 17

1. Der Löffel ist auf dem Teller.
2. Das Messer ist rechts neben dem Teller.
3. Die Gabel ist links neben dem Teller.
4. Das Glas ist rechts oben neben dem Teller.

Übungen 9

Zu 2

1) Zeitungszusteller

2)
2. Um 4 Uhr war er auf der Straße und hat Zeitungen ausgetragen.
3. Um 6 Uhr war er in der Bäckerei und hat Brötchen gekauft.
4. Um 7:30 Uhr war zu Hause und hat gefrühstückt.
5. Um 9 Uhr war er draußen und ist mit den Hunden spazieren gegangen.
6. Um 12:30 war er im Restaurant und hat Mittag gegessen.

7. Um 15 Uhr war er im Garten und hat gearbeitet.

3)
1. Sie findet ihre Arbeit schön/super.
2. Er findet seine Arbeit langweilig/schrecklich.
3. Sie findet ihre Arbeit interessant/super/schön.
4. Er findet seine Arbeit anstrengend.

Zu 3

1) 1. In einem Büro. – 2. In einem Restaurant. – 3. In einer Werkstatt. – 4. In einer Schule.

2)
2. Die Bäckerin arbeitet in der Bäckerei.
3. Der Call-Center-Mitarbeiter arbeitet im Call-Center.
4. Der Arzt arbeitet im Krankenhaus.
5. Die Lehrerin arbeitet in der Schule.
6. Die Taxifahrerin arbeitet im Taxi.
7. Der Kfz-Mechatroniker arbeitet in der Werkstatt.
8. Der Kellner arbeitet im Restaurant.

Zu 5

1) 2. Er ist Koch. 3. Sie ist Programmierin/Sekretärin. 4. Er ist Taxifahrer. 5. Sie arbeitet als Bäckerin. 6. Er ist Gärtner. 7. Sie ist Lehrerin. 8. Er arbeitet als Krankenpfleger. 9. Er ist Hausmeister. 10. Ich bin/arbeite als ...

2) Frau Multitalent ist Babysitterin und Ärztin. Sie arbeitet als Kfz-Mechatronikerin und als Gärtnerin. Sie ist Frisörin und Köchin.

Zu 6

1. Was machen Sie beruflich?
2. Wo arbeiten Sie?
3. Seit wann arbeiten Sie dort?
4. Arbeiten Sie Vollzeit?
5. Wie lange / Wie viele Stunden arbeiten Sie pro Tag?

Zu 8

1)
1. Wir **hatten** keine Zeit.
2. Sie **hatte** leider keine Arbeit.
3. **Hattest** du denn so viel Geld?
4. Ich **hatte** keine Zeit.
5. **Hattet** ihr denn keine Termine?
6. **Hatten** sie denn so lange Ferien?

2) Im März und April hat er in einem Büro gearbeitet.
Von Mai bis Juli hat er in einer Bibliothek gearbeitet.
Von Juli bis August hat er in einem Freibad gearbeitet.
Von September bis November hat er in einem Altersheim gearbeitet.
Im Dezember hat er in einem Kaufhaus gearbeitet.

Zu 9

1: bin – 2: habe – 3: habe – 4: bin – 5: habe – 6: bin – 7: bin – 8: habe

Zu 10

Li Gou Hu erzählt: Ich habe lange in Shanghai **gelebt**. Dort habe ich mit meinen Eltern zusammen **gewohnt**. Ich habe auch eine Ausbildung **gemacht**. Ich habe drei Jahre Deutsch **studiert**. Danach habe ich in Shanghai **gearbeitet**.
Aber ich hatte immer einen Traum und nach zwei Jahren habe ich es **gemacht**: Ich bin nach Deutschland **gegangen**. Zuerst habe ich einen Job als Koch **gesucht** – und heute habe ich selbst ein Restaurant.

Zu 11

2) 2. Früher hat er Fußball gespielt. 3. Früher hat er getanzt. 4. Früher hat er Musik gemacht. 5. Früher hat er gekocht.

Zu 12

10 – 2 – 8 – 6 – 4 – 5 – 3 – 7 – 1 – 9 – 11

Zu 15

1 ihn – 2 uns – 3 uns – 4 mich – 5 uns – 6 sie

Zu 16

1) 1. Ihr, Peter Rüttner – 2. Ihr, Alter – 3. Schillerstraße – 4.Hausnummer – Vierunddreißig

2) Lieber Peter,
im November fahre ich nach China. Ich besuche **meinen Bruder**. Er lebt dort **mit seiner Frau und seinen Kindern**. Das Klima ist da im **Winter sehr gut**. Nicht so kalt **wie in Europa**. Aber ich bin **ein bisschen nervös**.
Viele Grüße, Jan

PRÜFUNGSVORBEREITUNG
1. richtig – 2. richtig – 3. falsch – 4. richtig – 5. falsch

Übungen 10

Zu 1
Maria trinkt ihren Tee mit viel Milch (Zeichnung D) und mit wenig Zucker (Zeichnung B).

Zu 2
1) Sie haben Milch, Eier, Spaghetti, Apfelsaft, Mehl, Zucker, Schokolade, Öl, Kekse und Joghurt gekauft.

2) Sie haben den Reis vergessen.

Zu 3
1)

der	das	die
Wein, Fisch, Reis, Zucker, Essig, Käse, Apfel	Mineralwasser, Mehl, Öl	Milch, Melone, Butter, Kartoffel, Banane, Kiwi

2) *keinen Plural:* Milch, Wein, Butter, Reis, Zucker, Essig, Mineralwasser, Mehl, Öl

PLUS
A Pizza B Eis

Zu 4
Vorschläge:
1. 500 Gramm Mehl / Zucker
2. 250 Gramm Mehl / Butter / Zucker
3. 1 Liter Milch / Öl
4. 5 Esslöffel Milch / Öl / Zucker / Mehl
5. 6 Eier
6. 1 Päckchen Backpulver / Hefe

Zu 5
1) 1. Essig – 2. Kekse – 3. Zucker – 4. Öl

2) *Vorschläge:*
1. Eis, Kekse – 2. Öl, Pfeffer – 3. Paprika, Zucchini, Aubergine – 4. Tee, Mineralwasser, Wein, Apfelsaft

Zu 6
2)
PRÜFUNGSVORBEREITUNG
1. falsch – 2. richtig –3. falsch

Zu 8
1) *Ich-Laut: 6 Wörter:* ich, Küche, ich, möchte, ich, ich
Ach-Laut: 7 Wörter: machst, koche, kochen, suche, ach, suchst, brauche

2)
- Hallo, Mama. **Ich** m**ö**chte Apfelk**u**chen backen, aber **i**ch habe kein Rezept. **I**ch habe schon überall in der K**ü**che ges**u**cht.
- Apfelk**u**chen? Das ist ganz einf**a**ch. Du br**au**chst Mehl und M**i**lch und **au**ch ein Päckchen Backpulver. Hast du n**o**ch Vanillinzucker?

3)
- Hallo, Mama. Ich möchte Apfelkuchen backen, aber ich habe kein Rezept. Ich habe schon überall in der Küche gesucht.
- Apfelkuchen? Das ist ganz einfach. Du brauchst Mehl und Milch und auch ein Päckchen Backpulver. Hast du noch Vanillinzucker?

Zu 9
... Sie mag am liebsten Pizza Funghi.
Thomas ist gern Paprika, Zucchini und Knoblauch. Er mag am liebsten Pizza Vegetaria.
Ramón isst gern Thunfisch und Zwiebeln.
Er mag am liebsten Pizza Tonno.
Maria isst gern Tomaten und Käse. Sie mag am liebsten Pizza Quattro Formaggi.

Zu 10
1. Thomas trinkt seinen Tee am liebsten mit Zitrone.
2. Julia trinkt ihren Kaffee am liebsten mit Milch.
3. Ramón trinkt seinen Kaffee am liebsten ohne Milch und ohne Zucker.
4. Maria trinkt ihren Tee am liebsten mit Milch.

Zu 13
1) Ihre Jacke ist weiß, ihr Schal ist rot, ihr T-Shirt ist blau-weiß. Ihre Hose ist blau und ihre Tasche ist gelb.
Sein T-Shirt ist grün und seine Hose ist blau.

2) Er muss seine Jeans/Hosen, seine Pullover, seine T-Shirts, seine Socken und seine Hemden waschen.

3) *Vorschlag:*

	Mann und Frau	nur Mann	nur Frau
Zu Hause	T-Shirt Jeans Hose Pullover Strümpfe		Rock
Bei einer Hochzeit	Schuhe Strümpfe	Anzug Hemd Krawatte Mantel	Kleid Kostüm Bluse Rock Mantel
Im Winter	Handschuhe Jacke Mantel		

Zu 14

Vorschläge:
Kann ich Ihnen helfen?
Ja, bitte. Ich suche eine Hose.
Hier sind Hosen. Welche Größe brauchen Sie?
Ich habe Größe 38 oder 40.
Möchten Sie diese Hose anprobieren?
Ja, gern!
Und, passt sie?
Ja, sie passt.
Gefällt Ihnen die Hose?
Ja, sie gefällt mir. Aber sie ist sehr teuer.

Zu 15

- Wollen wir in die Stadt fahren?
- Gute Idee. Ich **will** auch noch etwas umtauschen.
- Was **willst** du denn umtauschen?
- Die Socken hier. Sabine **will** sie nicht haben. Die Farbe gefällt ihr nicht.
- Okay. **Wollen** wir sofort fahren?

Zu 16

1) *Vorschläge:*
Hast du heute Mittag etwas gekocht? – Nein, ich habe nichts gekocht.
Hast du heute Morgen etwas gegessen? – Nein, ich habe nichts gegessen.
Hast du gestern etwas gekauft? – Nein, ich habe nichts gekauft.
Hast du gestern Abend etwas gekocht? – Nein, ich habe nichts gekocht.

PLUS

Es ist dunkel. Ich sehe **nichts**.
Du bist so intelligent: Du weißt **alles**.
Ich habe lange gesucht, aber **nichts** gefunden.
Das ist **alles** schön. Mir gefällt **alles** sehr gut.

Übungen 11

Zu 1

Waagerecht: 3: Kino – 4: Bahnhof – 6: Freibad – 7: Schule – 9: Krankenhaus - 10: Autobahn
Senkrecht: 1: Bibliothek – 2: Fahrschule – 5: Supermarkt – 8: Post

Zu 2

2) Maria geht zur Post. – Maria geht zum Stadion. – Maria geht zum Bäcker/zur Bäckerei. – Maria geht zur Schule.

Zu 3

Pavel fährt heute mit dem **Auto**. Er möchte seinen Freund zum **Bahnhof** bringen. Er fährt bis zum **Krankenhaus** und biegt an der **Kreuzung** nach rechts ab. Er fragt einen Mann: „Wo ist der Bahnhof?“ Der Mann lacht und antwortet: „Mit dem **Fahrrad** ist es gleich dort drüben an der **Ampel**, aber mit dem **Auto** müssen Sie zurückfahren. Das hier ist eine Einbahnstraße.“

Zu 6

Vorschlag:
Du gehst zuerst nach rechts bis zur Kreuzung. Dann gehst du nach links und weiter geradeaus. Dann kommt eine Ampel. Dort gehst du nach links. Die Post ist auf der linken Seite neben der Bank.

Zu 7

1) Fahrrad, U-Bahn, S-Bahn, Bus, Zug, Auto, Motorrad, Flugzeug

2) *Vorschläge:*
Julia ist vom Hotel in Hamm mit dem Bus zum Bahnhof gefahren. Von Hamm ist sie mit dem Zug nach Graz gefahren. Vom Bahnhof in Graz ist sie mit dem Bus nach Waltendorf gefahren und von dort zu Fuß nach Hause gegangen.

Gou Hu ist von seinen Eltern mit dem Taxi zum Flughafen Shanghai gefahren. Von Shanghai ist er nach Düsseldorf geflogen. Von Düsseldorf ist er mit dem Zug nach Köln gefahren und vom Bahnhof ist er mit dem Bus nach Hause gefahren.

Pjotr ist von zu Hause mit der S-Bahn zum Flughafen Hamburg gefahren. Dann ist er nach Zürich geflogen. Von Zürich ist er mit dem Zug nach Zermatt gefahren. Vom Bahnhof in Zermatt ist er zu Fuß ins Hotel gegangen.

Zu 9

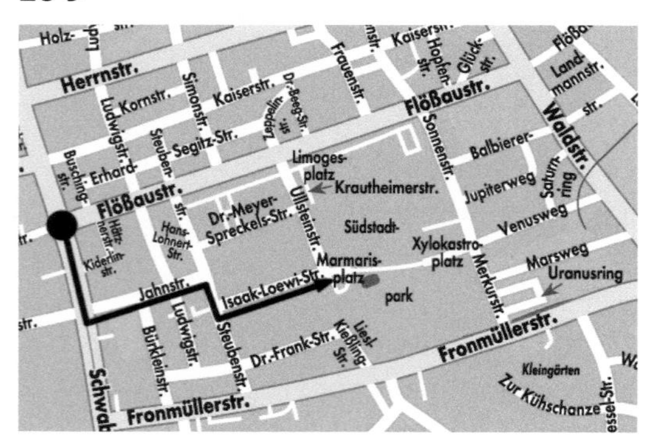

Zu 10

2. Die Frau aus dem Hotel geht **zum Taxi**.
3. Die Kinder haben einen Film gesehen und kommen **aus dem Kino**.
4. Ein Junge hört Musik. Er kommt **aus der Schule**.
5. Das Auto fährt **nach Leipzig/zur Autobahn**.
6. Die Frau mit dem Hund geht **zur Post**.
7. Die Schwestern fahren **mit dem Fahrrad** zum Sport.

Zu 11

1) *Vorschläge:*
1B: Gehst du heute zum Supermarkt?
2E: Sie arbeitet bei der Post.
4D: Ich komme heute spät von der Arbeit.
5C: Ich fahre mit dem Bus zur Sprachschule.

2) Hans Gottwald lebt **in** Köln. Er wohnt **mit** einem Freund zusammen. Beide arbeiten **bei** einer Telekommunikationsfirma. Hans kennt Klaus schon **seit** 15 Jahren. Sie sind zusammen **zur** Schule gegangen. Aber jetzt hat Hans eine Frau kennengelernt. Sie heißt Alina. Er trifft sie oft **nach** der Arbeit. Jetzt möchten sie zusammen eine Wohung suchen. Hans möchte heute Abend **mit** Klaus sprechen. Sie gehen direkt **nach** der Arbeit in ihr Lieblingsrestaurant. **Beim** Essen erzählt Hans **von** Alina. Klaus ist gar nicht böse. Er sagt: „Wir haben lange zusammen gewohnt. Und das war schön. Aber jetzt ... Kennst du Heike schon? Sie arbeitet **seit** gestern im Büro nebenan. Sie ist toll."

Zu 12

1)
1. Den Personalausweis, den Fahrzeugschein und das Formular.
2. Im Internet oder im Einwohnermeldeamt.
3. Am Markt 3, 2. Stock.

2)
2. Drucken Sie das Formular aus.
3. Kommen Sie zum Amt.
4. Bringen Sie das Formular mit.
5. Ziehen Sie eine Wartenummer.

Zu 16

1: am Meer – 2: groß – 3: laut – 4: heiß – 5: sehr alt – 6: Hafen Piräus – 7: Akropolis

Prüfungsvorbereitung

Musterlösung
Liebe Naomi,
hier in Köln gibt es Busse und Straßenbahnen. Aber die U-Bahn ist besonders schnell und sie fährt sehr oft. Taxifahren ist hier sehr teuer.
Es gibt sehr viele Sehenswürdigkeiten. Natürlich musst du den Kölner Dom sehen. Aber es gibt auch viele Museen, z. B. das Museum Ludwig. Oder wir gehen am Rhein spazieren und wir shoppen auf der Ehrenstraße. Dort findest du auch Geschenke.
Das Wetter ist hier nicht immer gut. Im Sommer ist es oft warm, aber es kann auch regnen. Nimm eine Jacke und Jeans mit. Und Turnschuhe, wir laufen viel!
Bis bald, liebe Grüße
Maja

Übungen 12

Zu 1

Halsschmerzen – Ohrenschmerzen – Zahnschmerzen – Rückenschmerzen – Bauchschmerzen – Kopfschmerzen

Zu 2

1) das Auge – der Mund – der Kopf – die Hand – der Bauch – der Zeh – das Bein – der Fuß – der Arm – das Ohr

2) *Vorschlag:*
... lustig. Sein Bauch ist dick. Er hat vier Beine und fünf Arme. Er hat wenig Haare. Insgesamt hat er neun Augen und zwölf Ohren. Aber er hat keine Nase.

Plus

1. *Der Besucher hat:* Kopf, Mund, Hals, Bauch, Po, Rücken, Arm, Fuß, Zeh
2. *Es fehlt:* Augen (das) Ohren (das), Beine (das), Knie (das), Hände (die), Nase (die)

Zu 4

1) A: Dialog 3 – B: Dialog 1 – C: Dialog 2

2)

Sabine:	Kopfschmerzen	seit einer Woche	Arzt
Fatma	Halsschmerzen	seit gestern	Tabletten
Lukas	Bein ist dick	seit heute Nachmittag	Eisbeutel

Zu 6

2. Ich habe Halsschmerzen. – 3. Mein Bein ist gebrochen – 4. Ich habe eine Erkältung / eine Grippe. 5. Meine Hand tut weh.

Zu 7

1: Allgemeinärztin – 2: Praxis – 3: sechs – 4: Patienten – 5: Ärztehaus – 6: fünf – 7: Rückenschmerzen

Prüfungsvorbereitung

1a – 2a – 3b – 4c – 5b – 6a

Zu 10

Versicherungskarte – Krankenkasse – Überweisung – Hausarzt – Praxisgebühr

Zu 11

1) *vgl. Dialog auf Seite 49*

2)
1. Er soll tief ein- und ausatmen.
2. Er soll den Mund aufmachen.
3. Er soll einen Test machen.
4. Er soll im Wartezimmer Platz nehmen.

3) *Ärzte:* fragen, wie es geht – ein Rezept schreiben – eine Krankmeldung schreiben
Patienten: Fieber haben – Husten haben – im Wartezimmer Platz nehmen – zur Apotheke gehen

Zu 14

1) 2e – 3g – 4f – 5a – 6d – 7b

2) 2. Geh früher ins Bett. – 3. Mach einen Termin. – 4. Steh früher auf. – 5. Mach das Fenster auf. – 6. Iss viel Gemüse und trink keine Cola. – 7. Trink nicht so viel Kaffee.

Zu 15

1) Fieber **messen** – 2. Tee **kochen** – 3. zur Apotheke **gehen** – 4. Wadenwickel **machen** – 5. zum Arzt **gehen** – 6. ein Lied **singen**

2) 2. Koch Tee. – 3. Geh zur Apotheke. – 4. Mach Wadenwickel. – 5. Geh zum Arzt. – 6. Sing ein Lied.

Zu 17

2) [eː] *geschlossen:* Tee, Rezept, Medikamente
[ɛ] *offen:* Bett, Rezept, Medikamente

Übungen 13

Zu 3

1. Der Mann oben sagt nicht „Guten Tag". – 2. Die Eltern streiten/schimpfen. – 3. Der Abfall stinkt. – 4. Der Hund bellt. – 5. Die Kinder machen Krach. – 6. Die Leute singen und feiern/machen Krach.

2) *Vorschläge:*
Der Mann oben denkt: „Die Frau ist langweilig."
Die Frau denkt: „Der Mann ist unfreundlich."
Die Eltern denken: „Du bist schrecklich!"
Die Leute denken: „Wir sind fröhlich."

3)

	freundlich	aggressiv
1.	x	
2.		x
3.		x
4.		x
5.	x	
6.		x

Plus

hell – dunkel, groß – klein, langweilig – interessant, schrecklich – cool/super, leise – laut, kalt – heiß, schön – hässlich, freundlich – unfreundlich

Zu 6

1)

1. Die Wohnung ist sehr schön. ↘
2. Die Wohnung ist sehr schön, ... →

Zu 7

Die Frau kennt Stefan Berger besser.

Zu 8

Vorschlag:

... Ihr Hund ist gefährlich. Sie sind sehr laut. Der Mann ist unfreundlich, die Frau schimpft immer. Sie haben zwei Kinder. Der Junge hört Musik – das ist sehr laut und er sagt nie „Hallo“. Das Mädchen ist schrecklich.
Die Nachbarn B sind sehr nett. Sie haben zwei Kinder und eine Katze. Die ist sehr süß. Sie sind sehr ordentlich und freundlich.

Zu 9

1)

1. Im April. 2. Im Urlaub. 3. Am Samstagabend.

Zu 10

1. Entschuldigung, könnten Sie bitte auf meinen Hund aufpassen?
2. Wir fahren weg. Könnten Sie vielleicht meine Blumen gießen?
3. Ich mache einen Salat. Haben Sie vielleicht eine Zwiebel für mich?

Zu 11

2)

2. Hier darf man nicht schwimmen.
3. Hier darf man nicht grillen.
4. Hier darf man nicht fotografieren und nicht telefonieren.
5. Hier darf man nicht singen.
6. Hier darf man nicht rauchen.

3)

- Hier darf man **keine** Fotos machen.
- Wie bitte?
- Hier darf man **nicht** fotografieren.

- Hier darf man **keinen** Krach machen.
- Wie bitte?
- Hier darf man **nicht** laut sein.

- Hier darf man **nicht** singen.
- Wie bitte?
- Hier darf man **keine** Musik machen.

- Hier darf man **kein** Eis essen!
- Wie bitte?
- Hier darf man **nicht** essen und **nicht** trinken.

4) **Regel:** *nicht* steht vor einem **Verb**, *kein* steht vor einem **Nomen**

Zu 12

Vorschläge:

1. Die Wohnung gefällt mir, denn sie hat einen Balkon.
   Die Wohnung gefällt mir, aber sie hat keinen Balkon.
   Die Wohnung gefällt mir, aber sie ist teuer.
2. Das Haus gefällt mir nicht, denn/aber es ist alt.
   Das Haus gefällt mir nicht, denn es ist klein.
   Das Haus gefällt mir nicht, denn es hat keinen Garten.
   Das Haus gefällt mir nicht, aber es hat einen Garten.
3. Ich mag meine Nachbarn, denn/aber sie haben drei Hunde.
   Ich mag meine Nachbarn, denn sie sind nett.
   Ich mag meine Nachbarn, denn/aber sie hören laut Musik.
4. Das Bad gefällt mir, denn es hat eine Badewanne.
   Das Bad gefällt mir, aber/denn es ist dunkel.
   Das Bad gefällt mir, aber es hat kein Fenster.
   Das Bad gefällt mir, denn es hat ein Fenster.

Zu 14

2)

Vorschläge:

In Wohnzimmer 1 ist der Schrank rechts neben der Tür, in Wohnzimmer 2 ist er rechts neben dem Fernseher. In Wohnzimmer 1 ist die Lampe links neben dem Fernseher, in Wohnzimmer 2 ist sie hinter dem Tisch. In Wohnzimmer 1 ist die Pflanze auf dem Tisch. In Wohnzimmer 2 ist sie neben dem Fenster. In Wohnzimmer 1 ist der Tisch in der Mitte. In Wohnzimmer 2 ist er rechts neben der Tür.

PLUS

Vorschlag: Das Bad ist neben dem Wohnzimmer. Im Wohnzimmer sind sechs Stühle, zwei Tische, ein Sofa und ein Schrank. Die Küche ist klein. Neben der Küche ist das Kinderzimmer. Im Kinderzimmer gibt es zwei Betten, einen Schreibtisch und einen Schrank. Das Schlafzimmer ist sehr groß. Die Wohnung hat einen Balkon und eine Gäste-WC.

Zu 17

a) angefangen – Hunger – Kühlschrank – funktionieren
b) Achtung – Danke – Entschuldigung – jung
c) krank – Erkältung – Frühling – Besserung

Übungen 14

Zu 2

Vorschlag:
Wir sind Camper. Wir schlafen im Zelt und brauchen kein Hotel. Wir kennen viele Leute hier und wir grillen oft zusammen. Das ist schön. Man kann hier auch sehr viel Sport machen, zum Beispiel Volleyball spielen. Beim Campen gibt man auch nur wenig Geld aus – das ist toll!

Zu 5

1. Wohin fahren Sie am liebsten?
2. Wo buchen Sie?
3. Wann fahren Sie am liebsten weg?
4. Wie reisen Sie?

PRÜFUNGSVORBEREITUNG

1a – 2b – 3c – 4a – 5c – 6b

Zu 6

am Strand spazieren gehen – in den Bergen wandern – nach Hause fahren

PLUS

Wir sind ~~nachts~~ um 13 Uhr losgefahren. Das Wetter war herrlich, die Sonne hat ~~nie~~ geschienen. Wir sind in die Berge gefahren. Die Landschaft ~~und das Meer~~ war so schön. Das Hotel war gut ~~und billig~~. Es hat aber auch über 50 Euro die Nacht gekostet. Das Zimmer war sehr schön, ~~aber etwas laut~~. Wir hatten Ruhe und haben viel ~~schlecht~~ geschlafen. Am Tag sind wir viel gewandert und abends haben wir stundenlang ~~wenig~~ gegessen. Das Essen war toll. Die Reise war wunderbar ~~schrecklich~~.

Zu 8

1)

	Thomas	Susanne
Karibik:		zu teuer und zu weit weg
Zypern:	Hotel zu groß	
Andalusien:		zu heiß
Kroatien:	super Idee	

2) Die Fahrt mit dem Bus war **anstrengend**.
Das Hotel war **laut** und **viel zu groß**.
Das Zimmer war im 5. Stock und **hässlich**.
Das Wetter war **viel zu heiß** und **zu trocken**.

Zu 9

1) 1: Meine Frau und ich, 2: mit dem Fahrrad, 3: in Hamburg, 4: hat es geregnet, 5: eine Woche später, 6: die Stadt besichtigt, 7: gut gegessen, 8: in die Schweiz gefahren, 9: zwei Wochen, 10: in den Bergen, 11: zum Bodensee gefahren, 12: sind viel gewandert, 13: mit dem Zug, 14: In Wien waren wir

2)
1. in Freiburg, in den Bergen in der Schweiz, am Bodensee, in Graz, in Wien
2. In Freiburg haben sie Freunde besucht und gut gegessen. Am Bodensee sind sie viel gewandert und haben viele Menschen kennengelernt. In Graz haben sie das Kunsthaus besichtigt.

Zu 10

Wir sind gerade in Freiburg angekommen. Das Wetter ist toll. Wir sind nach 3 Stunden Fahrradfahren etwas müde. Und Hunger haben wir auch. Geht es dir gut? Liebe Grüße Papa

Zu 13

1. Der Zug nach St. Gallen fährt um 14:44 Uhr.
2. Der Zug um 14.13 fährt nach Küssnacht und nach Arth-Goldau.
3. Er fährt von Gleis 8.
4. Der Zug um 14:23 Uhr fährt nach Milano.

Zu 14

b ist richtig